D0552754

UN AMOUR
ÉTOUFFANT

MARIE LOUISE FISCHER

UN AMOUR
ÉTOUFFANT

PRESSES DE LA CITÉ

Le titre original de ce livre est :

ZU VIEL LIEBE

Traduit de l'allemand par Nina Nidermiller

© Presses de la Cité, 1982, pour la traduction française.

ISBN 2-266-01361-0

C'ETAIT une journée grise d'avril.

Dans le jardin, le magnolia bourgeonnait déjà, les forsythias étaient d'un jaune lumineux, mais il avait encore neigé la veille et l'enchantement du printemps luttait contre la blancheur. Les arbres fruitiers semblaient couverts de fleurs, mais ce n'était que de la neige, rien que de la neige, froide et blanche, dont on aurait pu se réjouir pendant l'hiver et qui maintenant n'apportait aucune joie.

Pâques était passé depuis longtemps.

Julia avait plus de mal que d'habitude à se lever. Elle traversa l'appartement, les yeux encore pleins de sommeil — un grand appartement aux murs hauts et aux plafonds ornés de stuc —, les pieds dans de confortables pantoufles, une veste de laine jetée sur sa chemise de nuit. Elle mit à bouillir l'eau pour le café et dressa le couvert pour le petit déjeuner. Elle bâilla généreusement et se sentit mécontente d'elle-même. Avant de se rendre à Traunstein, à la Cour d'Appel, et d'entreprendre la lutte pour le pain quotidien, Robert avait droit de voir dès le matin une petite femme alerte, éveillée. Mais elle n'avait qu'une seule envie : rester encore dans le lit tiède, la couverture tirée sur les oreilles.

Néanmoins, elle s'était levée dès la sonnerie du réveil qu'elle avait arrêtée aussitôt pour qu'elle ne gêne pas Robert et les enfants, et s'était mise au travail.

Pendant que chauffait l'eau pour le café, elle courut à

la salle de bains et se regarda dans la glace. Elle se passa de l'eau sur les yeux, se brossa les dents et se vaporisa de l'eau de Cologne sous les aisselles. Ça irait comme ça. Après tout, elle n'était pas une pin-up quand Robert l'avait épousée.

Qui était-elle alors ? Rien. Une collégienne, entre le brevet et le bac, très malheureuse auprès d'une mère aigrie, autoritaire, abandonnée par son mari. A présent, Julia était mère, femme d'intérieur, et très heureuse.

Oui, elle était heureuse ! Elle sourit à son reflet dans la glace. Elle avait un mari merveilleux et des enfants adorables. Tous ses désirs s'étaient réalisés. La neige dehors l'irrita. Mais quelle importance ! C'était le printemps, bientôt ce serait l'été. La vie était splendide.

La bouilloire siffla.

Julia décida : pas de maquillage. Robert l'aimait telle qu'elle était. Ce serait ridicule d'aller le réveiller, tôt le matin, les joues fardées, les lèvres peintes et le nez poudré. Elle était encore rosie par le sommeil, ses yeux brillaient, et elle avait l'air d'une enfant heureuse de vivre.

Cela l'agaça. Elle avait déjà vingt-trois ans, était épouse et mère, membre respecté de la société d'Eysing-les-Bains, quelqu'un devant qui les hommes s'inclinaient et à qui ils baisaient la main. Parce qu'ils la respectaient. Ou bien parce que son mari était juge ? Toujours est-il qu'elle avait toutes les raisons d'être fière d'elle-même et de ne pas avoir l'air d'une petite fille au premier jour des vacances.

Elle se précipita à la cuisine — autrefois office dans la villa de grand luxe dont elle avait hérité de sa mère —, versa l'eau bouillante dans le filtre. Les petits pains, qu'elle avait sortis du réfrigérateur et mis à chauffer dans le four, sentaient déjà bon.

Elle passa en revue la table du petit déjeuner : tout y était, beurre, fromage, charcuterie et confiture.

Quelques oranges destinées au dessert des enfants se trouvaient dans la corbeille à fruits. Mais elle pouvait facilement en acheter d'autres avant midi.

Elle les prit, les coupa et pressa le jus dans un verre.

Robert avait besoin d'énergie pour la journée. Il travaillait tant, beaucoup trop, selon elle. Sa tête était toujours si pleine de ses dossiers que cela aurait déjà dû le rendre dingue. Mais il n'en était rien. Il était intelligent et spirituel et toujours tellement supérieur — pas seulement à elle, mais également à tout le monde. Robert ! Quel bonheur de l'avoir rencontré et qu'il l'ait épousée ! Robert ! Il était grand temps de le réveiller.

Le matin, Robert n'avait rien de spirituel, Julia le savait déjà. Il serrait les lèvres quand elle l'embrassait, parce qu'il craignait de sentir de la bouche, il mettait beaucoup de temps à se raser et à faire sa toilette. Lorsqu'il apparut enfin dans la cuisine, impeccable dans son complet gris, sa chemise fraîche et sa cravate, il était peu disposé aux manifestations de tendresse ou à la conversation. Il se laissa servir en silence par Julia.

Elle le faisait volontiers, heureuse de le regarder, d'admirer son visage aux yeux obliques, au front haut, et ses cheveux épais. Elle aurait voulu pouvoir lui dire combien elle l'aimait.

Agnes Kast, l'amie de Julia qui avait loué le rez-de-chaussée de la maison, lui disait souvent :

— Tu idolâtres ton mari. Ce n'est pas bon. Cela finira par lui monter à la tête.

Elle répondait en riant :

— Avoue que tu le trouves formidable, toi aussi ?

— Heureuse enfant ! Que Dieu te permette de garder tes illusions !

Agnes avait sept ans de plus qu'elle, et Julia admettait qu'elle avait davantage d'expérience. Günther, le mari d'Agnes, était spécialiste en chauffage central et s'occupait du service après-vente. Il était tout le temps sur la route, parfois aussi le soir et les jours de fête. Julia supposait qu'il était infidèle à Agnes, bien que celle-ci n'en parlât jamais. Mais entre Robert et Günther il y avait, à ses yeux, un abîme qui ne permettait aucune comparaison. Ils ne se ressemblaient que sur un point : ils étaient tous les deux des hommes. Mais Robert ne la tromperait jamais. Lorsqu'il lui arrivait de flirter avec une femme, ce n'était que pour s'amuser, il ne vivait que pour elle et leurs enfants et naturellement, pour ses dossiers, pour sa carrière, mais qui n'avait autant d'importance que parce qu'il voulait pouvoir lui offrir le maximum. Cher Robert! Elle le regarda manger en silence, lui versa encore du café et attendit son sourire.

— Sais-tu ce que j'apprécie tant chez toi? demanda-t-il enfin.

— Quoi donc? demanda-t-elle, attentive.

— Que tu n'éprouves pas le besoin de bavarder tout le temps!

Il se leva, alla vers le placard et en sortit son imperméable.

Il l'embrassa rapidement.

Il était déjà dehors.

Julia courut à la fenêtre pour lui faire un signe de la main.

— A ce soir, Robert! cria-t-elle par la fenêtre ouverte.

Mais il ne l'entendait plus. Il vira en sortant du garage et l'auto disparut là où Julia ne pouvait plus voir l'allée des Acacias.

Ralph était déjà réveillé. Il battit de ses longs cils soyeux et fit comme s'il dormait encore.

Julia le savait. Ralph ne voulait pas se lever; il ne voulait pas aller à l'école maternelle.

Elle se pencha sur le petit lit et embrassa doucement la tempe du petit garçon.

— Bonjour, mon chéri! Faut te lever!

Sans ouvrir les yeux, il murmura :

— Je ne veux pas!

Il avait depuis longtemps appris à penser et à parler de lui-même à la première personne, mais quand il était d'humeur maussade, il reprenait le langage infantile.

— Ne sois pas ridicule! dit Julia en riant. Je vais te préparer une bonne tasse de cacao et un bon petit déjeuner.

— J'ai pas faim !

— Tu as sûrement faim! Je te donne encore quelques minutes, dit-elle, compréhensive, je vais entre-temps m'occuper de Bébé.

Il lui mit aussitôt les petits bras autour du cou.

— Reste !

— Non, Ralphy, je ne peux vraiment pas. Il faut que je donne son biberon au bébé, il faut que tu te réveilles complètement.

— Il faut que j'y aille aujourd'hui ?

— Oui.

— J'aimerais plutôt t'aider.

— Mon chéri, je crois que nous avons définitivement épuisé ce sujet. Ton père et moi voulons que tu ailles à l'école maternelle...

Julia le laissa seul.

Le petit lit de Roberta se trouvait au pied des lits jumeaux de ses parents. Soulagée, Julia constata que la petite dormait encore. Certains jours, lorsqu'elle se réveillait avant elle, cela allait mal. Alors les tâches de Julia la dépassaient. Elle ne savait pas comment faire taire le bébé et préserver le sommeil de son mari. Roberta n'avait pas encore deux ans, elle était beaucoup trop petite pour comprendre que l'on ne pouvait faire du bruit à toute heure du jour et de la nuit.

Mais aujourd'hui, tout se passa très bien. Robert avait quitté la maison sans avoir à s'irriter, et elle pouvait maintenant s'occuper tranquillement du petit déjeuner des enfants.

— Dépêche-toi, dit-elle à Ralph, sinon ton cacao va refroidir et tu n'en voudras plus !

— Suis encore fatigué !

— C'est pas vrai ! — Elle le sortit du lit ; il était si tiède et si léger dans ses bras que cela l'enchanta. — Je parie que tu veux faire pipi !

Elle le porta dans la salle de bains, une grande pièce entièrement carrelée en brun-rouge, aux sanitaires jaune vif, qu'elle et Robert avaient fait transformer à leur goût après la mort de la mère de Julia.

Elle s'empressa de porter la literie de Ralph sur le balcon pour l'aérer et pour lui éviter la tentation de s'y glisser à nouveau.

Puis elle se versa une tasse de café.

— Viens, je vais te tenir compagnie ! dit-elle à Ralph lorsqu'il sortit de la salle de bains.

— Bébé dort encore. Une chance, non ?

Avec une mauvaise volonté manifeste, comme s'il lui

faisait une grâce particulière, il accepta son invitation et prit place à la table de cuisine. Mais il ne put dissimuler qu'il appréciait son petit déjeuner.

Julia l'observait avec plaisir : son peignoir-éponge était devenu un peu petit et on voyait ses délicats poignets. Ses cheveux bruns et bouclés étaient encore emmêlés par le sommeil. Il avait encore un petit ventre rebondi et son visage était rond comme celui d'un bébé. Mais déjà ses hautes pommettes et ses yeux obliques très verts — ceux de Robert — laissaient deviner qu'il allait être un beau jeune homme.

— Je t'aime, dit-elle spontanément, tout en sachant que c'était là une remarque tout à fait superflue.

Ralph n'y fit aucune attention.

— Je peux avoir de la ciboulette ? demanda-t-il.

Julia voulait garder la ciboulette, qui poussait dans un pot sur le rebord de la fenêtre, pour la salade du soir, mais elle songea qu'elle pouvait en racheter d'autre. Elle coupa donc la ciboulette, la hacha menu sur une petite planche et en saupoudra la tartine de Ralph.

— Hm, hm, c'est bon, dit-il en mordant dans le pain.

— Que veux-tu manger au déjeuner ?

— De la selle de chevreuil !

— Voyons, Ralph, je ne peux quand même pas rôtir une selle de chevreuil rien que pour nous deux ! On en mange seulement les jours de fête ou le soir.

— Pourquoi ?

— Tu veux me mettre en colère ?

— Parce que papa est là ! Pour moi, tu ne fais jamais rien !

— Voyons, Ralph ! Tous les midis je prépare quelque chose pour nous deux.

— Mais pas du chevreuil !

— Bien sûr que non. A midi, on mange léger. Un rôti, c'est pour toute la famille.

— Parce qu'on ne peut pas faire un rôti juste pour deux personnes.

— Alors pourquoi tu me demandes ce que je veux manger ?

12

— Ecoute, Ralph, il me semble vraiment que tu t'es levé du pied gauche !

— Pas du tout. Tu m'as porté dans la salle de bains.

Julia rit.

— Tu tiens à me fâcher, avoue-le. Mais tu n'y arriveras pas, parce que tu es mon petit garçon chéri, que j'adore !

Elle fut presque soulagée quand le bébé se mit à crier ; l'entretien avec son fils avait été vraiment fatigant.

Julia quitta la cuisine en courant.

Le bébé hurlait, le visage tout rouge.

— Voyons, ma petite chérie, pourquoi hurles-tu comme ça ? Maman n'est pas loin !

De ses mains expertes, Julia enleva les couches de la petite fille : elles étaient sèches.

— Robsy, mais c'est merveilleux !

Dans son excitation, Julia ne put lui présenter tout de suite le petit pot et la porta dans la salle de bains.

Roberta laissa couler son petit ruisseau dans la cuvette, pendant que Julia la tenait au-dessus.

— Robsy, c'est merveilleux ! Ça y est ! Bientôt tu seras une véritable dame !

Julia lui donna un baiser et lui remit sa culotte. Roberta rayonnait ; elle avait les yeux ronds et écartés de sa mère, mais des cheveux lisses, blond cendré.

Lorsqu'elle revint dans la cuisine avec sa fille, elle vit que Ralph avait renversé le pot de cacao et la regardait, embarrassé comme s'il s'attendait à être puni, mais également avec un peu de défi.

— Ça ne fait rien, dit vite Julia, dépêche-toi, maintenant !

Roberta pouvait depuis longtemps boire à la tasse, mais Julia trouvait plus commode d'étancher sa faim matinale avec le biberon, ce que Robert désapprouvait, mais il n'était pas là pour le voir. Julia recoucha le bébé dans son berceau, sortit le biberon de l'eau chaude, le pressa contre sa joue pour vérifier qu'il n'était pas trop chaud, courut vers Roberta et le lui donna. La petite se mit à sucer, satisfaite.

Pendant que Julia s'habillait à la hâte, elle disait à la petite toutes sortes de bêtises qui lui passaient par la tête. Comme elle s'y attendait, elle fut prête avant Ralph ; sans le gronder, elle boutonna son pantalon et laça ses souliers.

— Tu verras, aujourd'hui, la maternelle va t'amuser ! dit-elle.

— Je ne trouve pas ça drôle.

— Allons, viens. Sinon on sera en retard. — Elle lui fit enfiler sa petite veste, lui mit sur la tête un bonnet de laine et l'aida à mettre ses gants. — Pour que tu n'aies pas froid aux mains.

Il se laissa faire avec l'air d'un martyr.

Elle n'avait plus le temps de changer Roberta.

— Tu vas rester sèche, j'espère ? demanda-t-elle. — Elle lui enfonça son petit bonnet sur les oreilles ; cela ne servait à rien de lui mettre les gants : de toute manière, elle se fourrerait les doigts dans la bouche. — Vite !

Le landau se trouvait dans le vestibule, en bas de l'escalier. Elle y installa Roberta et s'élança.

Il ne fallait pas plus de dix minutes pour atteindre le centre de la ville et l'école maternelle. Ils atteignirent rapidement les rues animées. D'autres mères avec des enfants se trouvaient sur leur chemin. Julia dut échanger des saluts. Elle avait grandi à Eysing-les-Bains, tout le monde la connaissait, bien qu'elle en ait été absente pendant des années. Son père était directeur de la banque locale, avant sa liaison avec sa secrétaire. Après cela, il avait été muté par mesure disciplinaire, la mère avait demandé le divorce et il avait épousé sa secrétaire.

Ce fut un scandale dans la petite ville, mais il y avait longtemps de cela, et Julia n'y pensait plus. Elle savait que l'on chuchotait dans son dos, mais elle se sentait au-dessus de cela. Qu'importe la façon dont ses parents s'étaient conduits, son propre mariage était réussi et elle était bien décidée à ne pas le laisser troubler par quoi que ce soit. Il lui arrivait de penser à ce qui arriverait si Robert la trompait — ce qu'elle ne pouvait vraiment imaginer. Mais elle n'agirait pas comme sa mère et ne le crierait pas sur les toits. Elle fermerait les yeux et protégerait son foyer. Pour elle-même, pour Robert et pour les enfants. Lorsqu'elle s'était mariée, elle avait pris la décision de rester toujours avec Robert. Un mariage était tout autre chose qu'une petite aventure. Un jour, une autre femme lui plairait peut-être davantage. Mais tout s'arrangerait si elle ne lui faisait pas de reproches, lui montrait son amour et lui prouvait qu'elle tenait fermement à lui.

Le Jardin d'Enfants répondait exactement à son nom : un jardin avec un toboggan et un portique, des arbustes et une pelouse au milieu de laquelle se dressait une petite maison au toit incliné très bas, à présent couvert d'une épaisse couche de neige.

Dans le vestibule, Julia aida Ralph à retirer sa veste et à changer ses chaussures contre des pantoufles.

Julia n'aimait pas la directrice du Jardin d'Enfants, qui s'occupait aussi du groupe de Ralph. Mlle Binder était une personne revêche, osseuse, et son amabilité exagérée semblait trop professionnelle. Julia en avait parlé à son mari et laissé entendre que c'était peut-être elle qui gâchait les rapports de Ralph avec les autres enfants.

Comme tous les matins, elle fut contente lorsqu'elle eut conduit Ralph jusqu'à la salle de jeux — contente et triste à la fois, car le bruit que faisaient les autres enfants lui faisait mal. Elle les voyait se pousser et se bousculer et souffrait d'imaginer que son petit garçon si délicat et si intelligent devait se défendre au milieu de cette horde.

Elle ferma la porte derrière Ralph.

Elle entendit à l'intérieur la voix de Mlle Binder, habituée à commander : « A vos places, un, deux, trois ! Cessez de crier ! Nous allons chanter : " En mars le paysan attelle son cheval... " »

Il avait recommencé à neiger et elle se félicita d'avoir tendu une couverture imperméable sur le landau de Roberta. La petite fille était assise très droite, contente, et cherchait à attraper les flocons de neige de ses petites mains roses.

Alors que Julia rangeait le landau dans l'entrée, la porte de l'appartement du rez-de-chaussée s'ouvrit et Agnes Kast passa sa tête blonde et bouclée.

— Bonjour, Julia, dit-elle. Sale temps, non ?

— Pas tant que ça. Robsy était ravie.

— Tu viens prendre un petit café ?

Julia hésitait. Elle aimait bien Agnes et un petit bavardage inoffensif lui aurait fait plaisir. Agnes était plus âgée, mais Julia la considérait comme une amie, peut-être aussi parce qu'elle n'était pas originaire de Eysing-les-Bains, qu'elle ne connaissait l'histoire des parents de Julia que par ouï-dire et n'en avait pas été impressionnée.

D'ailleurs, Agnes ne se laissait pas facilement impressionner ; elle avait un caractère résolu, raisonnable et, la plupart du temps, était de bonne humeur.

— Allons, viens ! insista-t-elle.

— Non, merci, Agnes, chez toi elle serait trop distraite.

— Bon, alors à plus tard !

La porte de l'appartement se referma et Agnes disparut, avec son peignoir de perlon bleu pâle, pas totalement exempt de taches.

Julia avait pris Roberta dans ses bras et toucha, soucieuse, le fond de sa petite culotte. Pour l'instant, tout était en ordre, mais elle savait que dès que l'on passait du froid au chaud, ça lui donnait envie. Elle monta l'escalier en courant, ouvrit rapidement la porte et se précipita avec Roberta dans la chambre à coucher, baissa sa culotte et la posa sur le petit pot. Mais sa hâte semblait inutile, car rien ne se passa.

Julia ne montra pas sa déception, elle sourit à Roberta en la remettant sur le pot. Elle alla remplir un verre d'eau chaude dans la salle de bains, versa l'eau dans le pot et n'eut plus à attendre longtemps.

— Bravo ! s'écria-t-elle, ravie. Mais je crois que ça suffit pour le premier jour. Maintenant, on va remettre les couches.

Pendant qu'elle habillait Roberta, elle plaisanta avec elle, lui chatouilla le ventre et la laissa lui attraper le nez, bref, elle joua avec elle l'habituel programme matinal ; elle brossa les cheveux blonds, encore assez rares, mais qui lui descendaient déjà dans la nuque.

— Voilà ! ma petite chérie est prête ! dit-elle à la fin en posant un baiser sur la joue du bébé. Que faisons-nous à présent ? Descendons-nous chez tante Agnes ou bien restons-nous en haut ?

— En haut ! déclara Roberta aussitôt.

Elle détestait être placée dans son parc, mais encore plus y être avec la petite Christine, une enfant de son âge.

Julia le savait. Christine était très vive et cherchait, maladroitement, à attirer l'attention de Roberta. Elle lui tirait les cheveux ou bien la serrait contre elle. Alors Roberta se mettait à pleurer. Les deux mères devaient s'estimer heureuses quand Roberta se serrait dans le coin du parc, alors que Christine jouait seule avec ses cubes.

Le parc de Roberta se trouvait dans le living-room, une grande pièce, dont la fenêtre donnait sur le jardin, à présent de nouveau hivernal. Il y avait des tapis persans sur le sol, des fauteuils de cuir, une table de chêne et une bibliothèque.

Naturellement, Roberta cria lorsqu'elle la mit dans son parc.

— Veux pas ! Veux pas !

— Il faut ! Maman doit se reposer un instant.

Julia donna des jouets à Roberta, alla à la cuisine et mit de l'eau à bouillir pour se faire du café. Lorsqu'elle revint dans le living, elle vit que Roberta avait jeté tous ses jouets hors du parc.

Julia ne s'attendait à rien d'autre, elle se pencha et remit dans le parc les balles, les anneaux et les cubes en plastique.

La bouilloire siffla, elle courut à la cuisine, se versa une tasse de café, la posa sur un petit plateau, y ajouta un cendrier et revint dans la grande pièce. Les jouets étaient dehors, une fois de plus. Elle les ramassa encore.

— C'est la dernière fois, Robsy ! Si tu jettes encore tes jouets, tu n'auras plus rien pour jouer. Attends, maman va faire de la musique.

Comme elle n'aimait pas beaucoup les programmes radio à cette heure-là, elle mit un disque, un concerto pour piano de Mozart, qu'elle aimait particulièrement et qui, elle le savait, avait un effet calmant sur Roberta.

Là-dessus, elle s'installa confortablement dans son

fauteuil préféré avec café et cigarette en écoutant la musique et le babillage de Roberta.

Roberta avait de nouveau jeté ses jouets hors du parc et, comme Julia ne lui venait pas en aide, elle cherchait à récupérer un anneau en caoutchouc à travers les barreaux.

Julia dut faire un effort sur elle-même pour ne pas l'aider.

On sonna à la porte de l'appartement.

La cigarette à moitié fumée à la main, Julia alla vers l'entrée.

Deux agents de la circulation se tenaient devant la porte, un homme trapu d'une quarantaine d'années, le visage tanné par le soleil et le vent, et un plus jeune, maigre aux cheveux bouclés qui lui tombaient sur le col ; tous deux enlevèrent leurs casquettes en pénétrant dans l'appartement.

Julia fut étonnée, mais nullement effrayée ; elle ne comprenait pas. — Vous désirez ? demanda-t-elle.

Le trapu se racla la gorge.

— Vous êtes bien madame Severin ?

— Oui.

— L'épouse du juge au tribunal de première instance Severin ?

— Oui. Mais de quoi s'agit-il ?

— Madame Severin… c'est que… — Le trapu tournait sa casquette entre ses mains. — Votre mari a eu un accident. Sur la bretelle d'accès à l'autoroute.

— Il est blessé ?

— Oui, malheureusement.

— Je veux le voir ! Où est-il ? — Julia chercha à se dominer. — Mais mon bébé… et je dois aller chercher Ralph…

— C'est que… Vous n'avez pas besoin d'aller voir votre mari.

— Il revient à la maison aujourd'hui même ?

— Non. Voyez-vous, madame Severin, la voiture est complètement détruite. Un jeune homme sur le côté gauche de la route a perdu le contrôle de son véhicule… probablement à cause de la grande vitesse.

A cet instant Julia comprit brusquement ce qui était

arrivé, mais elle se dressa de toutes ses forces contre cette cruelle éventualité.

— Vous ne voulez pas dire que mon mari ?... Ce n'est pas possible qu'il soit... Non ! Non !

Le plus âgé des policiers se redressa, rejetant ses épaules en arrière, très officiel.

— Malheureusement si, madame. Votre mari a été tué sur le coup. On suppose qu'il n'a pas souffert.

— Il n'a même pas dû se rendre compte de ce qui lui arrivait.

— Si nous pouvons vous être utiles de quelque façon... dit l'aîné des deux policiers.

Julia ne l'entendit pas. La cendre de sa cigarette tomba sur le tapis ; elle n'y prêta pas attention. Elle ne sentit pas la brûlure sur sa peau.

Le jeune agent s'en aperçut, fit un pas vers elle, lui prit le mégot, le jeta sur le parquet et posa le pied dessus.

— Elle est sous le choc ! constata son collègue. Je t'avais bien dit que nous aurions dû emmener un médecin !

Le jeune renonça à lui rappeler que c'était lui qui ne voulait pas annoncer la terrible nouvelle à la veuve sans être accompagné d'un médecin.

— Appelle le service d'urgence ! dit-il. Il y a bien un téléphone quelque part. — Il mit le bras autour des épaules de Julia. — Asseyez-vous, madame... ou bien étendez-vous...

— Ah, tu en profites ! gronda son collègue. Touche pas à la poupée ! Je m'en occupe ! Cherche plutôt le téléphone et débrouille-toi.

Le jeune homme rougit et lâcha Julia.

— Je ne voulais pas du tout...

— Ça m'est égal ce que tu voulais. Va vite téléphoner !

Il prit le bras de Julia, la conduisit dans le salon et la fit asseoir dans un fauteuil.

Roberta cria : elle était moins effrayée par les deux hommes en uniforme que par l'atmosphère altérée qui régnait soudain dans l'appartement. Le disque s'était arrêté.

— Je vous en prie, laissez-moi seule !

19

Les lèvres de Julia étaient sèches et elle avait du mal à parler ; elle était assise très droite, sans s'appuyer.

— Nous ne pouvons pas ! dit le jeune policier en se penchant vers elle. Pas avant que le médecin soit là !

— Avez-vous des parents, madame, quelqu'un que nous pourrions prévenir ?

Julia ne réagit pas à cette question ; elle était de nouveau retombée dans sa torpeur.

— Il y a des gens en dessous. Si j'allais leur demander ?

— Oui, vas-y.

Lorsque le plus âgé des policiers resta seul avec Julia, il dit :

— Le mieux serait que nous vous transportions à l'hôpital... jusqu'à ce que vous vous sentiez mieux, madame !

Julia réagit à cette proposition.

— Non, non ! dit-elle. Les enfants !

— Quelqu'un s'en occupera. Pendant quelques jours. Vous n'êtes pas vraiment malade, mais vous avez besoin de calme !

— Non, non ! Je vous en prie !

Agnes se précipita dans l'appartement avant le jeune policier : elle était montée quatre à quatre et était essoufflée.

— Julia, chérie, c'est épouvantable... j'en suis infiniment désolée !

Elle s'agenouilla auprès de Julia qu'elle entoura de ses bras et on put voir distinctement la raie foncée dans ses cheveux décolorés ; elle portait des jeans et un pull-over gris à col roulé.

Julia restait figée.

— Tu devrais t'étendre, ce serait le mieux.

Elle releva Julia.

— Voulez-vous veiller sur la petite ? demanda-t-elle au policier plus âgé. — Et vous, allez vous occuper de ma petite Tine.

— Je vous demande pardon, nous ne sommes pas des bonnes d'enfants ! protesta le plus jeune.

— Tiens, et moi qui croyais que la police était notre amie et notre secours ! répliqua Agnes.

Les policiers cédèrent. Les nouvelles tâches les

débarrassaient au moins du devoir de s'occuper de la veuve.

Lorsque le médecin arriva, Julia était déjà dans son lit. Agnes avait tiré les rideaux et allumé la lampe de chevet.

Agnes, qui était assise sur le bord du lit de Julia dont elle tenait la main, se leva.

Le médecin la salua vaguement et posa sa trousse.

— C'est la patiente ?

Agnes voulut lui expliquer la situation. Il lui coupa la parole.

— Inutile. Je suis au courant. Voulez-vous nous laisser seuls, s'il vous plaît ?

Agnes sortit, bien que de mauvaise grâce.

Le policier avait pris Roberta sur ses genoux et la laissait jouer avec les boutons brillants de son uniforme.

— C'est gentil, quand c'est si petit, dit-il presque en s'excusant.

— Faites attention, elle va arracher le bouton, répliqua Agnes distraitement. — Elle alla chercher une bouteille de cognac dans l'armoire de Julia et se versa un demi-verre. — Je ne vous en offre pas, vous êtes en service. — Elle vida le verre et dit en reprenant son souffle : — Ça va mieux !

Le médecin les rejoignit dans le salon, à présent d'une démarche plus lente.

— Je lui ai fait une piqûre calmante, expliqua-t-il, elle dormira jusqu'à demain matin. Alors tout paraîtra déjà différent.

— Que vous dites ! Vous ne savez pas combien elle aimait son mari !

— Chère madame, je comprends que vous soyez bouleversée. Ce n'est pas à moi qu'il faut vous en prendre. Je ne suis qu'un médecin et pas le bon Dieu !

Il faisait déjà nuit quand Julia se réveilla. Elle se sentait légèrement abrutie, sa bouche était sèche. Comme elle ne prenait jamais de somnifères, elle ne connaissait pas cet état. Il lui semblait avoir fait un mauvais rêve, dont elle ne pouvait pas se souvenir.

De la main gauche elle tâta le lit de son mari ; il était vide. Elle se souleva sur le coude gauche et alluma son réveil électrique. Il était à peine plus de minuit, donc pas encore de raison pour s'inquiéter ; il arrivait parfois que Robert rentre tard.

Julia sortit du lit et s'étonna d'avoir le vertige. Elle chancela et faillit perdre l'équilibre. Vacillante, luttant contre son engourdissement, elle alla vers le petit lit de Roberta.

Il faisait sombre dans la pièce, les rideaux étaient bien tirés, et elle n'avait pas allumé, mais elle sentit aussitôt que Roberta n'était pas là. Elle mit la main dans le petit lit : les draps étaient froids, lisses et intacts.

D'un pas mal assuré, elle alla dans la chambre de Ralph, tourna le commutateur, allumant le plafonnier, sans prendre de précaution, car elle s'attendait déjà au pire : Ralph avait également disparu.

Pourquoi elle se précipita alors dans le bureau de Robert, puis dans le salon, elle ne le savait pas elle-même. L'appareil stéréo n'avait pas été débranché. Une tasse de café à moitié vide et un cendrier vide se trouvaient sur la table, à côté d'un verre.

Elle se rappela vaguement avoir été assise à écouter de la musique. Les jouets de Roberta étaient encore dispersés autour du parc.

Mais que s'était-il donc passé ? Ce n'était quand même pas possible qu'elle ait oublié une journée entière ! ?

Julia entendit une clé tourner dans la serrure de la porte d'entrée. Elle s'y précipita. Elle faillit crier « Robert ! », car elle désirait ardemment que ce soit lui qui rentre maintenant et qu'il lui explique tout.

C'est Agnes qui entra ; elle portait sa robe de chambre habituelle, pas très propre, jetée sur une longue chemise de nuit, et des mules à hauts talons assez éculés.

— Je me suis dit que tu allais te réveiller, dit-elle avec une indifférence feinte, pour ne pas laisser deviner combien était grande son inquiétude pour son amie.

Julia lui saisit le bras.

— Où sont les enfants ?

22

— Chez moi. Sains et saufs.

— Et Robert ?

— Tu ne le sais vraiment pas ?

— Non !

Le mot lui échappa comme un cri.

— Ou bien ne veux-tu pas le savoir ?

— Je t'en prie, Agnes, je ne suis quand même pas folle ! Sinon je ne te l'aurais pas demandé !

— Viens, couvre-toi d'abord. — Agnes prit un loden au portemanteau et aida Julia à l'enfiler. — On va aller dans le living s'installer confortablement et nous parlerons de tout ça. Attends, je vais chercher tes pantoufles.

Lorsque Agnes revint, Julia se tenait exactement à la place où elle l'avait laissée. Son visage était d'une pâleur de cire, elle avait des cernes noirs autour des yeux. Elle parut à Agnes sans défense, enfantine et fragile.

Elle s'agenouilla devant Julia et l'aida à mettre ses pantoufles en lui plaçant les pieds dedans l'un après l'autre.

— Tu ne veux pas m'offrir quelque chose ? demanda-t-elle en se redressant.

— Offrir ? répéta Julia comme si ce mot appartenait à un vocabulaire étranger.

— Par exemple un cognac. — Agnes poussa Julia dans le salon, sortit la bouteille de l'armoire, se versa un verre et regarda Julia. — Tu en veux ? — Julia secoua la tête négativement. — C'est peut-être un peu fort, dit Agnes, plus pour elle-même, et elle ajouta d'un ton décidé : — Mais je crois que tu en auras besoin ! — Elle posa le verre sur la table, puis, après une brève hésitation, la bouteille aussi, et alla chercher un second verre pour Julia. — Asseyons-nous !

Elle attira Julia auprès d'elle sur le canapé de cuir, pour l'avoir tout contre elle.

Elle remarqua que Julia n'avait pas répété sa question. Maintenant que le moment semblait venu de la décontracter, elle aborda elle-même le sujet qui intéressait toujours Julia : elle lui parla des enfants.

— Robsy et Tine ont été remarquablement sages. Je

les ai un peu gâtées. Je trouvais que c'était indiqué un jour pareil.

— Ils ne m'ont pas réclamée ?

— Bien sûr que si ! Mais ils ont fini par comprendre.

Julia se leva.

— Je vais les chercher.

Elle se leva en vacillant. Agnes la fit se rasseoir.

— Pas maintenant ! Tu n'as pas compris ? Ils sont en train de dormir !

— Ils ne sauront pas, quand ils se réveilleront...

Julia leva la tête et regarda Agnes : elle osa enfin poser la question qui restait suspendue entre elles.

— Robert m'a quittée ?

D'instinct, Agnes la comprit : elle comprit que le traumatisme du divorce de ses parents, que Julia avait depuis longtemps surmonté, l'avait à nouveau frappée.

— Non, dit-elle. Il n'aurait jamais fait ça. Il t'aimait, il était heureux avec toi. Pas étonnant : tu as été l'épouse modèle.

— Il lui est arrivé quelque chose ? demanda Julia timidement.

— Oui. Un accident de la route. Un jeune imbécile lui est entré dedans.

— Il est mort ? Il est vraiment... mort ? Il ne reviendra plus jamais ? !

— Il faudra que tu t'y habitues.

— Oh, mon Dieu !

Julia se cacha le visage dans les mains et les larmes jaillirent enfin.

Agnes la laissa pleurer, le bras autour de ses épaules, et lui dit doucement des mots de consolation.

— Oui, c'est épouvantable, je sais. Mais tu as tes enfants. Ils comptent tant pour toi. Et tu es encore si jeune et si belle. Tu verras, un jour, un autre homme...

Julia se dégagea brusquement.

— Jamais ! prononça-t-elle d'une voix étouffée par les larmes. Il n'y aura jamais d'autre homme pour moi !

— Pardonne-moi, Julia ! dit Agnes, affolée.

Julia pleurait toujours, mais cet éclat avait libéré quelque chose en elle. Son univers, qui lui paraissait complètement détruit, avait reçu un nouveau sens.

— Viens, à présent tu vas boire un verre ! décida

Agnes. Pour que tu puisses dormir. Tu sais quoi ? Tu viens dormir chez moi ! Tu dormiras mieux si tu n'es pas tout à fait seule, et moi, je serai plus tranquille… et puis pense aux enfants ! Tu seras près d'eux dès qu'ils se réveilleront.

— Tu as peut-être raison, dit Julia, encore hésitante.

— Sûrement. Allons, avale ton cognac. Moi aussi, je vais en prendre un autre. Tout cela m'a secouée, tu peux me croire.

Agnes vida son verre, s'en versa encore un, pendant que Julia buvait une petite gorgée. Emue, Agnes voyait les larmes couler le long du nez de son amie et tomber dans son verre.

— Attends, je vais chercher un mouchoir ! — Agnes bondit, courut à la cuisine et arracha deux feuilles au rouleau fixé au mur. — Tu sais, dit-elle en revenant, ce serait peut-être plus facile à supporter si ça ne s'était pas passé aussi bêtement !

Julia prit les mouchoirs et se sécha le visage, sans pouvoir arrêter le flot de ses larmes.

— Ce n'était peut-être pas du tout un accident, dit-elle d'une voix étouffée, peut-être était-ce de ma faute.

— De ta faute ? s'écria Agnes, consternée.

— Oui. C'est moi qui ai voulu venir vivre ici. Robert n'y tenait pas. Il aurait préféré louer toute la maison. Mais c'est moi qui ai voulu venir ici, justement ici, pour pouvoir faire mieux que ma mère. Tu me comprends ?

— Naturellement. Et tu y as réussi.

— Mais Robert est mort à cause de cela.

— A cause de cela ?

— Oui. Il n'aurait pas eu besoin de faire le trajet deux fois par jour.

— Ecoute, maintenant c'est assez ! D'après toi, Günther qui est tout le temps sur les routes, serait alors un candidat au suicide ?

— Je ne comprends pas comment tu peux le supporter ! Je n'arrive pas à croire au hasard, dit Julia dont les pensées étaient revenues à la mort de Robert.

— Alors prends ça comme le destin. Peut-être était-il prédestiné pour mourir juste à cet instant. Alors cela lui serait arrivé de toute façon, en traversant la rue à Traunstein pour aller acheter des petits pains.

— Il ne l'a jamais fait.

— Ne sois pas si pointilleuse, tu sais très bien ce que je veux dire. Il existe des occasions innombrables de rencontrer le malheur, sans pour autant être au volant.

— Tu as raison ! acquiesça Julia.

— Tu vois ! Tu as rencontré Robert également par hasard, et ce hasard était également le destin, n'est-ce pas ?

— Oui.

— Alors. Je suis désolée d'avoir eu à parler du hasard. Mais je suis, moi aussi, plutôt bouleversée.

— Il est bon d'avoir parlé. — Julia poussa un profond soupir, le dernier, se moucha et s'efforça de sourire. — Tu as bien fait de monter. Tu ne peux imaginer comme c'était terrible de se trouver brusquement toute seule dans l'appartement !

— Si. C'est pour cela que je suis venue. Finis ton verre et on va descendre. Il faut que tu puisses tenir le coup demain. Pour les enfants.

Courageusement, Julia vida son verre.

— Oui, il le faut, dit-elle.

Le jour du mariage de Julia — elle avait dix-sept ans —, son père, Herbert Helmholz, avait arrêté tout règlement de pension à sa mère. Il n'avait pas non plus fourni de dot ni de trousseau à Julia, car il s'était considéré financièrement lésé lors de son divorce. Julia ne lui en voulut point et lui avait toujours écrit des lettres filiales. Lui n'envoyait que des lettres brèves, des vœux lors des anniversaires ou des fêtes, et des cartes postales de ses vacances. Comme il avait des enfants de son second mariage, il ne s'intéressait pas à Ralph et Roberta ; Agnes le savait ; néanmoins, elle dit à Julia, au petit déjeuner du lendemain :

— Il faut que tu avertisses ton père.

— Mais non ! Pourquoi faire ?

Julia rougit à l'idée de l'importuner par l'annonce de la mort de Robert.

— Tu n'as plus personne en dehors de lui !

— Je ne sais vraiment pas...

— Si tu ne le fais pas, je m'en chargerai. Crois-moi, c'est une question de convenances.

— Il ne viendra pas !

— Tu verras bien.

Herbert Helmholz vint en effet. C'était un homme grand et lourd, avec des poches sous les yeux, dans lequel Julia eut peine à reconnaître le père joyeux, sensible, de son enfance.

Néanmoins, elle fut contente de le revoir.

— C'est gentil d'être venu ! dit-elle en se serrant contre sa poitrine.

— C'est tout naturel ! — Il l'éloigna un peu pour la regarder. — Tu es toujours ma jolie petite chatte !

— Les enfants seront heureux de connaître leur grand-père !

— Je serais venu depuis longtemps. Mais tu sais comment c'est.

— Je ne te fais pas de reproches.

Les enfants étaient intimidés par ce vieux monsieur inconnu en vêtements sombres. On voyait que Ralph avait dû faire un effort sur lui-même pour lui donner la main. Quant à Roberta, il fut impossible de l'y obliger : elle se cachait derrière sa mère.

— Ils sont bien timides, non ? dit Herbert Helmholz.

— Ils sont bouleversés, tu sais, et puis, ils ne te connaissent pas.

— Quand je les compare aux miens !

Le fait que son père compare Ralph et Roberta à ses propres enfants donna un coup au cœur de Julia ; mais elle se domina et dit :

— Dommage que je ne les connaisse pas.

— Rien n'est perdu ! — Son père regarda autour de lui, dans le living. — C'était autrefois notre chambre.

— Oui, je sais. Nous avons divisé la maison en deux appartements et tout transformé.

— C'est très joli.

— Je suis ravie que ça te plaise. Je pense que tu pourrais dormir dans la chambre de Ralph.

— Pas la peine de te donner du travail. J'ai réservé une chambre à l'hôtel « Kronprinz ».

— Mais pourquoi ? Tu aurais pu économiser cette dépense.

— Je crois que tu as assez de soucis en ce moment. Je ne voudrais pas que ma présence t'en donne de supplémentaires.

À la façon dont il regardait autour de lui, Julia comprit que ce n'était pas la raison véritable : la maison conservait trop de souvenirs.

— Assieds-toi ! dit-elle. Ralph, je t'en prie, emmène ta petite sœur dans ta chambre. Que puis-je t'offrir, père ?

— C'est plutôt moi qui suis venu t'offrir mon appui.

— Ça ne t'empêche pas de boire un café chez moi ! Je me souviens que tu l'aimes très fort.

— J'ai vieilli, dit-il, et pour la première fois ses traits se détendirent. — Fais-m'en un tout à fait normal.

— Avec quoi le veux-tu ?

— Avec rien. Peut-être un schnaps, si tu en as dans la maison.

— Seulement du cognac, et il n'en reste pas beaucoup.

— Ça ne fait rien. Donne-moi du cognac.

Pendant que le café passait, Julia alla s'assurer que les enfants jouaient paisiblement.

Lorsqu'elle revint au salon avec le plateau, son père était installé dans un fauteuil, justement le préféré de Robert, mais peut-être était-ce tout à fait naturel. Elle était contente de le servir ; après avoir rempli les tasses, elle prit une cigarette.

Il remonta ses épais sourcils.

— Tu fumes ?

— De temps à autre.

— Ma femme fume également.

— Tu vois.

— Aujourd'hui, il n'y a que les femmes pour fumer. Les hommes sont devenus plus raisonnables.

Un long silence s'installa.

— Ils vont bien ? demanda Julia finalement. Je veux dire ta femme et tes enfants ?

— Oui, ils se portent bien. Ines aurait aimé venir...

— Ça m'aurait fait plaisir !

— Mais je le lui ai déconseillé, tu comprends !

— Naturellement. L'important, c'est que tu sois là.

De nouveau un long silence pesant.

28

— Quand a lieu l'enterrement ? demanda-t-il.

— Je ne sais pas. On n'a pas encore ramené le corps.

— Ça peut donc durer encore longtemps ?

— Je l'ignore.

Son père se racla la gorge.

— Très désagréable.

— Quoi ?

— J'avais pensé rentrer au plus tard après-demain.

Julia se redressa.

— Tu peux partir dès aujourd'hui, si ça t'est tellement désagréable.

— Tu me comprends mal.

— Non, je te comprends très bien.

Herbert Helmholz remuait son café sans la regarder.

— Père, qu'as-tu donc contre moi ? éclata Julia. Je t'ai fait quelque chose ?

— Non, admit-il.

— Je suis quand même ta fille ! Ou bien ne le serais-je pas ?

— Mais si, naturellement ! A cette époque... c'est à peine croyable... ta mère et moi nous nous entendions même très bien...

— Alors...

— Pour moi, tout cela est du passé, je ne saurais te l'expliquer. Une autre existence. C'est tellement loin.

— Mais dans ta vie nouvelle je suis toujours ta fille, et Ralph et Roberta sont tes petits-enfants.

— Oui, je sais.

— Tu ne peux pas être un peu paternel avec moi ?

— Je suis venu.

— Oui, tu es venu.

Julia écrasa sa cigarette.

Il leva les yeux sous ses lourdes paupières.

— Tu sais, tu m'as presque effrayé, au premier contact. Il m'a semblé qu'Anna avait ressuscité. Oui, réellement, tu es exactement comme ta mère était à ton âge.

— Mais je ne suis pas ma mère ! Je ne suis pas dure comme elle et je ne suis pas... Robert et moi ne nous sommes jamais disputés...

— Ce n'est pas du tout ce que je voulais dire.

— Me détestes-tu parce que je lui ressemble ?

— Je ne te déteste pas du tout.

— Mais tu viens ici, après la mort de Robert, comme si tu accomplissais un devoir pénible, et tu n'as pas une parole gentille pour moi.

Herbert Helmholz avala le second verre de cognac et s'en versa un troisième.

— Je ne voulais pas divorcer, dit-il d'une voix enrouée. Si ta mère n'avait pas insisté, je ne l'aurais jamais fait... à cause de toi. Nous nous entendions bien, tous les deux.

— Oui, père, et c'est justement à cause de cela que je ne comprends pas...

— Après, Anna t'a détachée de moi, cela ne pouvait pas être autrement. Je ne te fais aucun reproche, seulement à moi-même. Il m'a toujours semblé que je t'avais abandonnée... et je t'avais vraiment abandonnée avec ta mère, qui devenait de plus en plus folle.

— Tu n'es même pas venu à son enterrement !

— Je ne le pouvais pas ! Ici, à Eysing, où tout le monde m'aurait montré du doigt !

Julia le regarda ; soudain, elle eut pitié de lui.

— Et aujourd'hui ? ils ne te montrent plus du doigt ?

— Je le supporterai pour toi.

— Ce n'était pas nécessaire. Personne ne peut me reprocher d'avoir poussé mon mari vers la mort.

— Ce n'est pas ma faute. Anna était tellement intransigeante. Elle avait des principes moraux tellement stricts que personne n'aurait pu satisfaire ses exigences.

— Je sais, père, je sais. — Julia lui toucha la main. — Tu n'as pas besoin de me le dire. Vous étiez alors déjà séparés depuis longtemps. Je n'ai fait que répéter ce que les gens disaient, pas seulement de toi mais également de moi : j'étais une fille infidèle. — Après une pause, elle ajouta : — Ça a été mon erreur d'être revenue à Eysing. Il ne faut pas que ce soit toi qui payes.

— Tu n'aimes pas vivre ici ?

— Non, pas vraiment. Je n'ai pas réussi ce que je voulais. Réhabiliter ma famille par mon mariage. Au lieu de cela, je suis de nouveau devant une tombe. Il ne faut pas t'imposer cette épreuve.

30

— Mais je ne peux pas te laisser seule !

— Si, tu le peux !

Herbert Helmholz se sentait tellement gêné qu'il se gratta avec nervosité le cou au niveau du col.

— Mais est-ce que ça ne provoquera pas encore plus de bavardages si je suis absent à l'enterrement ? Quand les gens apprendront que j'étais là et que je suis parti ?

— Pourquoi ? Tu es venu pour les condoléances et tu n'avais pas le temps de rester davantage. Je t'en prie, père, ne me rends pas tout ça encore plus pénible.

— Tu ne m'en voudrais vraiment pas si je pars ?

— Non.

Julia se sentait tellement épuisée qu'elle était prête à éclater de nouveau en sanglots, mais c'est justement ce qu'elle ne voulait pas faire devant son père.

— Eh bien, alors...

Il se leva lourdement.

Après le départ de son père, Julia se sentit doublement abandonnée. Elle essaya de se concentrer sur ce qu'elle avait à faire, mais elle était comme paralysée.

Elle restait assise là, apathique, à regarder la vaisselle sale. C'est seulement au coup de sonnette à la porte d'entrée qu'elle sortit de son hébétude. Ce n'était qu'Agnes qui était montée, la petite Christine dans les bras.

— Mon Dieu ! Tu en as une mine ! s'écria-t-elle. Tu ne pourrais pas te mettre un peu de rouge sur les joues, ne serait-ce que pour ne pas effrayer les gens ?

Agnes posa Christine par terre, la prit par la main et mit son bras libre autour des épaules de Julia.

— Il est descendu à l'hôtel ?

Julia avala sa salive.

— Il est reparti, dit-elle péniblement.

— Ce n'est pas vrai !

— Il valait mieux, dit Julia, sinon cela aurait donné lieu à des commérages inutiles.

— Je suis venue pour vous inviter à dîner. Ce sera très simple : un potage aux pommes de terre et de la charcuterie.

— Ah, Agnes, que ferais-je sans toi !

— Ce n'est rien. Puisque je suis là. — Le téléphone

sonna, Agnes vit Julia sursauter. — Veux-tu que je réponde ?

Julia fit un signe de la tête.

— Alors, tiens Christine.

Lorsque Agnes revint, elle trouva Julia à la même place, tenant Christine qui cherchait de toutes ses forces à lui échapper.

— Dans le parc ! dit Agnes énergiquement, et elle déposa l'enfant dans le parc, dans le salon.

Christine, contente de se trouver dans un nouvel environnement, s'attaqua immédiatement aux jouets de Roberta.

— Assieds-toi ! dit Agnes, et elle se mit à ranger la vaisselle comme si elle était chez elle. — Il n'y a presque rien à boire ? constata-t-elle. Tiens, on va se partager le reste. — Elle posa deux verres sur la table et les remplit. — Comme ça, il n'y aura plus rien pour se saouler.

Elle sortit un paquet de cigarettes de la poche de son pantalon et en offrit à son amie. Julia secoua la tête et indiqua les siennes ; elle en prit une et voulut l'allumer, mais ses mains tremblaient trop.

— Qu'est-ce qui m'arrive ? dit-elle, embarrassée.

— Pas de quoi t'affoler. Ça vient des calmants. Quand leur action cesse, on commence à trembler.

Agnes lui donna du feu.

— Alors je n'en prendrai plus.

— Il le faut pourtant. Au moins jusqu'à l'enterrement.

Julia la regarda avec étonnement.

— Le coup de téléphone... — Agnes chercha des mots qui feraient le moins mal à Julia. — Tu peux maintenant t'occuper des obsèques.

— Mais qu'est-ce qu'il faut faire ?

— C'est très simple. Tu en charges un bureau de pompes funèbres. Ils s'occuperont de tout. — Agnes avala une gorgée de cognac. — J'y ai déjà pensé. Nous ferons venir n'importe lequel pour le début de l'après-midi. Veux-tu que je téléphone ?

— Oui, s'il te plaît. Excuse-moi...

— Penses-tu ! Tenant sa cigarette allumée, Agnes se leva et voulut aller vers le téléphone. Lorsqu'elle eut atteint l'entrée, on sonna à la porte. Elle revint vers Julia. — Faut-il ouvrir ?

Julia hocha la tête affirmativement.

Elle entendit la porte s'ouvrir et se refermer et un bref dialogue, puis elle reconnut la voix du visiteur. « Bernd ! » s'écria-t-elle, elle écrasa sa cigarette dans le cendrier et courut dans l'entrée.

Maître Bernhard Busch la prit dans ses bras.

— Ma pauvre petite ! dit-il.

Il était grand, presque aussi grand que Robert, il avait son âge, une calvitie naissante qui le faisait paraître plus intellectuel qu'il n'était en réalité, et des yeux gris, intelligents, derrière des lunettes modernes.

— C'est idiot, voilà que je me mets à pleurer de nouveau ! dit Julia en cherchant à retenir ses larmes. — Je ne voulais pas !

— Voyons, voyons ! C'est ton droit !

Il lui tapota le dos. Elle se dégagea.

— C'est gentil d'être venu.

— C'est tout naturel. Il faut que quelqu'un s'occupe des détails.

— Alors je pourrais peut-être m'en aller, dit Agnes.

— Tu ne voulais pas… ? demanda Julia.

— Maître Busch le fera bien mieux que moi.

— De quoi s'agit-il ? demanda Maître Busch.

— Agnes voulait téléphoner à une entreprise de pompes funèbres.

— Bonne idée. Faites-le donc, madame Kast. Par « détails », je voulais parler des formalités juridiques. Après un accident il y en a toujours. As-tu les documents, Julia ?

— Non.

— Alors je m'en occuperai. Ce n'est pas la peine d'en parler aujourd'hui. J'imagine que tu n'es pas en état pour cela. Il faut seulement que tu me signes une procuration.

Julia le précéda dans le salon. Elle s'était ressaisie.

Il sortit un formulaire de sa serviette et elle le signa.

Agnes revint.

— Ils vont envoyer quelqu'un cet après-midi. Elle souleva la bouteille vide. — Quelle honte ! Nous avons bu jusqu'à la dernière goutte de cognac !

33

— Que puis-je t'offrir d'autre ? demanda Julia.

— Je ne suis pas venu pour cela.

— Tu ne veux vraiment rien ?

— Je pourrais vous faire du café, Maître ! proposa Agnes.

Avant que Maître Busch ait pu refuser pour la seconde fois, un cri se fit entendre dans la chambre de Ralph. Julia bondit, mais Agnes posa une main apaisante sur son épaule. « Laisse, j'y vais ! » Elle se précipita dehors.

Julia voulut la suivre.

— Je t'en prie ! dit Maître Busch. Crois-tu qu'un adulte ne suffit pas pour aplanir un différend de ce genre ?

— Ralph et Robsy ne se disputent jamais !

— Tu as donc encore moins de raisons de t'inquiéter.

Il lui prit le poignet.

Christine s'était redressée ; elle s'accrochait au bord du parc et se balançait.

— Je crois qu'il s'agit là d'une véritable contestation ! dit Maître Busch en souriant.

Agnes revint, portant Roberta et tenant Ralph par la main.

— Elle lui a jeté un cube à la tête, expliqua-t-elle.

En effet, Ralph avait une écorchure saignante au front.

— Elle ne l'a pas fait exprès, dit-il avec sagesse.

Julia se redressa.

— Je vais arranger ça, dit Agnes, ne t'inquiète pas ! J'emmène les gosses, et nous nous reverrons au déjeuner.

Julia ne put s'empêcher de se pencher sur son petit garçon et de poser un baiser sur son front écorché.

— Ce n'est pas terrible, dit Ralph.

Le sourire de Julia contrastait tellement avec ses yeux rougis par les larmes, qu'il ressemblait à une grimace.

— Une femme efficace, dit Maître Busch, après le départ d'Agnes avec les enfants.

— Oui. Je ne sais pas ce que j'aurais fait sans elle.

— Pourquoi ne m'as-tu pas averti ?

— Je te remercie d'être venu. Comment l'as-tu appris ?

— Je ne saurais le dire avec précision. Tout le monde est déjà au courant.

— Typiquement Eysing.

— En effet. Le plus important pour le moment c'est que tu ne sois pas lésée. Où en sont tes finances ? Je ne veux pas être indiscret, je te le demande seulement parce que je pourrais, si nécessaire, t'aider... l'enterrement doit être payé d'avance, tu sais.

Elle le regarda, déconcertée.

— Je n'en savais rien... je ne me suis jamais penchée sur ces questions.

— C'est ce que je me suis dit. As-tu un relevé de compte ?

Elle essaya d'allumer une cigarette, mais n'y parvint pas. Il lui donna du feu.

— Il y en a peut-être un dans le courrier, dit-elle. Je ne l'ai pas ouvert ces derniers jours. J'en étais incapable.

— Tu n'as pas à t'excuser ! Mais où est-il ?

— Sur le bureau de Robert. C'est toujours là que je le mettais.

Maître Busch sortit et revint, les lettres à la main.

— Rien d'important, dit-il, mais il y a une lettre de la banque. Je peux l'ouvrir ?

— Naturellement.

Il déchira l'enveloppe et vérifia le relevé de compte.

— Cela devrait suffire, dit-il.

— Robert savait bien gérer l'argent.

— Il était même plutôt avare, je sais.

— Comment peux-tu dire ça !

— Parce que je le connais depuis des éternités. Nous étions ensemble à la Faculté de Droit. Il a passé brillamment ses examens. Je voulais le prendre comme associé de mon cabinet d'avocat. Il aurait gagné bien davantage. Mais il n'a pas voulu. Il a préféré être fonctionnaire. A cause de la sécurité.

— N'avait-il pas raison ? Nous n'avions pas de soucis.

— Et malgré cela, il est mort ! dit Bernhard spontanément, pour s'en excuser aussitôt.

— Crois-tu qu'en étant avocat il eût été à l'abri d'un accident ? demanda-t-elle en relevant la tête.

— Bien sûr que non. Seulement la sécurité que Robert recherchait est une utopie.

Il revint s'asseoir auprès d'elle.

— Sais-tu que ma femme m'a quitté ?

— Ici, on sait toujours tout.

— Le divorce sera prononcé avant les vacances.

— Je suis désolée pour toi, Bernd, dit-elle distraitement.

— Tu ne demandes pas comment on en est arrivé là ?

— Tu sais, en ce moment...

Elle fit un geste vague de la main.

— Naturellement, ça ne t'intéresse pas en ce moment. Mais Robert et toi, vous avez dû en parler ?

— Oui, Robert croyait qu'il y avait un autre homme là-dessous.

— Ce serait trop simple.

— Ce n'est pas le cas ?

— Non. Elle veut se « réaliser ».

Une étincelle d'intérêt apparut dans les yeux fatigués de Julia.

— Ça veut dire quoi ?

— Elle veut se trouver elle-même, mener sa propre vie, peut-être faire quelque chose. C'est plutôt vague.

— Moi, dit Julia en écrasant sa cigarette, je crois m'être pleinement réalisée dans le mariage.

— Tu es une femme merveilleuse.

Il lui saisit la main. Elle la lui retira.

— Elle avait pourtant avec toi tout ce qu'une femme peut désirer ?

— Apparemment, cela ne lui suffisait pas.

— Je ne la comprends pas.

— Peut-être nous sommes-nous mariés trop jeunes. Je ne veux pas la juger. Après un certain nombre d'années, un mariage devient ennuyeux. Ariane n'a plus besoin de sa mère.

— Quel âge a-t-elle maintenant ?

— Dix-sept ans, mais elle est déjà très indépen-

36

dante. Elle passe son bac l'année prochaine. Elle habite chez moi.

— C'est bien pour toi.

— Je ne me fais aucune illusion. Dès qu'elle aura terminé ses études, elle s'en ira.

— Ce n'est pas normal.

— Ainsi va le monde, Julia. La vie n'est pas telle que nous la rêvons.

— J'ai toujours beaucoup admiré Ines, même si j'en avais un peu peur. Elle a toujours été très distante.

— Oui, c'est vrai.

— Peut-être est-elle de ces femmes qui ne sont pas faites pour le mariage. Elle pourrait faire autre chose de sa vie.

— C'est ce que Ines dit aujourd'hui.

— Je n'aurais jamais quitté Robert, et surtout pas pour me ré-a-li-ser.

Elle prononça le dernier mot comme si c'était un mot étranger.

— Oui, Julia, je sais. Mais que va-t-il arriver maintenant ?

— Que veux-tu dire ?

— Que vas-tu faire ?

— J'ai mes enfants.

— Ce n'est pas une réponse à ma question. Que veux-tu faire toi-même ?

— Continuer à vivre. Quoi d'autre ?

Il la regarda et soudain elle lui parut elle-même une enfant.

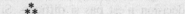

L'employé du bureau des pompes funèbres était jeune, bien coiffé, correctement vêtu, mais il n'arborait pas la mine de circonstance à laquelle Julia s'attendait et ne manifestait pas de fausse pitié. Il se présenta sous le nom de Konrad Jung, le jeune associé de la Maison, et parut sérieux, poli et aimable.

M. Jung lui présenta des prospectus de cercueils en chêne, en hêtre et en sapin, proposa différents aménagements pour l'intérieur du cercueil, demanda quels arrangements floraux étaient désirés et comment le mort devait être habillé.

— Le cercueil restera-t-il ouvert ? demanda M. Jung. Je veux dire, voulez-vous dire un dernier adieu au défunt ?

— Non, dit Agnes avec énergie, répondant à la place de Julia.

— Nous voulons le garder dans notre souvenir tel qu'il était de son vivant.

M. Jung regarda Julia.

— Nous pouvons l'arranger de manière à le rendre très présentable.

— Non, répondit Agnes à sa place, ce n'est pas nécessaire. Fermez le cercueil. Ainsi la question ne se posera pas de savoir si l'on capitonne le cercueil ou comment le mort sera vêtu.

— Oh non, pas du tout ! répliqua M. Jung. Nous ne pouvons pas placer le défunt tel quel dans le cercueil. Vous devez décider de son habillement...

— Même si personne ne doit le voir ?

— Oui. Il s'agit d'une certaine dignité que nous devons au défunt et à la réputation de notre Maison.

— Le plus simple serait peut-être, dit Agnes, de décider combien le tout doit coûter.

— Le prix a naturellement aussi son importance, dit M. Jung, mais ce n'est pas le principal.

Julia tordait dans ses mains un mouchoir trempé de larmes.

— Je n'ai encore jamais eu à affronter de telles questions, dit-elle.

— Evidemment, vous êtes encore si jeune. Mais la décision n'est pas si difficile. Si le défunt possède un costume sombre et une chemise blanche, je suggérerais qu'il soit enterré dans ses propres vêtements...

— Oui, c'est ce qu'il faut faire, dit Julia.

— En ce qui concerne le cercueil...

— Il doit être modeste.

— Je comprends très bien, chère madame. Néanmoins, je proposerais du chêne. Du chêne sans ornements excessifs. Nous vivons dans une petite ville, et si c'était du sapin on y verrait un manque de considération pour le défunt...

— Faites-le simplement comme vous le jugerez bon, finit par dire Julia. — Je... j'ai beaucoup aimé mon mari, et nous étions mariés à peine depuis sept ans.

Elle ne sanglotait plus, mais ses larmes se mirent à couler.

— Oui, je comprends, dit M. Jung, je vous en prie, ne croyez pas que je veuille vous tourmenter, au contraire, c'est ma profession de vous épargner tout souci. Nous allons donc organiser un enterrement digne, sans être luxueux. Pour le reste, vous n'avez pas à vous faire du souci au sujet des frais. Les assurances de l'auteur de l'accident sont responsables.

— Mme Severin n'a pas de soucis financiers, dit Agnes.

— Tant mieux. Si vous saviez comme il arrive souvent que la mort de l'époux signifie la ruine de la famille. Maintenant, pour les fleurs...

— Des roses blanches, dit Julia.

— Des roses blanches, c'est très joli. Souhaitez-vous avoir de la musique

— Non, non.

— Un orgue ?

— Sûrement ! dit Agnes. L'orgue et la bénédiction, ça se fait toujours.

— Très juste, madame. Et que faisons-nous pour les faire-part ?

— Je ne comprends pas...

— Vous voudrez sûrement un faire-part. Naturellement, nous pouvons nous charger de la publication dans le journal et je vous aiderai volontiers pour la formulation.

— Oui, s'il vous plaît, dit-elle.

— Je pense qu'elle devra également être très sobre ?

— Oui.

— Quelque chose comme : « par un accident tragique »...

— Non, dit Julia. Un accident n'est pas tragique. Du moins, c'est ce que j'ai appris à l'école.

— Vous avez raison, madame. Alors nous mettrons : « Un accident de la circulation nous a fait perdre notre bien-aimé mari et père... », suivent les noms, la date et le lieu. Combien de voitures vous faut-il ?

— Des voitures ?

— Oui, on ne se rend pas à pied à un enterrement, et il serait inopportun de conduire sa propre voiture. Nous mettrons à votre disposition une limousine noire, plusieurs si la famille est nombreuse, mais je crois que ce n'est pas le cas.

— Une seule, dit Agnes.

— Avez-vous quelqu'un pour vous accompagner, madame ?

— Mon amie ! Tu viendras à l'enterrement, Agnes ?

— Evidemment.

— Il faudrait un homme à vos côtés ! dit M. Jung.

— Bernhard ? demanda Julia avec hésitation.

— Naturellement, il faut que ce soit Maître Busch ! décida Agnes. Je parie qu'il serait vexé si tu ne le lui demandais pas.

— Donc, l'avocat, Maître Busch. C'est très bien. En tout cas, je conduirai moi-même la limousine, pour pouvoir être à vos côtés si nécessaire.

— C'est très gentil de votre part, dit Julia.

M. Jung se permit un petit sourire.

— Vous devez penser que nous sommes blasés, mais on ne l'est jamais face à la mort.

— Peut-être nous direz-vous enfin combien tout cela va coûter ? demanda Agnes, résolument.

— J'ai déjà tout calculé. — Il arracha un feuillet de son carnet. — Voilà ! Si cela vous paraît trop cher, nous pouvons éventuellement réduire certaines dépenses, par exemple moins de roses et le morceau d'orgue plus court. Mais, comme je l'ai déjà dit, les frais vous seront remboursés, et un enterrement est, d'une certaine manière, un peu comme un mariage : on regrette plus tard que cela n'ait pas été assez solennel.

Julia parcourut la facture.

— Je peux encore payer cela, mais tout juste.

D'une main tremblante, Julia fit le chèque.

— Je ne peux faire mieux, s'excusa-t-elle.

— Mais c'est tellement compréhensible... dans votre situation ! Je ne saurais exprimer combien je regrette tout cela. On se sent un peu comme un vautour, à tirer profit de la mort. Mais c'est mon métier, et il faut que quelqu'un s'en charge.

Julia chercha à se dominer.

— Vous m'avez été d'un grand secours.

M. Jung se leva.

— Encore une chose. Vous savez qu'il est d'usage que les personnes assistant à l'enterrement défilent devant la tombe, pour serrer la main de la famille du défunt...

— Surtout pas ! dit Agnes.

— C'est ce que j'ai pensé. Il serait peut-être bon d'ajouter au faire-part : « pas de condoléances ».

— Oui, s'il vous plaît.

— Les gens seront déçus, mais vous vous éviterez une fatigue.

— Non, dit Julia après un instant d'hésitation, non, je ne veux pas.

— Que veux-tu dire ? demanda Agnes.

— Je voudrais que tout soit comme c'est l'usage.

— Qu'est-ce que tu en attends ?

— Que les gens ne disent pas que je suis lâche.

— Ne pense donc pas aux gens, mais à ton état !

— Non, je ne trouve pas. Tout doit se passer selon l'ordre établi.

— Je comprends très bien madame Severin, dit M. Jung. Ce n'est pas à cause des gens qu'elle le fait, mais pour son mari.

— Oui, dit Julia. Et pour les enfants.

— Justement dans votre cas on ne le prendrait sûrement pas mal, voulut insister M. Jung.

Julia lui coupa la parole :

— Non, je recevrai les condoléances.

— Comme vous voulez, madame.

— Et si tu t'évanouis ? demanda Agnes après le départ du représentant des pompes funèbres.

— Alors j'aurais au moins essayé. Je veux essayer de faire de mon mieux. On ne peut me demander davantage.

— Tu te préoccupes trop de ce que les gens pensent de toi, ou plutôt, de ton mari, de ton mariage, de ton amour, mais ce sont là des affaires privées, qui ne regardent personne.

— Tu ne peux pas comprendre, Agnes, tu n'es pas d'ici.

— On verra bien.

— Oui, on verra bien. — Agnes se leva. — Je crois qu'il est temps d'appeler Lizi.

— Elle n'est pas encore au courant ?

— Non, je voulais d'abord savoir quand aurait lieu l'enterrement.

— Mais tu avais dit...

— Qu'elle veillerait sur les enfants et elle le fera sûrement ! Hans et Georg peuvent venir, Ralph aussi si on ne peut faire autrement... non, il vaux mieux le laisser à la maison... et il faut que quelqu'un s'occupe des petites.

— Mais je ne connais pas suffisamment Lizi Silbermann !

— Justement ! Si elle était ton amie, elle voudrait venir. Non, laisse-moi faire. Lizi est exactement ce qu'il nous faut. Elle s'en acquittera très bien. Elle n'a rien à faire, de toute manière.

Lizi Silbermann était une amie d'Agnes. Elle connaissait à peine Julia par des rencontres dans l'escalier ou dans la rue et lors d'une causette chez Agnes. Lizi était semblable à Agnes et plus intime avec elle que ne l'était Julia avant son malheur. Contrairement à Agnes, Lizi l'avait toujours un peu intimidée ; elle était tellement sûre d'elle, toujours vêtue impeccablement, que Julia avait en sa présence l'impression d'avoir enfilé son pull-over à l'envers ou d'avoir une maille filée à son bas.

Agnes rit quand Julia lui fit part de cette impression.

— C'est parce qu'elle a été mannequin. Elle a appris à se tenir, à marcher, à faire les mouvements qu'il faut. Nous le saurions aussi, en apprenant !

— Pas moi !

— Mais si ! Si tu avais été dans une école de mannequins ! Crois-moi, en dehors de son aspect extérieur, Lizi est tout à fait quelconque. Elle a eu encore moins de chance que nous avec les hommes. D'abord, on n'ose pas l'approcher parce qu'elle est trop parfaite, et celui qu'elle a fini par traîner à la mairie, l'a déjà quittée.

L'idée que ce soit justement Lizi Silbermann qui allait garder les enfants n'était pas agréable à Julia.

— Mais le saura-t-elle seulement ? demanda-t-elle lorsque Agnes prit le combiné du téléphone.

— Lizi sait tout faire. Elle peut tricoter un pull, faire un gâteau et raconter des histoires. La seule chose qu'elle ne peut pas, c'est décrocher la lune. Mais qui en est capable ?

Agnes n'eut qu'à exprimer son désir, et déjà Lizi se déclara prête à garder les enfants pendant l'enterrement.

— Elle demande s'il faut préparer quelque chose, dit Agnes en couvrant l'écouteur de la main.

— Pour qui ?

— Pour toi, à ton retour.

— Mais je ne pourrais rien manger !

— Tu ne seras pas seule. Je serai là avec Günther, et Maître Busch voudra peut-être te raccompagner, et puis tu inviteras probablement telle ou telle personne...

— Est-ce indispensable ?

— Non, mais c'est l'usage, et comme tu tiens à faire bonne impression...

— Bien sûr, mais je ne sais pas du tout ce qu'il faut servir !

— Ne te fais pas de soucis. Lizi saura. — Agnes parla à nouveau dans le combiné. — Oui, Lizi, s'il te plaît. Julia est d'accord pour que tu t'en charges. Nous te faisons confiance et, s'il te plaît, sois à l'heure. Nous sommes déjà assez énervées.

Agnes posa le combiné et dit avec satisfaction :

— Voilà, c'est arrangé.

— Je ne sais pas ce que j'aurais fait sans toi.

L'enterrement fut pour Julia comme un cauchemar confus.

Agnes lui avait acheté un chapeau noir avec un voile épais. D'abord, Julia refusa de le porter. Plus tard, elle fut contente que l'on ne puisse voir son visage. Tout cela — tout ce qui se passait autour d'elle — le service funèbre, le sermon, l'orgue, la procession derrière le cercueil, où elle était soutenue par Agnes du côté droit et par Maître Busch du côté gauche, n'avait rien à voir avec Robert, son énergique, son tendre Robert, qui vivait encore dans son cœur.

— Maintenant ! lui souffla Bernhard Busch.

Elle se réveilla de son rêve.

— Ta rose !

Elle comprit et jeta la rose sur le cercueil déjà descendu dans la tombe.

Puis se déroula ce que M. Jung et Agnes avaient voulu lui épargner : le défilé des invités devant la tombe ouverte. Il semblait que la moitié de Eysing-les-Bains était présente à cet enterrement, et tous, tous voulurent exprimer leurs condoléances et serrer la main de Julia.

Il semblait que cette file de silhouettes noires, qui cherchaient à percer son voile noir, n'aurait pas de fin.

La file était encore interminable, quand Maître Busch dit avec énergie :

— Ça suffit !

— Oui, il faut en terminer ! confirma Agnes.

Par des chemins détournés, ils conduisirent Julia, au bord de l'évanouissement, vers le portail, devant lequel l'attendait la lourde limousine des pompes funèbres. Elle aurait pu tout aussi bien rentrer dans la voiture des Kast ou de Maître Busch, mais la limousine avait été choisie parce que plus correcte.

M. Jung tint la portière pour Julia, et Maître Busch l'aida à s'installer. Julia éprouva comme une libération de pouvoir étendre ses jambes.

Agnes monta du côté opposé.

— Mets tes jambes sur la banquette de devant ! dit-elle.

M. Jung, qui s'était mis au volant, fit descendre la vitre qui le séparait de l'intérieur.

— Puis-je faire quelque chose pour ces dames ? Une couverture, peut-être ? Une gorgée d'alcool ? de l'eau de Cologne ?

— Non, merci, monsieur Jung ! dit Agnes. Voulez-vous nous conduire à la maison ? Lorsque la vitre fut à moitié baissée, elle ajouta : — L'enterrement était très beau ! Tout s'est déroulé à merveille !

Il lui répondit par un rapide sourire reconnaissant.

Dans l'appartement, Lizi Silbermann avait tout préparé pour un léger en-cas ; elle avait chargé Leonore, sa fille de dix ans, de la surveillance des enfants dans l'appartement d'Agnes.

Pour bien marquer qu'elle n'était pas la veuve ni un membre de la famille, elle portait une robe de soie grise. Elle prit Julia dans ses bras et l'embrassa sur les deux joues, ce qui déconcerta la jeune veuve, car elles n'étaient pas du tout intimes. Puis elle comprit que Lizi voulait ainsi lui exprimer sa sincère et amicale compassion.

— Enlève ton chapeau ! dit Lizi. Viens, je vais t'aider. Veux-tu te rafraîchir ? Avant toute chose, il faut que tu mettes des chaussures confortables, tu as les chevilles enflées.

Elles finirent par obtenir que Julia aille s'asseoir dans le salon et qu'elle boive un peu de vin. D'ailleurs, personne ne s'attendait à ce qu'elle prît part à la conversation. Comme Agnes l'avait prévu, plusieurs personnes se joignirent à elles : en plus de Maître Busch, sa fille Ariane, le pédiatre Max Opitz et sa femme, le directeur de la station thermale, un vieux monsieur à barbiche pointue, naturellement le couple Kast et leurs deux fils, Georg et Hans, qui avaient courageusement assisté à l'enterrement et qui voulaient maintenant participer au buffet froid.

On parla d'abord de Robert, puis de l'enterrement, de l'accident, des accidents de la circulation en général auxquels l'un ou l'autre avaient de justesse échappé, et, finalement, le docteur Opitz raconta une anecdote macabre, dont tous, même les petits garçons, rirent de bon cœur.

C'était comme si Julia n'avait pas été présente ; elle voulut se lever et se glisser dehors. Mais Agnes s'en aperçut.

— Veux-tu que je t'apporte une tartine ? ou un peu de salade ?

Julia secoua la tête.

— Lizi est à la cuisine en train de faire du café bien fort.

Julia comprit que ce serait la fin de cette réunion et

poussa un soupir de soulagement ; elle s'adossa, essaya de se décontracter et regarda la fumée de sa cigarette, les yeux mi-clos.

Les invités prirent congé pendant un temps qui lui parut interminable. Elle s'efforçait d'adresser un sourire à chacun, car elle comprenait que leurs intentions étaient bonnes.

Enfin, Lizi referma la porte derrière le dernier invité — en l'occurrence Maître Busch.

— Ça y est ! dit-elle en s'appuyant contre la porte fermée. — Ouf !

Agnes rangeait déjà les verres sur un plateau.

— Nous allons juste t'aider à mettre l'appartement en ordre, Julia. Tu as très bien tenu le coup.

— Je n'ai rien fait, c'est vous qui...

— On attend seulement d'une veuve qu'elle soit présente, dit Agnes.

— Comment ont-ils pu être aussi gais ?

— C'est toujours ainsi lors d'un repas d'enterrement, intervint Lizi. D'abord on est déprimé, puis on boit, on mange, et le naturel reprend le dessus. La vie continue, Julia.

Julia se taisait, perdue dans ses pensées, pendant que ses amies allaient prestement ici et là. Au bout d'un moment, elle dit :

— Qu'est-ce qui te prend ? s'écria Agnes.

— Je ne peux pas rester là à vous regarder travailler.

— Bien sûr que si ! Un jour pareil !

— Je ne vois pas pourquoi. Vous le dites vous-mêmes : la vie continue.

Et Julia fit couler de l'eau chaude dans l'évier pour laver les verres.

Dans la soirée, l'appartement était rangé et aéré ; rien ne rappelait plus le « repas d'enterrement ».

Leonore lui ramena les enfants. C'était une fillette terne au nez pointu, aux cheveux plats, portant un appareil dentaire. Julia s'étonna une fois de plus de voir que la belle Lizi pouvait avoir une fille aux traits aussi ingrats.

« Elle ressemble à son père », disait Lizi, même en présence de sa fille qui rougissait alors.

Leonore fit une petite révérence bien élevée, sourit aimablement, sans ouvrir les lèvres pour qu'on ne voie pas son appareil, et prit rapidement congé. « Attends, Leonore, j'ai quelque chose pour toi, pour te remercier de ton aide! » Julia voulait lui remettre un billet de cinq marks.

Mais Leonore cacha ses mains derrière le dos.

— Je ne dois pas l'accepter!

— Alors je vais t'acheter une petite bricole. Qu'est-ce qui te ferait plaisir?

— Je ne dois rien accepter.

— Mais pourquoi?

— Maman me l'a défendu!

Et déjà elle descendait les marches en courant.

Julia n'eut pas le temps de réfléchir au comportement de Leonore ni à l'éducation de Lizi, car Ralph s'était jeté dans ses bras.

— Julia! Où étais-tu donc? demanda-t-il avec reproche.

— Je te l'expliquerai plus tard.

— Pliquer! exigea Roberta, elle aussi.

Julia prit les deux enfants par la main.

— Venez! Vous devez sûrement avoir faim. Voulez-vous une tasse de cacao? une tartine? du pain d'épice?

Tous deux se décidèrent pour le pain d'épice, et pendant un moment tout fut comme avant, lorsque Robert était en retard et que les enfants mangeaient avant son retour.

Elle plongea les deux enfants dans la baignoire, les lava des pieds à la tête, puis elle alla mettre Roberta au lit. Ralph avait la permission, comme d'habitude en pareil cas, de rester encore un moment, dans ses pantoufles de feutre et son peignoir en tissu-éponge vert, passé par-dessus son pyjama, et de faire avec elle une partie de dames.

Mais aujourd'hui il était comme absent.

— Julia, dit-il, le regard fixé sur les pièces du jeu, à présent je n'ai plus à aller au Jardin d'Enfants!

— Je trouve que si, dit-elle, surprise.

— Pourquoi?

— Papa y tenait.

— Mais papa est mort!

Julia fut désemparée. Elle n'avait pas songé que

Ralph en savait autant, elle avait l'intention de lui en parler lorsqu'elle serait plus calme.

Pour gagner du temps, elle se leva et alluma une cigarette.

— Qui te l'a dit? demanda Julia, lorsqu'elle se fut ressaisie.

— Tante Agnes.

— Qu'a-t-elle dit?

— Qu'il est mort. Comme le chien de Georg... tu te souviens, Möppi, qu'une voiture avait écrasé...

— Voyons, Ralph! Pour un être humain c'est très différent.

— Ah? dit le garçon, dubitatif.

— Si. Un animal meurt. Mais un être humain va au ciel.

Ralph avança un pion sur l'échiquier.

— A toi de jouer!

Debout, elle joua à son tour.

Ralph fit mine de se concentrer sur le jeu, puis il demanda brusquement :

— Il est réellement au ciel?

— Oui. Tu peux me croire. Tous les gens vont au ciel.

Ralph fit passer un de ses pions par-dessus trois cases occupées.

— Alors où étiez-vous tous cet après-midi?

— Personne ne te l'a dit?

— Non. J'ai demandé à Lori, mais elle a répondu qu'elle ne devait rien me dire. Que c'était un secret.

Tout était beaucoup plus compliqué que Julia ne l'avait cru. Elle prit un cendrier et s'assit de nouveau en face du petit garçon. Sans réfléchir, elle joua le coup suivant.

— Tu es bête! dit Ralph.

Elle le regarda, épouvantée.

Il indiqua du doigt l'échiquier.

— C'est là que tu aurais dû te mettre! Tu vois, voilà ce que je te fais!

Julia comprit qu'il n'avait pas voulu l'offenser. Soulagée, elle crut qu'il ne poserait pas d'autres questions. Elle se trompait.

— Tu es partie dans une voiture énorme, dit Ralph, qui avait des rideaux noirs.

— Nous avons enterré cet après-midi la dépouille mortelle de ton père, Ralph.

— Dépouille mortelle... qu'est-ce que c'est ?

— Ce qui reste d'un être... le corps de celui qui est mort.

— Et la tête ?

— La tête également. Mais l'être humain n'est pas uniquement un corps... c'est aussi une âme...

— Qu'est-ce que c'est ?

— Ce qu'il est réellement ! Ce qui émane de lui, son amour, sa bonté, sa compréhension, ses pensées, ses sensations... rien de tout cela ne meurt. L'âme d'un être va au ciel. L'âme de ton père est maintenant au ciel, Ralph.

— Et il en revient quand ?

Elle répondit dans un sanglot :

— Jamais !

— Alors c'est la même chose qu'il soit tout à fait mort ou qu'il soit au ciel. Il est parti, de toute manière.

— Peut-être nous observe-t-il de là-haut. Il serait alors très triste si nous ne faisions pas ce qu'il a voulu.

Ralph glissa de la chaise, courut vers la fenêtre et leva les yeux vers le ciel, déjà sombre, où apparaissait le croissant de lune et où scintillaient les étoiles.

— Tu veux dire qu'il regarde de là-bas ? Alors tirons vite les rideaux !

Il se mit à tirer de toutes ses forces sur les lourds rideaux de velours grenat.

— Mais non ! — Julia se précipita vers lui. — Il ne s'agit pas du ciel que nous voyons. Le ciel où est ton père, c'est le royaume de Dieu, de ses anges et de ses morts.

Elle s'agenouilla et étreignit de ses deux bras le petit corps tiède, bien vivant, de son fils.

— Et on ne peut pas voir ce ciel-là ?

— Non.

— Alors comment peux-tu savoir qu'il existe ?

— Je le crois et je l'espère. La plupart des gens y croient et l'espèrent.

Il jeta ses petits bras autour du cou de Julia et pressa sa joue contre la sienne.

— Je n'espère pas que papa nous regarde.

— Mais pourquoi donc ? Nous n'avons rien à cacher.

— Il était toujours si sévère.

— Comment peux-tu dire ça ? Il t'aimait tellement.

— Je ne veux quand même pas qu'il nous regarde.

Elle sentit qu'il tremblait dans ses bras.

— Peut-être ne le fait-il pas, dit-elle pour le rassurer.

— Tu crois ?

— Personne ne peut le savoir exactement.

— C'est très bien. Alors je n'ai plus besoin d'aller au Jardin d'Enfants.

— Si, Ralph. Même si ton père ne voit plus que tu cherches à te défiler. Tu dois quand même satisfaire son désir.

— Si j'ai pas envie ?

— Alors il faut te forcer. Dans la vie, il faut parfois faire ce dont on n'a pas envie.

Ralph se dégagea de son étreinte. Des larmes montèrent à ses beaux yeux et restèrent comme des gouttes de rosée accrochées à ses longs cils.

La vue de ce petit visage affligé lui déchira le cœur, mais elle se rendait compte combien Robert aurait été mécontent si elle avait cédé.

— Tu ne dois pas me faire de la peine, Ralph, et surtout un jour pareil. — Il sanglota. — Le mieux, c'est que tu ailles te coucher. Je viendrai te voir dans ton lit.

Il fit demi-tour et s'en alla, traînant ses pantoufles un peu trop grandes et, la tête haute, bien qu'ayant perdu la bataille.

L'appartement était silencieux.

Elle mit un disque : le Concerto pour piano de Mozart, qu'elle écoutait juste avant d'apprendre la mort de Robert. C'était insupportable. Elle arrêta l'électrophone, remit le disque dans sa pochette qu'elle cacha sous les autres.

Julia essaya de fumer une cigarette, mais elle n'y trouva aucun plaisir. Elle se versa un verre de sherry, mais elle en éprouva de la nausée.

Il était à peine huit heures, mais elle était morte de fatigue. Les membres lourds, elle se leva, jeta le contenu du cendrier dans la poubelle, le lava, ainsi que le verre.

Puis elle se rendit dans la salle de bains, avala un des somnifères que le médecin lui avait prescrits. Elle se déshabilla et prit un bain chaud.

La pensée traversa son esprit qu'il serait agréable de s'ouvrir les veines dans ce bain chaud — Robert avait l'habitude de se raser encore mouillé et ses lames de rasoir étaient encore dans la pharmacie — et de perdre lentement son sang.

Mais elle n'en avait pas le droit. Ses enfants avaient besoin d'elle. Julia resta longtemps dans la baignoire, où elle ajoutait toujours de l'eau chaude.

Lorsqu'elle en sortit enfin, elle eut un tel vertige qu'elle dut s'étendre sur le tapis de bain. Il lui fallut un bon moment avant de pouvoir se sécher et se mettre de la crème sur le corps.

Julia enfila sa chemise de nuit, accrochée derrière la porte, éteignit et alla, pieds nus, dans la chambre.

Après la mort de Robert, Ralph avait, tout naturellement, occupé le lit de son père. Comme Roberta dormait dans la chambre à coucher de ses parents, Julia ne vit donc aucune raison d'envoyer son petit garçon dans sa propre chambre.

A présent, elle espérait que les deux enfants dormaient. Sans faire le moindre bruit, elle se glissa dans le lit et tira la couverture sous son menton. Elle croisa les bras derrière sa tête et fixa l'obscurité.

Une existence sans Robert, comment était-ce possible ? Elle ne put étouffer un sanglot.

Ralph ne dormait pas encore ; il se glissa dans le lit de Julia et entoura son cou de ses petits bras.

— Pourquoi pleures-tu ? demanda-t-il.

— A cause de ton père, répondit-elle avec difficulté. Il me manque tellement.

— Mais je suis là, moi !

— Oui, c'est vrai, je t'ai !

Elle le serra plus étroitement contre elle et l'odeur sucrée, sauvage, de son jeune corps lui monta aux narines.

— Je serai toujours sage !

— Tu l'es, mon chéri, tu l'es !

— J'irai même au Jardin d'Enfants ! — Après une petite pause, il ajouta, avec espoir : — Si tu y tiens !

— Oui, Ralph, j'y tiens, parce que ton père y tenait.

— Bon, dit-il avec un soupir résigné, après tout, la Binder n'est pas si terrible que ça.

— Ton père le disait toujours.

Il se glissa sous la couverture et se serra contre elle.

— Tu m'aimeras toujours, dis, Julia ?

— Toujours.

— Et tu ne mourras jamais ?

— Si, un jour ! — Elle le sentit frémir, et elle ajouta vite : — Mais seulement quand je serai très vieille et quand tu n'auras plus du tout besoin d'une mère !

— Je vais toujours avoir besoin de toi, Julia ! Tu es la plus belle, la meilleure, la plus adorable mère au monde !

Les jours suivants s'écoulèrent comme s'il ne s'était rien passé.

Le matin, Julia conduisait son fils au Jardin d'Enfants, et elle était impressionnée et confirmée dans sa conviction que c'était un enfant extraordinaire, parce qu'il tenait sa promesse et ne se révoltait pas.

Agnes montait plus souvent qu'autrefois pour un moment de bavardage. Elle aurait voulu la distraire, mais elle ne pouvait pas vraiment l'aider.

Roberta, qui était restée propre pendant plusieurs jours, mouillait de nouveau ses couches. Sa propreté n'avait peut-être été qu'un hasard, mais peut-être était-elle plus profondément touchée par la mort de son père que l'on ne pouvait supposer, même si cela était au-delà de son entendement. Elle devait remarquer qu'il ne rentrait pas, et elle avait dû sentir l'agitation de l'enterrement et l'accablement de Julia.

Un après-midi, Maître Bernhard Busch vint lui rendre visite ; il apporta des fleurs, un bouquet de lilas blancs.

Julia en fut surprise et le montra.

— J'avais pensé, dit-il, un peu embarrassé, que tu préférerais que moi je vienne te voir, plutôt que de venir à mon cabinet.

— Bien sûr, entre !

Ralph l'avait suivie, Roberta également, car Julia la mettait dans son parc seulement quand elle était occupée.

— Dis bonjour, Ralph ! Donne la main, Roberta !

Ralph obéit avec un grand sérieux et regarda Maître Busch de ses yeux verts obliques sous les cils sombres avec un scepticisme critique. En revanche, Roberta refusa de lâcher la jupe de sa mère et s'y cacha même le visage.

— Elle est très timide, dit Julia pour l'excuser.

Maître Busch n'y fit pas attention.

— Tu as une mine superbe ! dit-il.

— Tu trouves ? demanda Julia qui, à peine une heure plus tôt, s'était regardée dans la glace et avait trouvé son visage pâle et misérable, avec les yeux cernés.

— Si, vraiment.

— C'est sûrement ma robe... Je ne peux pas tout le temps porter du noir à cause des enfants.

Elle portait une ample robe de lainage rouille, retenue à la taille par une large ceinture bien serrée, et un tablier rayé bleu et blanc par-dessus.

— Je suis bien de ton avis. Les signes extérieurs du deuil ne signifient rien. J'ai eu une cliente qui a porté le noir le plus strict pendant toute une année, et on découvrit par la suite qu'elle avait empoisonné son mari.

Il dit cela avec tant de naturel que Julia ne put s'empêcher de sourire.

— Et comment l'a-t-on su ?

— Son beau-fils... le fils du défunt... qui se trouvait frustré dans l'héritage. Il a demandé une enquête et obtenu que l'on fasse une autopsie.

Maître Busch enleva son léger pardessus gris et l'accrocha sur un cintre de la garde-robe, comme s'il était chez lui.

— C'est une histoire macabre. Pardonne-moi de l'avoir évoquée devant toi.

— Ce n'est rien ! Entre donc ! Ralph, sois gentil, va jouer un peu avec Robsy. Tu sais qu'elle n'aime pas rester dans son parc, mais en ce moment je ne pourrai pas supporter ses cris.

Ralph réussit non sans peine à détacher les mains de Roberta de la jupe de sa mère et à l'entraîner.

— Puis-je t'offrir quelque chose ? du thé ? du café ? ou bien un alcool ? demanda Julia. Agnes est allée au supermarché et ma « cave » est à nouveau bien approvisionnée.

— Alors un scotch avec de la glace, si possible.

— Tout de suite. Juste le temps de mettre les lilas dans un vase. — Elle renifla une grappe. — Hum, ça sent bon ! Assieds-toi, je t'en prie.

Maître Busch s'installa dans un confortable fauteuil de cuir et apprécia la vue sur le jardin où fleurissaient déjà un petit amandier et un cerisier nain japonais.

Julia revint. Elle avait enlevé son tablier. Elle posa le haut vase de cristal sur la table en chêne et arrangea le bouquet en séparant les grappes de lilas. Puis elle retourna à la cuisine et en revint avec un seau à glace qu'elle posa sur la table basse dans le coin-salon. Elle sortit une bouteille et un verre de l'armoire et versa deux doigts de whisky écossais à Maître Busch.

— Tu me feras bien l'honneur ? demanda-t-il.

— De quoi ?

— De me tenir compagnie. Ce n'est pas agréable de boire seul. On a l'impression de commettre un péché.

Julia sourit.

Elle prit un second verre, se versa un peu de whisky et y mit deux cubes de glace.

Maître Busch mit également de la glace dans le sien.

— Je crains de manquer de tact en ouvrant les plaies à peine cicatrisées...

— Si tu fais allusion à la mort de Robert, dit-elle vite, tu peux te rassurer : la plaie n'est pas du tout cicatrisée !

— J'ai été maladroit, s'excusa-t-il.

— Ça ne fait rien, je t'ai compris.

Elle prit une cigarette, il s'empressa de lui donner du feu.

— Je puis donc te parler franchement ? Ou bien allons-nous remettre ça à plus tard ?

— Je préfère en finir tout de suite.

Elle souffla un nuage de fumée.

Il ouvrit sa serviette, en sortit un dossier bleu qu'il ouvrit.

— J'ai étudié les documents de l'enquête policière. Elle a révélé, sans aucun doute possible, que Robert n'avait aucune responsabilité dans l'accident... si toutefois le fait de conduire une voiture n'est pas déjà une responsabilité.

— Que veux-tu dire?

Julia chercha à se concentrer.

— Exactement ce que je dis. Celui qui se met au volant d'un engin motorisé a sa responsabilité engagée dans la circulation, ou bien, pour que tu comprennes mieux, si Robert n'avait pas roulé dans sa voiture personnelle tous les matins, il ne lui serait rien arrivé.

— C'est trop compliqué pour moi.

— Cela veut dire en clair qu'une partie du dédommagement dû à la victime de l'accident subit toujours un abattement.

— Est-ce juste?

— En débattre ne servirait à rien. Le fait est que la valeur de l'auto... non son prix de rachat, bien entendu, mais celui qu'elle avait au moment de l'accident... doit t'être remboursé, ainsi que les frais de l'enterrement, moins l'abattement dont nous venons de parler.

— Et qui doit payer?

— L'assurance de Robert... il était assuré tous risques... et l'autre avait une assurance de responsabilité civile. Il s'agit maintenant de régler tout ça.

— Tu t'en tireras très bien, Bernd.

— Je m'y efforcerai, en tout cas.

Elle but une gorgée de whisky.

— Et qui me remplacera Robert?

— Il est irremplaçable, tu le sais. Mais pour les dommages matériels, les assurances doivent payer.

— Il s'agit avant toute chose de ta pension, continua-t-il. Comme ton mari est mort peu après quarante ans, elle est naturellement beaucoup moins importante, que s'il avait été un retraité de soixante-cinq ans ayant gravi quelques échelons de l'échelle sociale...

Elle tournait son verre dans ses mains.

— C'est important?

— Je pense bien! C'est justement ce manque à gagner que les compagnies d'assurances doivent combler. Dans le cas où la caution ne suffit pas, le conducteur responsable de l'accident doit répondre sur sa fortune personnelle ou ses revenus. De toute manière, je veillerai à ce que tu touches l'argent qui te revient.

— C'est vraiment gentil de ta part, Bernd.

Il vida son verre d'un trait, et on pouvait voir combien il était satisfait de lui-même.

Elle lui en versa un autre, les glaçons n'étaient fondus qu'à moitié.

— Tout cela prendra du temps, bien évidemment. J'espère que tu auras assez jusque-là. Si je peux t'aider... je t'en prie, ne te gêne pas, je puis très bien t'épauler financièrement.

— J'ai mes loyers.

— J'oubliais.

Un silence s'installa, et elle eut le sentiment de devoir dire quelque chose.

— Combien vais-je toucher?

— En tenant compte de l'abattement, comme je l'ai dit, pour la valeur de remplacement de l'auto et les frais de l'enterrement.

— Non, ce n'est pas de cela que je parle. Tu as dit quelque chose au sujet d'une pension diminuée...

— Ah, bon! Non, il ne faut pas que tu imagines recevoir la somme d'un seul coup. C'est bien que tu le demandes. Tu vas, au contraire, recevoir une rente mensuelle correspondant au préjudice causé par la mort prématurée de Robert. Si tu mourais avant tes enfants, il ne resterait que la pension des orphelins, qui est sensiblement inférieure.

— C'est habilement calculé.

— Ne sois pas aigrie, Julia! Un tel règlement ne peut qu'être profitable. A te voir, je pense que tu vivras jusqu'à quatre-vingt-dix ans et alors l'Etat et les assurances seront obligés de te payer. De plus, tu profiteras de cette manière de l'indexation des salaires et des pensions. — Il la regarda et ajouta : — A moins que tu n'aies besoin immédiatement d'une somme plus importante?

— Mais non, voyons…

— Et quels sont tes projets ?

— Il est trop tôt pour avoir des projets.

— Mais tu ne peux continuer à vivre comme s'il ne s'était rien passé !

— Je dois m'occuper de mes enfants.

— Julia ! Tu es si jeune ! Cela peut-il te suffire ?

— Je n'attends plus rien de la vie.

— Julia, tu dois être folle pour dire une chose pareille ?

— Peut-être… — Elle se leva. — Je te remercie pour ta visite et tes jolies fleurs…

Il se leva à son tour et son visage exprima le remords.

— Pardonne-moi, Julia. Je suis un imbécile. Comment ai-je pu dire ça !

— Parce que tu le pensais, Bernd !

— Peut-être as-tu raison. Mais on ne devrait pas dire tout ce que l'on pense, et un avocat encore moins qu'un autre.

— C'est tout à ton honneur de ne pas être un chicaneur endurci !

— Tu parles sérieusement ?

— Bien sûr. Ne sommes-nous pas de vieux amis ? On doit donc passer outre à un mot maladroit.

— Alors je peux revenir ?

— Toujours !

Maître Bernhard Busch revint. Il revint non seulement pour rendre compte des dédommagements, mais surtout pour revoir Julia. Il apportait des fleurs et des cadeaux pour les enfants. Ralph les acceptait avec dignité, Roberta avec des cris de joie.

Julia restait à son égard telle qu'elle avait toujours été : très amicale et très cordiale. Elle aimait qu'il la prenne dans ses bras en arrivant et en partant. Il le faisait déjà du vivant de Robert et personne n'y voyait rien de répréhensible.

Maître Bernhard Busch était sa seule relation masculine, depuis la mort de Robert. Il y avait, évidemment, aussi Günther Kast, mais il était tellement dur et renfermé qu'aucune amie d'Agnes ne pouvait l'approcher.

Maître Busch était tout le contraire. Il écoutait

attentivement quand Julia lui parlait des progrès de ses enfants adorés, il admirait sa façon de s'habiller et de disposer les fleurs.

A l'opposé de Günther Kast, il n'était jamais distant. Il parlait volontiers de sa fille qui, même si elle ne présentait aucun problème et semblait suivre le chemin tracé d'avance, lui devenait de plus en plus étrangère.

— Cela vient, probablement, de ce que tu es divorcé, dit Julia.

— Je ne peux l'imaginer. Le divorce s'est passé sans le moindre heurt, et Ariane était assez grande pour tout comprendre.

— Malgré cela...

— Je crois plutôt que c'est son âge. Dix-sept ans... c'est l'âge où l'on n'est ni chair ni poisson. Les jeunes veulent venir à bout de tout, tout seuls et nous, les vieux, nous leur barrons le chemin.

— Mes enfants ne seront jamais comme ça, expliqua-t-elle, ils sont très différents.

— Je n'en suis pas si sûr.

— Si. Ils sont déjà différents. Par exemple, quand je compare Ralph à Hans et à Georg, lorsqu'ils avaient son âge... il y a la même différence qu'entre le ciel et la terre.

— Je le trouve parfois trop sage, dit Maître Busch prudemment.

— Tu es difficile à satisfaire. Pour toi, un gosse est tantôt insupportable, tantôt trop sage.

Elle avait fait un gâteau pour lui, comme elle le faisait parfois quand elle était prévenue de sa visite et il y fit honneur.

— Ta tarte aux cerises est sensationnelle, dit-il pour changer de sujet. — Une véritable aubaine pour un célibataire comme moi. Tu sais qu'Ines était une cuisinière de premier ordre. Malheureusement, Ariane n'a pas hérité de cette qualité-là.

— Ne t'en fais pas. Quand tu auras la nostalgie de la cuisine familiale, viens chez moi. Encore une tasse de café ?

— Volontiers.

Julia lui en versa.

— Que fait Ines en ce moment ? As-tu de ses nouvelles ?

— Elle étudie la psychologie.

Julia ne répondit rien, mais son visage exprima l'étonnement.

— Elle veut devenir psychothérapeute, expliqua-t-il.

Julia alluma une cigarette.

— Franchement, je ne comprends pas Ines, dit Julia. Elle avait chez toi tout ce qu'elle pouvait souhaiter. — Puis elle ajouta très vite : — Remarque que je ne la critique pas.

— Il n'y a aucune raison pour cela. Lors du divorce, elle a été très bien. Evidemment, elle pouvait se le permettre, avec la fortune héritée de sa mère.

— Elle te manque beaucoup ?

— Oui et non. Elle était plutôt difficile... vers la fin.

— Et Ariane ? Sa mère lui manque-t-elle ?

— Si oui, elle sait où la retrouver. Il lui suffit d'aller à Munich. Je suis sûr, du moins, qu'elle approuve totalement le désir de liberté de sa mère.

— Vraiment ? dit Julia, étonnée. Alors pourquoi n'est-elle pas restée avec elle ?

— A cause de son école, de ses copines, de sa bande... et aussi parce qu'elle ne veut pas entraver la liberté nouvellement reconquise de sa mère.

Julia se taisait. Il devina ses pensées.

— Que trouves-tu là de si extraordinaire ?

— Ces relations entre mère et fille... vos relations en général... ces distances entre vous...

— Tu ne peux pas comprendre.

— Non, vraiment pas. Entre Robert et moi, c'était tout autrement. Nous, nous étions toujours très proches, et il en est de même entre mes enfants et moi, et je suis certaine qu'il en sera toujours ainsi.

— Tu n'as jamais songé que Robert aussi avait sa propre vie ?

— Non !

— Il n'est jamais rentré tard ?

— Seulement quand il avait trop de travail !

— Je ne veux pas du tout insinuer que c'était autre chose, mais ne crois-tu pas qu'il s'était créé son propre univers par son travail, un rempart autour de sa personnalité, que personne ne pouvait franchir ?

— Non. Je suis persuadée qu'il aurait aimé me parler des cas qui le préoccupaient, mais qu'il n'en avait pas le droit.

— Eh bien, dans ce cas...

— Bernd ! — Elle lui saisit la main. — Tu ne veux pas insinuer que Robert ne m'a pas réellement aimée ? Que je l'imaginais seulement ?

Il lui sourit.

— Non, absolument pas ! Tu es une femme que l'on ne peut qu'aimer !

Maître Bernhard Busch continua à rendre régulièrement visite à Julia même après que l'affaire de l'indemnisation eut été réglée. A part cela, elle avait peu de distractions. Elle dut constater qu'une femme seule n'avait pas de place dans la société — du moins dans la société d'Eysing-les-Bains. Elle recevait de temps à autre des invitations, mais comme elle ne pouvait laisser les enfants seuls, elle s'excusait et personne n'insistait.

Elle entreprenait tout ce qu'il est possible d'entreprendre avec deux petits enfants : marches dans les bois environnants, visites chez le glacier italien et promenades dans le parc thermal, où elle s'asseyait sur les dures chaises pour écouter le concert, jusqu'à ce que Roberta s'impatiente. Elle était heureuse de constater que Ralph aimait la musique autant qu'elle-même et, serré contre elle, il semblait prêt à écouter jusqu'à la fin.

— Ralph aime tellement la musique, dit Julia à Agnes, que je me demande si je ne vais pas lui faire donner des leçons.

— Quel genre de leçons ?

C'était l'heure du déjeuner ; les deux femmes se tenaient sur le palier devant la porte de son appartement.

— Le piano, par exemple.

— Mais tu n'as pas de piano.

— Je pourrais m'en procurer un.

— Je vais te dire une chose : quand on veut apprendre à jouer d'un instrument, on se débrouille soi-même. Si tu l'obliges à le faire dès l'enfance, tu te prépares un tas d'embêtements pour plus tard.

— Mais ce qu'on apprend facilement dans son enfance devient difficile plus tard.

— Fais ce que tu veux, mais à ta place, je consulterais d'abord Ralph lui-même, avant de me lancer dans quoi que ce soit.

Julia suivit le conseil d'Agnes et parla avec Ralph. Comme on pouvait s'y attendre, il fut tout feu tout flamme ; Julia ne savait au juste si son enthousiasme correspondait à un désir réel d'apprendre à jouer d'un instrument, ou s'il voulait seulement lui faire plaisir.

Toujours est-il qu'un piano fut acheté, à bas prix, parce qu'il avait déjà beaucoup servi, et une certaine Mlle Mangst vint régulièrement ; c'était une jeune femme très aimable qui étudiait encore elle-même la musique.

Ralph se donna de la peine et fit de rapides progrès ; Julia rêvait parfois qu'il deviendrait un jour un virtuose ou un compositeur célèbre.

Julia ne pouvait se décider à aller chez le coiffeur : sans se l'expliquer, il lui semblait incongru de s'occuper de sa beauté en période de deuil. C'est seulement en automne, lorsque ses cheveux bruns naturellement bouclés lui tombèrent sur la nuque et qu'elle dut les retenir par une barrette, qu'elle finit par prendre un rendez-vous.

Les femmes et les jeunes filles d'Eysing-les-Bains, qui pouvaient se le permettre, celles qui disposaient d'une voiture ou d'une moto, allaient à Traunstein ou même à Munich se faire coiffer. Il n'existait que deux salons de coiffure à Eysing ; l'un, appelé « Art de la Coiffure », ne pouvait satisfaire que les moins difficiles ; l'autre était dirigé par le beau Markus, connu pour son habileté mais également pour sa langue de vipère et son goût des commérages.

Bon gré mal gré, Julia décida d'aller chez Markus, en espérant que, par égard pour son veuvage, il ferait preuve de tact.

Mais elle se trompait.

Pendant qu'il lui coupait les cheveux mouillés avec ses minuscules ciseaux, il lui raconta les derniers potins, qui n'intéressaient nullement Julia. Elle ne réagissait que par des « ah » et des « hm », mais cela n'arrêtait pas le flot de paroles.

Julia chercha à se distraire en l'observant ; il était vraiment très beau avec ses cheveux noirs et brillants et sa moustache soignée et, s'il avait pu chanter, il aurait fait un excellent Don Juan sur la scène.

— Dommage que la femme de Maître Busch ne vienne plus chez moi, dit-il, interrompant les rêveries de Julia.

Elle sursauta et dut se retenir pour ne faire aucun commentaire.

— Une très belle femme, continua Markus, des cheveux longs magnifiques, c'était un plaisir de la coiffer. On dit qu'elle a divorcé.

« Ce doit être vrai, ajouta Markus en souriant, sinon vous, madame, vous n'auriez pas l'occasion de recevoir aussi souvent Maître Busch.

— Maître Busch est mon conseiller juridique, expliqua-t-elle, et elle s'irrita d'être obligée de se justifier.

— Et un très bon ami, ajouta-t-il innocemment.

— Qu'est-ce qui vous le fait dire ?

Markus leva les yeux vers son reflet dans la glace et lui fit un sourire désarmant.

— Sinon, vous iriez consulter à son cabinet.

— C'était un vieil ami de mon mari, dit-elle avec raideur.

— Oh oui, toute la ville le sait.

Il semblait attendre une nouvelle explication, mais Julia continuait à se taire.

— Vous le connaissez depuis longtemps ?

De nouveau, Julia préféra garder le silence.

— Je ne veux pas être indiscret...

« Mais vous l'êtes, justement ! » faillit dire Julia, mais elle retint cette remarque, car elle savait qu'elle serait perdante dans une discussion avec cet homme habile.

— ... naturellement, ses visites sont en tout bien tout honneur ! continua-t-il.

Comme Julia ne réagissait pas davantage, il ajouta :

— D'ailleurs, cela n'étonnerait personne que cela finisse par un mariage !

Julia rejeta la tête en arrière avec une telle brusquerie qu'il eut à peine le temps de retirer ses ciseaux.

— Je ne me remarierai jamais ! dit-elle avec détermination, si c'est ce que vous cherchez à savoir !

— Mais non, madame, voyons, cela ne me regarde nullement ! On bavarde pour passer le temps, je n'avais pas l'intention d'être indiscret !

Julia était furieuse. Même après avoir quitté le salon de coiffure — les cheveux coupés court, brillants, qui encadraient joliment son front et ses joues — elle était encore hors d'elle de colère. Elle se jura de ne jamais remettre les pieds chez Markus, même si elle devait se couper les cheveux elle-même.

Elle savait pourtant que le coiffeur n'y avait attaché aucune importance, qu'il n'était que l'écho de la ville. On chuchotait donc derrière son dos, on donnait aux visites anodines de Maître Busch une signification qu'elles n'avaient pas.

Julia fut sur le point de lui téléphoner pour lui dire tout de go qu'elle ne voulait plus le revoir.

Cependant, en parcourant la rue principale à pas rapides, répondant distraitement aux saluts, elle comprit que ce serait stupide. Elle l'aimait bien, elle était contente quand il venait, elle aimait bavarder avec lui — pourquoi se priverait-elle de ce plaisir uniquement pour faire taire les commérages ?

Dans le Chemin des Acacias, elle sonna chez Agnes, qui avait gardé Roberta pendant son absence.

— Que tu es jolie ! dit son amie.

— Oui, Markus s'y entend en coiffure, répliqua Julia non sans amertume.

Agnes rit.

— Il t'a énervée ?

— Plutôt !

— Entre et raconte-moi ça !

— Oh, il n'y a rien à raconter, dit-elle, c'est sans le moindre intérêt. Roberta a été sage ?

Lors de la rencontre suivante avec Maître Bernhard Busch, Julia fut un peu embarrassée.

Il s'en aperçut.

— Qu'as-tu, Julia ? Je te dérange, peut-être ?

— Pas du tout.

— Alors pourquoi fais-tu cette tête-là ?

— Je fais quelle tête ? Je ne m'en rends absolument pas compte.

Il accrocha son imperméable trempé au portemanteau de l'entrée et passa au living devant elle, comme s'il était ici chez lui.

— Ah, voici mes petits trésors ! s'écria-t-il. Ralph, comment vont tes leçons de piano ?

Ralph, qui était couché à plat ventre sur son livre d'images, se leva et tendit poliment la main à Maître Busch.

— Il fait de grands progrès, répondit Julia à la place de Ralph.

— Et toi, Robsy, comment vas-tu ?

La petite trotta vers lui, maintenant trop grande pour rester dans son parc.

— Bien ! dit-elle gaiement.

— Aujourd'hui, je ne vous ai apporté qu'une tablette de chocolat, dit Maître Busch en la tirant de sa poche. Partagez-la, et sans vous disputer !

— Nous ne nous disputons jamais ! déclara Ralph avec le sérieux qui lui était propre.

— Ce sont vraiment de très mignons petits ! dit Julia.

Elle se pencha vers Ralph et lui donna un rapide baiser.

— Robby aussi, Robby aussi ! cria Roberta en lui tendant ses petits bras ; elle ne pouvait pas prononcer « Robsy ».

Julia la souleva dans ses bras, la lança en l'air et lui donna aussi un baiser.

— Si je nous faisais un petit café ? demanda-t-elle à Maître Busch.

— Je n'aurais rien contre.

En revenant de la cuisine, Julia trouva Maître Busch en train de lire le journal. Les enfants jouaient paisiblement, ils avaient le visage barbouillé de chocolat.

Contrairement à son habitude, Julia ne renvoya pas

les enfants, mais les laissa jouer dans le salon, pendant qu'elle buvait le café avec son visiteur.

— Tu as une mine superbe, dit Maître Busch.

— J'ai été chez le coiffeur.

— Tu es belle comme la Vénus de Boticelli...

Elle remua le café dans sa tasse.

— Je ne sais pas si...

— Quoi ? l'encouragea-t-il.

— ... si c'est bon que tu viennes me voir aussi souvent.

— Pourquoi ?

— Les gens jasent.

— A présent, je sais d'où vient le vent ! L'ami Markus t'a mis la puce à l'oreille !

— Oui, avoua-t-elle, il a fait des remarques idiotes.

— Et maintenant tu te demandes si tu fais bien de me recevoir ?

— Oui !

— Ecoute, mon petit ! — C'était la première fois qu'il l'appelait ainsi, mais elle ne s'en rendit pas compte. — Nous pouvons facilement mettre fin aux bavardages. A l'avenir, nous sortirons ensemble.

— Pour que les gens chuchotent davantage ?

— Pour qu'ils voient que nous n'avons rien à cacher.

— Nous n'avons rien à cacher de toute manière.

Il lui prit la main.

— Tu vois bien. Alors pourquoi te fais-tu du souci ?

Elle s'efforça de sourire.

— Parce que je suis bête.

— Non, tu ne l'es pas du tout. Il te manque simplement de l'assurance. On doit toujours faire ce que l'on croit juste, et non ce que d'autres veulent que l'on fasse.

— Tu as raison, évidemment.

— Que font donc les gens pour toi ? Je veux dire... les gens en général. Je suppose que tes amis n'ont rien contre mes visites... Par exemple le docteur Opitz ou madame Kast...

— Non, bien sûr.

— Alors n'en parlons plus. Mais pourquoi ne sortirions-nous pas ensemble un de ces soirs ?

— Oui, peut-être un soir, dit-elle, mais pas encore

65

maintenant. Il faut que tu le comprennes. Je n'en ai pas encore envie.

— Je ne te forcerai jamais à faire quelque chose que tu n'auras pas désiré toi-même.

Agnes Kast persuada Julia de venir jouer au Skat avec elle et Lizi Silbermann une fois par semaine. Julia avait appris ce jeu de cartes autrefois avec son père, mais à présent elle se sentait peu sûre d'elle-même.

— Si tu connais les règles, tu t'y remettras très vite, déclara Agnes. Tu n'as pas besoin de gagner. L'important, c'est que nous ayons une troisième personne pour jouer avec nous.

Julia sourit.

— Si je joue, c'est pour gagner !

— Tu gagneras, ne crains rien, il faut simplement que tu t'y remettes.

Il fut donc décidé que l'on se rencontrerait chaque vendredi, chez Agnes, chez Julia et chez Lizi, à tour de rôle.

Le premier soir de Skat eut lieu chez Lizi. Leonore fut chargée de surveiller Roberta et Ralph. Agnes pouvait confier Christine à ses deux frères.

Julia fut contente d'être enfin hors de ses propres murs. L'appartement de Lizi était très soigné et très féminin, le grand living-room entièrement dans des tons bleus et argentés. Elle avait allumé des chandelles, ce que Agnes désapprouva, mais Lizi les garda quand même, car elles créaient une ambiance romantique.

— Je trouve ça très joli, dit Julia, conciliante.

— Quand pour une fois j'ai des invitées, dit Lizi, je veux que l'on se sente bien chez moi.

Les cartes furent battues et distribuées, et les trois amies se mirent à jouer : Julia très prudente, Lizi calculatrice et pondérée, Agnes audacieuse. Agnes prit d'abord des risques et perdit tout ce qu'elle avait. Les gains de Lizi montaient lentement, mais régulièrement, alors que Julia se maintenait.

Avec deux valets et une suite à cœur, elle alla jusqu'à trente, et gagna le jeu ; ses yeux sombres brillaient à la lueur des chandelles et ses joues étaient rougies.

— Bravo ! approuva Lizi. Tu fais des progrès !

— C'est facile avec une main pareille, répondit Julia.

— Ne dis pas ça ! Tu as très bien joué.

Agnes battit les cartes, laissa Lizi couper et les donna de nouveau.

— Du temps de Robert, tu n'aurais jamais osé.

— Quoi ? demanda Julia, et elle ressentit comme un coup au creux de l'estomac.

— Jouer aux cartes avec nous.

— C'est pourtant un plaisir bien innocent !

— Néanmoins, il ne te l'aurait jamais permis, admets-le.

— Je n'aurais pas aimé le laisser seul.

— Mais il était souvent absent, le soir.

— Quelle discussion absurde ! dit Lizi. On joue ou on bavarde ?

— Pardon ! On joue, évidemment. A toi, Lizi.

Mais pour Julia, la soirée était gâchée. Elle songeait aux paroles de son amie. Agnes avait raison, Robert n'aurait pas aimé qu'elle aille chez Lizi le soir. Il n'aurait pas voulu qu'elle laisse les enfants seuls. Elle l'avait pourtant fait. Elle avait confié Ralph et Robsy à la garde d'une enfant de dix ans qu'elle connaissait à peine.

— Je passe, dit-elle.

— Comment peux-tu passer avec trois valets !

Julia se secoua pour revenir à la réalité.

— Je suis désolée, je ne savais pas...

— Elle ne l'a pas fait exprès, dit Lizi pour l'excuser, elle ne pensait pas à son jeu.

— On joue au Skat ou on rêve ? s'écria Agnes.

— Est-ce que Leonore sait s'occuper des petits enfants ? demanda Julia en regardant Lizi avec inquiétude.

— Rassure-toi, elle est parfaite ! Elle a été presque une nurse pour les petits-enfants du directeur de la Station Thermale.

— Mais s'ils se réveillent et ne me trouvent pas...

— ... alors Leonore le leur expliquera ! dit Agnes. Allez, on joue !

Mais Julia ne pouvait plus se concentrer sur le jeu.

L'idée que ses enfants dormaient seuls dans l'appartement lui était insupportable.

Les images terrifiantes submergèrent Julia. Elle voyait la maison en feu, voyait Leonore presser un oreiller sur la bouche de Robsy pour la faire taire, voyait Ralph courir dans les rues nocturnes.

— Excusez-moi, dit-elle d'une voix enrouée en laissant tomber ses cartes, mais je ne peux plus tenir.

— Qu'est-ce qui te prend ? demanda Agnes avec irritation. Je croyais qu'on voulait jouer aux cartes...

— Les enfants sont seuls à la maison. Cela m'est insupportable.

— Mais Leonore est avec eux, dit Lizi.

— C'est une enfant.

— Leonore n'est peut-être pas très maligne, mais elle est très consciente de sa responsabilité.

— Probablement, mais je n'en puis plus. — Des larmes montèrent aux yeux de Julia. — Vous pouvez me croire folle... moi-même j'ai l'impression de devenir folle... mais il faut que je rentre.

— Il est à peine dix heures ! s'écria Agnes.

— Cela ne sert à rien ! interrompit Lizi. Tu ne peux tranquilliser Julia avec des raisonnements. Elle a certainement déjà tout envisagé.

Julia acquiesça de la tête.

— Nous allons te ramener chez toi, Julia.

— Et nos jolis petits sandwichs ? s'écria Agnes.

— Nous allons les emporter, et le vin également. Venez, aidez-moi à faire les paquets.

Dix minutes plus tard, elles étaient dans la voiture de Lizi.

La vue du numéro 17 dans le Chemin des Acacias ne rassura pas Julia. La maison était sombre, grande et silencieuse à la lumière pâle de la lune d'hiver et ne paraissait pas comme d'habitude, accueillante et confortable, mais hostile et froide.

Julia ouvrit la porte d'entrée et monta l'escalier en courant. La télévision marchait dans le salon ; Leonore était assise devant.

— Où sont les enfants ?

— Ils dorment.

Leonore se frotta les yeux.

Julia se précipita dans la chambre à coucher.

Sans allumer, elle entendit, en se penchant sur le petit lit de Roberta, la petite respirer régulièrement. Infiniment soulagée, Julia tira la couverture sur l'enfant qui l'avait poussée de côté, et posa un léger baiser sur sa joue.

A la lumière qui venait du salon, elle s'approcha du lit où Ralph avait l'habitude de dormir à ses côtés. Mais elle n'entendit pas sa respiration.

— Ralph ! s'écria-t-elle à mi-voix et saisie de peur.

— Julia ! — deux petits bras se tendirent vers elle. — Te voilà enfin !

Elle s'assit au bord du lit.

— Pourquoi ne dors-tu pas ?

— Je ne pouvais pas.

— Tu es un petit garçon stupide, dit-elle en lui caressant tendrement les boucles. Tu savais pourtant que j'étais chez tante Lizi.

— Je ne veux pas que tu sortes !

— Mon petit tyran !

— Tu restes maintenant ?

— Oui !

— Et tu ne me laisseras plus jamais seul ? Promets-le-moi !

— Seulement si tu t'endors tout de suite.

— Tu ne viens pas encore te coucher ?

— Non. Je vais encore jouer aux cartes avec tante Lizi et tante Agnes. Ou bien veux-tu me le défendre aussi ?

Il y eut une pause, pendant que Ralph réfléchit.

— Non, dit-il finalement.

— Dieu merci ! dit-elle. — Elle lui embrassa le front. — Maintenant dors tranquillement. Je suis à côté. Dans le salon.

Julia arrangea les couvertures, puis elle se leva.

— Il ne faut pas lui en vouloir, disait Lizi. Elle a perdu son mari si subitement. Un malheur tellement inattendu.

— Tu ne trouves pas son comportement bizarre ?

— Non, pas du tout. S'il m'était arrivé une chose pareille, je serais probablement beaucoup plus folle.

— Ton mari t'a pourtant abandonnée.

— Oui, mais il n'est pas mort. C'est très différent.

— Eh bien, si tu le prends ainsi..., dit Agnes. C'est très différent pour Julia. C'était pour elle...

Elle s'interrompit en voyant Julia entrer.

— Tout est en ordre ! annonça-t-elle.

— Alors, qu'est-ce qu'on te disait ? insista Agnes.

— On joue encore un peu ?

— Leonore est morte de fatigue, dit Lizi.

— On a bien fait de rentrer chez moi. Elle peut dormir dans la chambre de Ralph. Je vais vite mettre des draps.

Elles mirent Leonore au lit, continuèrent à jouer, burent du vin et mangèrent un peu. A présent que Julia savait ses enfants en sécurité et tout près d'elle, elle était tout à fait décontractée.

— C'était une soirée merveilleuse, dit-elle lorsque ses amies prirent congé vers minuit. Il faut remettre ça régulièrement... mais chez moi.

— Ce ne serait pas juste..., commença à protester Agnes.

— Mais si ! interrompit Lizi. Comme Julia ne peut s'arracher à ses enfants, nous viendrons chez elle. Nous nous chargerons du buffet tour à tour. Disons donc : la prochaine fois ce sera le tour de Julia, la suivante le tien, Agnes.

Dès lors, elles se retrouvèrent chaque vendredi soir chez Julia.

En hiver, Maître Bernhard Busch téléphona à Julia un dimanche après-midi.

— Le temps est magnifique ! Qu'en dirais-tu si je venais te chercher, toi et les enfants, pour aller faire de la luge ?

Julia réfléchit un instant.

— Oui, c'est une bonne idée.

— Alors à tout à l'heure. Nous arrivons.

L'idée que Maître Busch allait venir avec sa fille ne souriait pas tellement à Julia.

Julia venait tout juste d'emmitoufler les enfants quand Maître Busch sonna à la porte de la maison. Elle mit son manteau de castor — cadeau de Robert lors du

70

dernier Noël —, enfonça un bonnet assorti sur ses boucles, prit Ralph par la main, Roberta sur un bras et se précipita au bas de l'escalier.

Maître Busch prit Julia dans ses bras, comme il en avait l'habitude, et elle eut l'impression qu'Ariane faisait une grimace désapprobatrice devant cette intimité. C'était une jeune fille grande, mince, au visage dur, sans aucune ressemblance avec les beaux traits de sa mère ni avec son père.

Les luges étaient dans le vestibule. Elles furent installées sur le toit de la voiture. Julia prit le siège avant, Ariane monta à l'arrière avec les enfants. Elle se montra aussi naturelle et gaie avec eux qu'elle était méfiante à l'égard de Julia. Elle bavarda et plaisanta, et ils eurent vite confiance.

Maître Busch quitta la ville et se dirigea vers les montagnes, jusqu'au lieu-dit « Moser-Alm », où il y avait une descente pas trop abrupte pour la luge, et où se pressaient déjà de nombreux enfants, dont les parents avaient eu la même idée.

C'était un tableau bigarré et réjouissant. La neige étincelait au soleil et pesait lourdement sur les branches des sapins environnants. Avec leurs anoraks multicolores — bleu clair, rouge et jaune — les enfants formaient, en descendant la piste, des taches mouvantes et riantes. Le soleil d'hiver rayonnait dans le ciel presque aussi bleu qu'en été.

Ralph monta courageusement vers la crête, tirant sa luge derrière lui. Ariane faisait tourner en rond Roberta qui poussait des cris joyeux, assise dans sa luge.

Enfin, Ralph, ayant atteint le sommet, se coucha sur la luge et se repoussa des pieds.

— N'est-ce pas formidable ? s'écria Julia. Je croyais qu'il aurait peur — et pas du tout !

— Il a six ans ! dit Maître Busch. — Ce n'est vraiment pas sorcier de faire de la luge !

Il avait prit la main sans gant de Julia et l'avait enfoncée dans la poche de son pardessus.

— Tu crois ça ! Mais regarde donc tous ces enfants ! Il pourrait facilement heurter l'un d'eux.

71

— Et alors ! Il ferait simplement une culbute dans la neige. Ce ne serait pas le premier à qui ça arrive.

— Tu n'as pas de cœur.

Au lieu de lui répondre, il posa un rapide baiser sur le bout de son nez glacé.

— Tu es adorable, en tout cas ! dit-il.

Contrairement à l'appréhension de Julia, Ralph arriva au bas de la colline sain et sauf ; il virait adroitement, en évitant les luges plus rapides ou plus lentes.

— Tu as vu comment il s'y est pris ? s'écria Julia. Quel dommage que Robert ne puisse le voir !

Maître Busch l'interrompit.

— Tu penses souvent à lui ?

— Tout le temps !

— Il est dit dans la Bible : « Laissez les morts enterrer les morts. »

— Je sais. Robert n'a plus d'influence sur ma vie. Mais je suis toujours sa femme. Même après sa mort.

Maître Busch tressaillit.

Elle le remarqua.

— Qu'est-ce que tu as ? Tu as froid ?

— Oui. Si on entrait là ?

Il indiqua un café derrière eux.

— C'est tellement beau ici !

— Si nous ne nous dépêchons pas, nous ne trouverons plus de places.

Maître Busch mit un bras autour des épaules de Julia.

— Si nous trouvons une table près de la fenêtre, tu pourras continuer à surveiller tes enfants.

Julia céda. Par les grandes vitres, la colline avec le grouillement des enfants qui la dévalaient offrait un spectacle impressionnant. Tout en buvant son thé, Julia ne quittait pas des yeux Ralph.

Elle n'eut pas à se faire de souci pendant longtemps ; Ralph ne descendit la colline que cinq fois, puis il en eut assez. Ils le virent parler avec Ariane, qui indiqua le café. Il rangea sa luge et entra dans le café peu de temps après.

— C'était un plaisir bien court, dit Maître Busch.

Le garçon le regarda de ses yeux obliques.

— Tu peux prendre ma luge, dit-il avec sérieux.

Maître Busch ne comprit pas tout de suite.

— Si tu veux t'en servir, ajouta Ralph très calmement.

Julia était déjà accroupie devant lui et ouvrait sa longue fermeture à glissière.

— Ta luge est bien trop petite pour Bernhard, dit-elle.

— Il peut toujours essayer !

Maître Busch décida de rire de la proposition du garçon.

— Le diable si je le ferai ! dit-il en riant.

— Ce n'est pas du tout si amusant que ça de chaque fois tirer cette stupide luge en haut de la colline, dit Ralph en soufflant dans ses mains qui, bien qu'il eût porté des moufles, étaient froides et rouges.

Ariane et Roberta les rejoignirent bientôt. Julia alla aussitôt aux toilettes avec les deux enfants.

Maître Busch avait commandé pour les enfants de la tarte aux pommes avec de la crème fouettée. Insouciante, Roberta frappa de sa cuillère sur le monticule de crème qui gicla de tous côtés.

Roberta riait avec tant de plaisir, des fossettes dans les joues, que Julia n'eut pas le courage de la gronder.

Maître Busch jeta un regard circulaire.

— Nous formons une famille charmante, non ? demanda-t-il.

Julia lui serra la main.

— De bons amis, j'espère !

Ils restèrent au « Alm-Café » jusqu'au crépuscule, qui recouvrit la colline d'ombres roses et bleues. Alors seulement ils prirent le chemin du retour. Maître Busch voulait inviter Julia et les enfants à dîner au restaurant de l'Hôtel de Ville.

Mais Julia refusa.

Maître Busch aurait souhaité que Julia l'invite à monter, mais elle le laissa détacher les luges et prit congé. Ralph fit à Maître Busch et à Ariane un petit salut parfait, et Roberta leur plaqua un baiser mouillé sur la joue.

— Comment les trouves-tu ? demanda Maître Busch en s'éloignant du Chemin des Acacias et en se dirigeant vers le centre de la ville.

— Pourquoi me le demandes-tu ? rétorqua Ariane.

— Comme ça.

— Il me semble que les enfants sont terriblement gâtés.

— Et Julia ?

— Il n'y a rien à dire contre Mme Severin... sauf peut-être qu'elle est beaucoup trop immature...

— C'est toi qui le dis !

— Tu vas rire, Papa, mais je me sens beaucoup plus adulte qu'elle ! Mais, bien sûr, ce n'est pas un défaut ou, plutôt, c'est un défaut qui s'estompera tout naturellement avec le temps.

— Tu n'as donc rien contre elle ?

— Rien du tout ! Pourtant, je voudrais te prévenir... à mon avis tu n'es simplement pas de taille à faire face à deux petits enfants. Je me souviens encore, quand j'étais petite...

— C'est vrai ! Je ne me suis pas occupé de toi ! Mais à cette époque je devais veiller à mon avancement professionnel, et de plus j'étais tout le temps pris par les conflits continuels avec ta mère. Mais Julia est très différente.

— Crois-tu ? dit-elle, sceptique.

— Absolument. Elle est aimante, accommodante, douce et affectueuse.

— C'est ce que tu crois. Vous seriez tout le temps en train de vous disputer... ne serait-ce qu'à cause de l'éducation des enfants.

— Quelle discussion idiote ! Tu parles comme si j'avais l'intention de demander la main de Mme Severin !

— Et ce n'est pas le cas ?

— Non.

— Tant mieux pour toi. — Ariane posa la main sur la poignée de la portière. — Tu peux me déposer au prochain carrefour ?

— Tu ne dînes pas avec moi ?

— Non. La vie de famille suffit pour aujourd'hui. J'ai un rendez-vous.

— Avec qui ?

— Aucun intérêt pour toi.

Il freina, la voiture s'arrêta. Ariane descendit.

— Bonne nuit, Papa ! dit-elle en passant la tête par la portière. Ne m'attends pas, je risque de rentrer tard.

— Demain, tu as cours.

— A qui le dis-tu !

Avant qu'il ait pu répondre, elle avait déjà disparu dans l'obscurité. Il soupira. Une longue et ennuyeuse soirée l'attendait.

Julia avait une raison précise pour rentrer aussi précipitamment, une raison dont elle ne pouvait parler à personne, car elle savait elle-même combien elle était fantastique.

Elle croyait toujours qu'en ouvrant la porte elle trouverait Robert, la pipe à la main, ses longues jambes étendues devant lui, assis dans son fauteuil préféré. Elle voyait le sourire joyeux, un peu ironique, avec lequel il l'accueillait, entendait ses paroles : « As-tu réellement cru que j'étais parti ? »

Le matin, pendant qu'elle préparait le petit déjeuner, il lui semblait l'entendre chanter dans la salle de bains. La nuit, lorsqu'elle ne dormait pas et que la porte d'entrée de la maison s'ouvrait, elle imaginait que c'était Robert qui allait monter.

Son bon sens lui disait qu'elle se trompait, mais dans son esprit Robert était toujours vivant.

Elle n'avait pas vu son cadavre, on lui avait seulement dit qu'il était mort, et on lui avait rapporté ses papiers. Il pouvait s'agir d'une erreur. Robert prenait parfois des auto-stoppeurs. Peut-être était-ce cet autre qui était mort, et le choc avait fait perdre la mémoire à Robert, qui ne savait plus qui il était. Elle était capable d'inventer les imbroglios les plus invraisemblables — seule la mort de Robert lui restait inconcevable.

Elle était confirmée dans ce sentiment quand elle allait sur sa tombe. Elle le faisait assez rarement, car elle ne voulait pas y emmener ses enfants pour ne pas avoir à leur dire : « Ici est enterrée la dépouille mortelle de votre père. »

Mais elle devait naturellement s'occuper de la tombe. Dans la petite ville il était d'usage de s'occuper soi-même des chers disparus ; on y voyait la preuve d'un chagrin réel et du souvenir éternel.

Pourtant, Julia n'éprouvait rien devant la tombe. Elle pensait que si cela avait été vrai, elle aurait senti la présence de Robert. La vue de cette tombe n'éveillait en elle ni douleur ni chagrin, alors qu'un livre qu'il avait lu et qui lui tombait par hasard sous la main, pouvait la faire s'évanouir.

Julia était réaliste. Elle se disait qu'elle devait s'accommoder de la mort de Robert, mais elle n'y arrivait pas.

A chacune des petites décisions quotidiennes, elle se demandait ce que Robert aurait dit. En faisant la cuisine, elle tenait compte de ses goûts, il y avait divers plats qu'il détestait.

Lorsqu'elle jouait aux cartes avec ses amies — il ne pouvait y avoir de plaisir plus innocent —, elle avait toujours mauvaise conscience. Qu'aurait dit Robert s'il était revenu subitement ?

Elle dressait tout le temps l'oreille en croyant entendre la clé tourner dans la serrure.

Julia était déchirée intérieurement. Elle espérait ardemment que Robert vivait encore, tout en sachant que cela était impossible. Mais elle ne pouvait se détacher de lui, ni se défaire de ses rêves qu'elle savait pourtant irréels.

Robert Severin continuait à jouer le rôle prépondérant dans la vie de Julia, même s'il n'était plus qu'une ombre exsangue, mais puissante.

— J'ai une surprise pour toi, annonça Maître Busch un dimanche.

Julia l'avait invité, exceptionnellement, à déjeuner, il y avait du goulash.

— Qu'est-ce que c'est ? demanda-t-elle, en s'efforçant à paraître intéressée.

— Deux places pour « Le Chat et le Hibou » ! dit-il tromphalement.

— Tu veux y aller avec Ariane ?

— Alors il n'y aurait pas de surprise pour toi ! Non, avec toi, Julia !

— Et c'est quand ? demanda Julia, en songeant

rapidement que s'il s'agissait d'une matinée, elle pouvait confier ses enfants à Agnes.

— Ce soir ! répondit Maître Busch.

Julia sourit avec l'espoir qu'il comprendrait.

— Tu sais bien que je ne puis jamais sortir le soir.

— Sottises, Julia, c'est ce que tu imagines.

— N'en parlons plus ! dit Julia avec une douce détermination. Veux-tu encore un peu de goulash ?

— Avec plaisir. C'est excellent.

— Je suis ravie que tu le trouves bon.

Roberta était entièrement absorbée par la nourriture. Ralph faisait plus semblant de manger qu'il ne mangeait réellement. L'allusion aux places de théâtre lui avait coupé l'appétit.

— Madame Kast pourrait surveiller les enfants, dit Maître Busch.

— Elle devrait alors monter et descendre l'escalier sans cesse. Je ne peux pas lui demander ça, et de toute manière je ne serais pas tranquille. On en parlera pendant le café, veux-tu ? — Elle s'adressa aux enfants. — Quand vous aurez fini de manger, vous aurez de la glace. Ralph, tu veux m'aider à desservir ?

Plus tard, alors que Roberta était couchée dans son petit lit pour la sieste, et que Ralph, couché par terre, était plongé dans un album de bandes dessinées, Julia reprit d'elle-même le sujet des places pour le théâtre.

— C'est gentil de ta part d'y avoir pensé, dit-elle, mais comme tu sais que je n'ai personne pour garder les enfants, ce n'est plus la peine d'en parler.

— Julia, je t'en prie ! dit-il. Si tu ne sors plus jamais de tes quatre murs, tu vas devenir folle !

— Mais je sors, voyons, Bernd, répliqua-t-elle aimablement, je conduis Ralph au Jardin d'Enfants, je vais me promener avec les enfants, je fais les courses, nous allons au concert en plein air, et maintenant, avec le printemps, je vais aider Agnes dans le jardin.

— Julia, je t'offre une chance de te retrouver parmi les gens...

— Je sais, Bernd, que cela part d'un bon sentiment, mais c'est exclu.

Brusquement, ils se regardèrent comme deux ennemis.

Julia fut la première à s'en rendre compte ; elle s'efforça de sourire.

— Ce n'est vraiment pas la peine de nous disputer à cause de cette comédie de boulevard !

— Il ne s'agit pas de la comédie au Casino. Je voudrais enfin pouvoir sortir avec toi.

— Mais nous sommes déjà plusieurs fois sortis ensemble.

— Jamais seuls !

— Non, c'est vrai : jamais seuls. — Julia se leva et alla chercher des cigarettes dans l'armoire.

— Ça fait plus d'un an depuis l'accident.

— Oui, je sais ! — elle se pencha vers lui pour prendre du feu.

— Exactement un an et cinq jours.

— C'est volontairement que j'ai attendu aussi longtemps !

— C'est très noble de ta part !

Il se leva.

— Si tu continues à t'isoler du monde, tu finiras par devenir folle.

— Tu trouves donc que je deviens dingue ?

— Je n'ai pas dit ça.

— Mais tu en as l'air. Si tu t'ennuies en ma société, pourquoi viens-tu ?

— Julia, je t'en prie ! Tu as une façon d'interpréter mes paroles !

— J'essaye seulement de me défendre.

— Personne ne t'attaque.

— Si, toi ! Tu prétends que je deviens idiote parce que je ne veux voir personne. A présent, tu te rétractes, parce que ça te paraît trop dur. Mais c'était ce que tu voulais dire. Je ne suis pourtant pas encore assez idiote pour ne pas comprendre ce qu'on me dit.

— Julia !

— Rassure-toi : je lis chaque jour le journal, d'un bout à l'autre, l'éditorial et le reste, je lis même le *Spiegel*, je viens de me procurer un livre sur l'Islam, je mets la télévision dès qu'il y a quelque chose d'intéressant, bref, je fais travailler ma matière grise. Prétends-tu sérieusement que justement cette comédie de bou' -

vard, où tu veux absolument me traîner, manque à ma culture ?

— Mais il ne s'agit pas du tout de ça, Julia...

Il la saisit par les épaules. D'un mouvement souple, elle se dégagea.

— Je sais, il s'agit de gens ! Il est d'une importance capitale pour moi de rencontrer la femme du pharmacien, la femme du médecin, la femme du directeur de la Station Thermale, madame la crémière ou madame la caissière de la banque, en robe du soir, et de les admirer toutes ainsi endimanchées ! Non, merci, mon cher Bernd. Je peux voir ces gens quand je veux. Je n'ai pas besoin d'aller pour cela au Casino.

— Ce ne sont que des excuses, Julia.

— A quoi ?

— A ne pas vouloir laisser tes enfants seuls.

— Et alors ? Je devrais peut-être en avoir honte ? J'ai promis à Ralph de ne plus jamais le laisser le soir...

— Ce n'était pas du tout raisonnable de ta part !

— ... et je tiendrai ma promesse. Va voir ta pièce de boulevard avec qui tu veux, mais pas avec moi !

— Ne crois surtout pas que j'aurai du mal à trouver quelqu'un à qui ça plaira !

— Je n'en doute pas.

— Tu sembles te croire unique !

Elle écrasa sa cigarette.

— Ça suffit maintenant, Bernd, ça suffit vraiment. On ne va quand même pas se disputer. Il vaut mieux que tu partes tout de suite.

Elle le précéda dans l'entrée.

Il la suivit, malheureux.

— Je ne voulais que te faire plaisir !

— N'en parlons plus.

Il la prit dans ses bras avec plus d'élan que d'habitude.

Elle ne se prêta pas à sa tentative de réconciliation, mais se libéra et lui mit son chapeau sur la tête.

— C'était très gentil d'être venu ! Amitiés à Ariane ! dit-elle en le poussant dehors.

De retour dans le living, elle constata qu'il restait encore du café dans le pot. Elle s'en versa, alluma une nouvelle cigarette et s'installa confortablement. L'explication avec le vieil ami l'avait touchée plus profondément qu'elle ne voulait l'admettre. Elle essaya de se calmer et de se décontracter.

Ralph l'avait observée de dessous ses épais cils.

— Sois pas triste, Julia, dit-il.

— Je ne suis pas triste du tout. Seulement un peu agacée.

Ralph se leva, s'approcha et se serra contre elle.

— Quand je serai plus grand, nous pourrons aller au théâtre ensemble.

Elle l'attira plus étroitement.

— Sûrement.

— C'est vrai, Julia ? demanda-t-il, fasciné.

— Et pourquoi non ? Tu es un garçon intelligent. Quand tu auras... mettons huit ans, nous pourrons sortir ensemble.

— C'est ce que tu aurais dû dire à Oncle Bernd !

— Il n'aurait pas compris.

— Mais moi, je te comprends... et je vais me dépêcher de grandir !

Elle rit et se rendit compte avec soulagement que sa colère s'était envolée.

Mais la discussion avec Maître Busch la préoccupait.

Quinze jours plus tard, elle travaillait au jardin avec Agnes. C'était un grand jardin. Un jardinier s'en occupait. Les Kast avaient réservé une partie du terrain pour le potager, avec de la ciboulette et du persil, des fraises, de la salade et du chou-rave, et aussi quelques arbres fruitiers. Günther Kast y consacrait ses weekends. C'est Agnes qui se chargeait des petites besognes, telles que le binage et l'arrosage, et Julia l'aidait volontiers.

Les deux femmes étaient accroupies devant une longue plate-bande et retiraient les mauvaises herbes. Comme d'habitude, Agnes racontait toutes sortes de commérages qui couraient dans la ville, et Julia l'écoutait sans pour autant s'y intéresser.

Julia sursauta lorsque Agnes dit, incidemment :

— Ça fait un moment que ton Maître Busch n'est pas venu te voir

— Il est furieux contre moi !

— Contre toi ?! J'ai peine à y croire.

— Mais si ! Il voulait absolument me traîner au Casino, pour je ne sais quel spectacle, et comme ça ne me disait rien, il s'est fâché.

— Ah bon ! dit Agnes en éclatant de rire.

— Qu'est-ce que tu trouves de si drôle ?

— L'amoureux transi...

— Qu'est-ce que tu vas imaginer !

— Réfléchis un peu, chérie ! — Agnes se redressa et alla chercher une bêche pour ameublir la terre. — Sinon, pourquoi se serait-il donné tant de mal pour toi ?

— Parce que c'est un ami ! Un ami de Robert depuis toujours... un ami à moi aussi...

— Souhaitons que tu ne te trompes pas !

Agnes s'activa dans le sol envahi par l'herbe.

— Je te le jure !

— Et même s'il en était ainsi... alors pourquoi était-il vexé que tu ne veuilles pas sortir avec lui ?

Julia arracha les herbes en silence pendant un moment.

— Je ne sais pas, dit-elle finalement.

— Tu es d'une naïveté ! Maître Bernhard Busch est un homme intelligent, gentil, sympathique, c'est certain. Mais si tu étais une veuve de soixante-quinze ans, dans une situation encore plus difficile, il serait venu une fois, c'est tout. Ce qui l'attirait, c'est ta jeunesse et ta beauté.

— Je ne puis le croire.

— Pourquoi le prends-tu si mal ? C'est très naturel. Il vient de divorcer. Sa femme l'a abandonné, prétend-il, mais ce n'est peut-être pas exact. Toujours est-il qu'il cherche à la remplacer, et voilà que tu te présentes, la femme d'un ancien con... con... comment dit-on ça ?

— Condisciple.

— Oui, c'est ça ! En tant que veuve d'un ancien condisciple tu lui conviens parfaitement. Tu n'es pas divorcée, tu es veuve, ce qui laisse supposer un mariage réussi...

— Tu es affreusement prosaïque !

— Non, j'essaie de voir les choses comme elles sont. Ne me prends pas au mot. Le bon Maître Busch ne voit sûrement pas ses motifs aussi clairement que moi. Il est amoureux.

Julia laissa tomber ses bras.

— Agnes, je trouve cela épouvantable !

— Quoi ?

— Je pensais avoir un ami fidèle, et tu dis maintenant...

— Qu'est-ce que j'ai dit ? La vérité ! Maître Busch est amoureux de toi. Tout Eysing le sait.

— Horrible.

— Pas du tout. Très naturel.

— Que faut-il que je fasse ?

— Ce que te dicte ton cœur, comme t'aurait répondu toute bonne voyante.

— Il ne peut tout de même pas croire sérieusement qu'après Robert...

— Néanmoins, tu devrais te le garder au chaud. Un jour tu le verras peut-être avec d'autres yeux.

— Pas question !

— Ne dis pas ça. Tu es jeune, tu es seule... naturellement, tu n'as pas besoin de te remarier, tu es assurée matériellement... mais quand même !

— Je ne pourrai jamais aimer un autre homme.

Agnes se passa le dos de la main sur le nez.

— C'est possible. Je ne veux pas prétendre le contraire. Tu ne pourras pourtant pas rester seule toute ta vie. Tu es beaucoup trop séduisante pour ça.

— Qu'est-ce que ça peut faire ?

— Tu es comme un pot de miel qui attire les mouches. Günther a les yeux qui se mettent à briller chaque fois qu'il parle de toi.

— Jamais je...

— Je sais, ma chérie. Ce n'est pas un reproche. Je veux seulement te faire comprendre qu'une femme comme toi ne peut rester seule... et qu'un homme comme Maître Busch ne serait pas si mal pour toi.

— Mais je ne l'aime pas !

— Ça n'a aucune importance. Il est juriste comme l'était ton mari, il te connaît depuis des années, il est libre, il a des revenus considérables, il ne convoite donc pas ton argent...

— Mais il ne m'intéresse pas.

— Tu as tort. C'est un homme de belle prestance, respectable. Je ne connais personne à Eysing qui pourrait mieux te convenir.

Julia se leva et secoua l'herbe et la terre de sa blouse.

— Je n'aurais jamais cru que ce serait justement toi qui essayerais de me caser.

— Je veux seulement t'ouvrir les yeux. Pour moi, tu n'as pas besoin de coucher avec Maître Busch. Ce n'est pas pressé. Il peut tranquillement attendre. Mais tu dois te rendre compte qu'il est amoureux de toi et le traiter en conséquence.

— Lui faire tirer la langue ?

— Le faire mijoter.

— Agnes, tu devrais mieux me connaître. Tu devrais savoir que ce n'est pas mon genre.

— Je ne t'ai jamais connue autrement que femme mariée. Mais à présent tu ne l'es plus. Alors il faut t'adapter aux circonstances.

— Mais c'est ce que je fais. Je n'existe que pour mes enfants. Et je ne vais certainement pas me transformer en femme fatale pour te faire plaisir !

— Voyons, je n'ai pas voulu dire ça !

— C'est ce que tu as insinué. Faire « mijoter » Maître Busch... bien qu'il ne m'intéresse nullement et que jamais il ne pourra rien y avoir entre nous.

— Tu ne peux pas le savoir. C'est exactement cela que je voulais te faire comprendre. Un jour, tu auras besoin d'un homme et tu seras peut-être contente de trouver Maître Busch ! Vous allez très bien ensemble. Tout le monde le trouve. Il a derrière lui un mariage raté, on peut donc s'attendre à ce qu'il soit plus raisonnable la fois suivante. Il est aussi très bon avec tes enfants.

— C'est vrai, admit Julia, devenue pensive.

Ralph, qui était accouru, se serra contre sa mère.

— On monte ? Je n'ai pas encore fait de piano aujourd'hui.

Roberta arriva à son tour et se pressa de l'autre côté de sa mère.

— Soif ! dit-elle.

— Je vais chercher quelque chose à boire, proposa Agnes.

— Non, laisse ! répondit Julia. Je vais monter avec les enfants. J'ai assez travaillé pour aujourd'hui, non ?

— Tu vas recevoir une grosse salade !

Tenant les deux enfants par la main, Julia se dirigea lentement vers la maison.

Huit jours passèrent avant que l'avocat ne reparaisse. Julia avait l'impression qu'il la faisait languir exprès, et cela la dressa davantage contre lui.

Lorsqu'il sonna un matin à sa porte, elle était vraiment furieuse contre lui.

Il fit comme s'il n'y avait jamais eu de querelle entre eux.

— Bonjour, Julia, dit-il avec un sourire candide, puis-je entrer ?

Il n'était pas facile à Julia de se montrer impolie, mais elle le fit quand même.

— Il vaut mieux pas, dit-elle, tu vois, je suis en plein nettoyage.

En effet, elle portait une blouse bleue et avait recouvert ses boucles d'un foulard, de sorte que son excuse parut plausible.

Roberta arriva, un chiffon à la main, réplique miniature de sa mère.

— Je suppose que la semaine prochaine ton appartement sera en ordre ?

— Pourquoi demandes-tu ça ?

— Parce que je voudrais te rendre visite. Peut-être pouvons-nous déjà prendre rendez-vous.

Julia se mordit la lèvre.

— Ne me dis pas que la semaine prochaine tu seras encore prise !

— C'est que... j'ai très peu de temps.

Il était devenu très grave et la regardait à travers ses lunettes comme s'il voulait la transpercer.

— Il faut que tu t'expliques plus précisément.

— Eh bien, j'ai commencé à prendre des cours d'anglais... avec des disques, comme il se doit, pour rafraîchir un peu mes connaissances.

C'était la vérité, mais Maître Busch ne se laissa pas impressionner.

— Ne me dis pas qu'il t'est impossible de prendre une tasse de café avec un vieil ami !

— Je ne peux étudier que lorsque les enfants sont couchés ou s'occupent ailleurs.

— Autrement dit, tu ne veux plus me voir.

— Pas du tout ! protesta-t-elle, et elle le pensait vraiment ; elle se rendit compte que la vie sans lui serait bien plus vide. Je veux dire seulement que je n'ai plus autant de temps qu'avant.

— Plus de temps pour moi ?

— Je n'ai pas dit ça.

— Mais c'est ce que tu penses !

— Non, cela non plus. Il faut simplement que j'organise mieux mon temps.

— Alors quand ?

Elle réfléchit.

— Jeudi soir ? proposa-t-elle, sachant que c'était le jour où il avait l'habitude de rencontrer ses amis.

— Entendu, dit-il immédiatement.

— Ne viens pas trop tôt, j'aimerais que les enfants soient déjà couchés. Disons, vers neuf heures.

— D'accord ! — Il lui prit la main et voulut la porter à ses lèvres.

— Je t'en prie, Bernd ! — Elle rit, pour atténuer son refus. — Tu ne vois pas que je suis sale ?

Le jeudi soir elle se sentit nerveuse et avait de la difficulté à paraître patiente et détendue vis-à-vis des enfants. Ils le sentirent et se montrèrent capricieux. Elle fut soulagée lorsqu'ils furent enfin couchés.

— Tu prépares quelque chose, dit Ralph avec méfiance.

— En ai-je l'air ? — Elle portait une robe d'intérieur très simple et n'était pas maquillée.

— Quand nous serons endormis, tu te feras belle.

— Sûrement pas.

— Je vois à tes yeux que tu as des projets.

— Tout simplement, Oncle Bernd va venir. Nous avons à discuter de quelque chose.

— Tu vois !

— Tu ne crois tout de même pas que je le reçois pour mon plaisir ?

— Sais pas.

— Petit malin ! — Elle l'embrassa d'abord, puis Roberta. — Petits malins, tous les deux. Maintenant, dormez bien et n'essayez pas de vous introduire dans le salon. Oncle Bernd pense déjà que je me laisse tyranniser par vous.

— Il va rester longtemps ?

— Vous savez bien que nous devons nous lever de bonne heure demain matin. Alors dormez maintenant.

Après avoir tiré derrière elle la porte de la chambre, Julia eût quand même la tentation de se mettre au moins du rouge à lèvres. Mais elle ne le fit pas, non parce qu'elle l'avait promis à Ralph, mais parce qu'elle voulait que les heures avec Maître Busch s'écoulent dans une harmonie amicale. Elle ne voulait surtout pas être provocante.

Pour ne pas inquiéter les enfants, elle n'avait fait aucun préparatif pour la soirée. Aussi posa-t-elle une coupe avec des crackers au fromage et deux verres sur la table. Elle sortit une bouteille du réfrigérateur et la déboucha.

On sonnait déjà, et elle alla ouvrir. Comme toujours, il lui tendit les bras — il tenait dans une main une bouteille, dans l'autre un bouquet, les deux encore enveloppés. Elle voulut l'embrasser rapidement, comme d'habitude, mais il la retint plus longuement contre lui. Il émanait de lui de la chaleur, un sentiment de joie et un élan de tendresse.

— Tu as une mine superbe ! dit-il.

— Mais je ne me suis pas du tout arrangée !

— Justement. Ce n'est pas agréable d'embrasser une femme dont le visage est couvert de peinture.

Il sortit les fleurs de leur papier transparent : c'étaient des roses jaunes aux longues tiges.

— Tu ne devrais pas me gâter, dit-elle. Donne, je vais les mettre dans l'eau.

— Champagne ! annonça-t-il en dépouillant la bouteille.

— Il va être tiède. J'ai ouvert une bouteille de vin.

— On le boira plus tard !

86

— Mon Dieu ! Nous n'avons rien à célébrer !

— Moi, si ! Je suis enfin seul avec toi !

Il chercha de nouveau à la prendre dans ses bras.

Elle recula.

— Va dans le living. J'arrive.

— Les enfants ne dorment pas encore ?

— Ils ont promis de rester tranquilles.

Quand elle rentra dans le salon, tenant des deux mains un vase en porcelaine blanche avec les roses, elle le vit installé dans le fauteuil préféré de Robert avec l'air d'être chez lui.

— C'est curieux, dit-il, que seule une femme sache donner à une pièce une ambiance intime. Les hommes peuvent avoir autant de goût qu'ils veulent, quelque chose cloche toujours. Non, ne mets pas le vase sur la table. Je veux te voir.

Il versa le vin dans les verres. Elle s'assit sur le divan et rentra les jambes.

— Etonnant, dit-il.

— Quoi ?

— Que tu aies des enfants. Tu as l'air d'une toute jeune fille... tu parais encore plus jeune qu'Ariane.

Il leva son verre.

— Même le vin est parfait !

Ses mains tremblèrent un peu lorsqu'elle prit une cigarette. En lui donnant du feu, il l'effleura.

— Julia, dit-il, ça ne peut continuer ainsi.

— Oui, j'y ai déjà songé. C'était stupide de ma part de ne pas avoir voulu t'accompagner au théâtre. Ça n'arrivera plus. J'arrangerai mon emploi du temps.

— Non, il ne s'agit pas de cela.

— De quoi donc ?

— De ton attitude.

Elle sourit, s'envoya de la fumée dans les yeux et battit des cils.

— Je vais la modifier.

— Julia !

Il lui saisit la main.

— C'est promis.

Elle aurait voulu lui retirer sa main, mais n'osa pas, craignant de le vexer.

— Tu pourrais faire de moi le plus heureux des hommes.

— A présent, tu exagères.

— Julia, je t'aime !

Elle lui arracha sa main.

— Non !

— Pourquoi ne veux-tu pas l'admettre ?

— Robert était ton ami.

— Mais il est mort !

— Je ne puis l'oublier.

— Si. Il le faut. Absolument. Tu ne peux le pleurer toute ta vie.

— Qu'en sais-tu ?

— Ce que tout le monde sait. L'expérience humaine.

— Non !

— Julia, je ne te demande pas de m'épouser du jour au lendemain... ni que tu deviennes ma maîtresse. Je veux seulement que tu me laisses de l'espoir.

— Ce n'est pas possible.

Il se leva lentement, faisant visiblement un effort sur lui-même.

— Alors il vaut mieux que nous ne nous voyions plus.

— Tu parles sérieusement ?

— Oui, Julia. Ce que tu me demandes est trop dur.

— Alors tu ne m'aimes pas vraiment. — Elle écrasa sa cigarette. — Tu ne m'as jamais acceptée telle que je suis. Une femme qui aime son mari disparu et ses enfants. Tu veux m'arracher à mon univers et me transplanter dans le tien. Mais c'est impossible.

— Ça en a l'air.

Ils se turent pendant un moment.

— Tu veux vraiment partir ? demanda-t-elle finalement.

— Oui.

— C'est peut-être mieux. — Elle chercha à se ressaisir. — Je t'aime beaucoup, Bernd... Tu comptes beaucoup pour moi... Oui, je pourrais même coucher avec toi. Mais je ne ressens pas pour toi ce que tu espères.

— Faisons un essai.

— Non. Tu ne comprends donc pas... — Elle chercha les mots. — ... j'aurais l'impression de tromper Robert.

— Mais puisqu'il est mort !

— Combien de fois vas-tu me le répéter ?

— Jusqu'à ce que tu le comprennes.

— J'aurais mauvaise conscience...

— Julia !

— ... et toi aussi, tu devrais l'avoir.

— Tu es folle, Julia ! Tu dois être folle !

— Si tu le penses, sois heureux que je ne t'entraîne pas dans ma folie.

Il se tourna vers la porte.

— Tu le regretteras, Julia.

— Peut-être, dit-elle avec un profond soupir.

Il partit. Julia se sentait très malheureuse. Néanmoins, elle était persuadée d'avoir agi pour le mieux.

Les semaines et les mois qui suivirent furent sans événements marquants ; l'été était venu, et on pouvait rester sur le balcon ou dans le jardin. Le Jardin d'Enfants ferma ses portes, et Ralph était avec sa mère pendant la matinée aussi. Cela compliquait les choses pour Julia, parce que les enfants voulaient l'aider dans le ménage et que Roberta surestimait souvent ses capacités.

— Donne-moi ! cria-t-elle au moment où son frère venait juste de commencer à essuyer une assiette.

Elle la lui arracha des mains, et l'assiette se fracassa sur le sol de la cuisine.

Julia ne la grondait jamais et s'efforçait de sourire, car elle savait que Roberta était la première à souffrir de sa maladresse.

En revanche, Ralph ne cacha pas sa colère.

— Quelle empotée ! grogna-t-il, accablant sa sœur d'autres expressions énergiques de style bavarois qu'il avait apprises au Jardin d'Enfants.

Julia se boucha les oreilles.

— Voyons, Ralph, comment peux-tu dire de telles horreurs ? Et surtout à ta petite sœur !

— Pourquoi elle m'arrache tout des mains ? Elle ne peut pas faire ce que tu lui dis ?

— Elle veut essayer, elle aussi.

Ralph courut vers elle et lui étreignit la taille. Depuis que l'assiette lui avait glissé des mains, Roberta se tenait contre la jambe de sa mère.

Elle lui caressa tendrement ses boucles brunes.

— Sois gentil, va chercher la pelle et le balai...

Julia était persuadée que ses enfants étaient particulièrement réussis, intelligents, jolis, dignes d'être aimés et pleins de bonne volonté.

Cependant, elle dut s'avouer qu'ils étaient parfois difficiles et fatigants.

— Comment le supportes-tu ! dit Agnes, lorsqu'ils descendirent un peu plus tard. — Toute la journée avec les enfants ! Je serais devenue dingue !

— Ils sont tellement adorables !

— Admettons. Mais une personne adulte qui n'entend jamais que le bavardage enfantin ! Pourquoi ne laisses-tu pas Ralph jouer dans la rue ? Il y a assez d'enfants à Eysing avec lesquels il pourrait jouer.

— Je n'aurais pas un instant de tranquillité.

Agnes la regarda pensivement et avec compassion.

— Attends un instant, je vais habiller Tine. Puis je t'accompagne au terrain de jeux et nous les laisserons là-bas.

Julia se réjouit de cette proposition, mais elle eut aussitôt mauvaise conscience de se réjouir, car elle savait que Ralph et Roberta auraient préféré rester avec elle.

— Pourquoi n'as-tu pas dit que tu ne voulais pas attendre ? demanda Ralph en lui adressant un regard inquisiteur de ses yeux verts obliques.

— Parce que ça ne se fait pas. Ç'aurait été impoli et aurait vexé Tante Agnes.

— Tu nous vexes aussi, déclara Ralph en dessinant de la pointe du pied des cercles invisibles sur le sol de marbre. — Tu as promis qu'on allait se promener, et maintenant tu veux nous laisser sur le terrain de jeux.

— J'ai vraiment l'impression que vous tenez à me tyranniser !

— C'est ce qu'ils font tous ! dit Agnes, en paraissant avec Christine. Il n'y a qu'une solution : ne pas se laisser faire.

C'était agréable d'être assis au soleil auprès d'Agnes, parlant de choses et d'autres, tout en observant les enfants qui jouaient. Roberta construisait en silence un château de sable, Christine avait trouvé des gamins avec lesquels elle courait en rond, et Ralph escaladait prudemment le haut portique. Plus tard, elle conduisit les enfants dans une pâtisserie.

Maintenant Julia n'était plus pressée de rentrer. Elle avait abandonné l'espoir de retrouver Robert dans son fauteuil préféré ; il était mort. Elle avait fini par le comprendre.

Robert ne reviendrait jamais, et elle devait accepter la vie telle qu'elle se présentait.

Elle pensait de plus en plus souvent à Maître Bernhard Busch. Elle avait dû le décevoir, mais elle n'avait pas pu faire autrement. Elle tenait beaucoup à son amitié, mais elle ne voulait pas lui donner de faux espoirs. S'il l'avait aimée autant qu'il le disait, il n'aurait pu renoncer à elle aussi facilement.

Plusieurs fois, Julia fut sur le point de composer son numéro, mais elle y renonçait chaque fois au dernier moment. Elle ne savait pas ce qu'elle aurait voulu lui dire. Elle ne pouvait quand même pas lui expliquer : « Mon cher Bernd, bien que je ne t'aime pas, la vie complètement sans homme est détestable. »

Lorsqu'elle se formula cet aveu, elle dut en rire elle-même et n'eut plus jamais la tentation de l'appeler.

CE fut un hasard qui mit Maître Busch une fois de plus sur le chemin de Julia.

Julia et ses enfants se tenaient près des courts de tennis derrière le Casino et suivaient des yeux les joueurs, quand Maître Busch, accompagné d'un jeune avocat, s'approcha d'eux.

Maître Busch eut un moment de surprise, puis s'arrêta devant elle : il avait beaucoup d'allure avec sa casquette blanche, son polo par-dessus le pantalon blanc, qui laissait voir un peu de sa poitrine bronzée.

— Toi ici, Julia ? dit-il avec étonnement.

Elle eut un peu honte en songeant qu'il pouvait imaginer qu'elle l'espionnait.

— Ça n'a rien d'extraordinaire ! Disons plutôt que c'est drôle que nous ne nous soyons pas rencontrés plus tôt !

— J'en suis heureux, répondit-il.

Elle renonça à lui tendre la main.

— Puis-je te présenter Maître Liwehr ? Il travaille dans mon cabinet...

— Merci, Bernd, je connais Maître Liwehr de vue.

Le regard admiratif du jeune homme lui fit du bien.

— Je dois dire que tu as une mine formidable ! constata Maître Busch, mais il ajouta, comme à regret :
— Evidemment, tu as tout ton temps pour te soigner.

Ralph était jusque-là resté accroché au grillage et n'avait pas fait attention aux deux messieurs ; à présent, il se retourna et lança un regard furieux à Maître Busch.

— Julia ne se peint pas ! Elle est belle naturellement !

— Tiens, tiens, voilà le petit mâle ! — Maître Busch voulut caresser la tête de Ralph. Le petit garçon eut un mouvement de recul.

— Je ne suis pas un petit mâle !

— Voyons, Ralph, dit Julia, ne sois donc pas si sauvage ! Oncle Bernd voulait plaisanter.

— Il n'est pas mon oncle !

— Tout le monde le sait. Allez, donne-lui la main... et à Maître Liwehr également.

Le visage sombre, Ralph exécuta des courbettes parfaites.

— Toi aussi, Robsy, donne ta petite main !

Mais la petite fille refusa résolument.

— Elle est encore si timide, dit Julia pour défendre sa fille.

— Ça ne fait rien, assura Maître Liwehr, ils sont charmants.

Julia lui jeta un regard reconnaissant.

— Dis donc, ne jouais-tu pas au tennis autrefois ? demanda Maître Busch. Et même assez bien, me semble-t-il.

— Oui, je me suis arrêtée à cause des enfants, mais je vais m'y remettre. Quand ils seront plus grands.

— Et ce sera quand ? demanda Maître Busch avec ironie.

Elle eut l'impression qu'il voulait la blesser, mais elle demeura imperturbable.

— Dans deux ans, je pense. Ils pourront aussi, alors.

— Quoi ?

— Jouer au tennis, naturellement !

Maître Liwehr vint au secours de Julia.

— Nous pouvons essayer tout de suite ! — Il sortit sa raquette de son étui et la donna au petit garçon. — Tiens, Ralph... tu t'appelles bien Ralph ? Maintenant, pose ta balle sur la raquette et essaye de la lancer. Eh bien, tu réussis très bien !

— Moi aussi ! moi aussi ! cria Roberta.

Maître Liwehr se demanda un instant s'il allait reprendre sa raquette à Ralph, puis il comprit que cela créerait des ennuis.

Le garçon s'exerçait avec concentration. Sans

demander la permission, Liwehr retira la raquette de Maître Busch de son étui et la donna à Roberta.

— Prends celle-là ! Et une balle avec !

— Tu devrais te faire surveillant de jardin d'enfants, dit Maître Busch, incisif.

L'autre rit et continua à s'occuper de Ralph et de Roberta.

— Qu'as-tu, Bernd ? demanda Julia. Je ne t'ai encore jamais vu d'aussi mauvaise humeur.

— Je regrette d'avoir été peu aimable.

— Tu n'as pas à t'excuser auprès de moi, je voulais seulement savoir ce qui t'arrive.

— Tu imagines peut-être que je serais de bonne humeur après que tu m'eus envoyé promener ?

— Je t'en prie, Bernd, il y a si longtemps de ça !

Il s'approcha d'elle.

— Cela veut-il dire que tu as changé d'avis depuis ?

— Tu m'as manqué, Bernd.

— Julia !

Il lui saisit les épaules.

— Ne pouvons-nous être de bons amis ?

— De bons amis ?

— J'entends beaucoup de choses sous une bonne amitié.

— Tu cherches un imbécile qui s'occupe de tes questions financières et qui...

— Mais non, Bernd ! Arrête, je t'en prie ! Je n'ai pas mérité ça !

— Peut-être pas.

Il baissa la tête comme un gamin qui vient d'être grondé.

— Je n'ai jamais cherché à profiter de toi, et jamais je ne t'ai laissé espérer quoi que ce soit, au contraire, lorsque j'ai senti que tu attendais davantage...

— Julia, est-ce que tu te regardes quelquefois dans la glace ? demanda-t-il avec un soupir pesant. Ce n'est pas une question rhétorique, cela ne m'étonnerait pas que tu ne te regardes jamais.

— Naturellement, je me regarde de temps à autre dans la glace !

— Alors tu ignores comment tu es réellement.

— Mais non, je me connais très bien ! Je suis trop

maigre, mais ce n'est pas mauvais, mes yeux sont comme ceux d'un hanneton...

— Julia, tu n'es pas une femme pour laquelle un homme peut éprouver seulement de l'amitié ! On souhaite pouvoir te protéger, te prendre dans ses bras, être tendre avec toi...

— ... coucher avec moi, on en revient toujours là. Mais ce n'est pas vrai. Je ne suis pas une pin-up ! Tu devrais mieux m'observer, alors tu comprendrais peut-être que je suis aussi un être humain, qui peut éprouver de l'amitié sans aucune arrière-pensée et qui peut en donner. Mais tu n'en veux pas !

Maître Liwehr arriva, les deux raquettes sous le bras.

— Je regrette de vous interrompre...

— Pas du tout ! dit Julia. Nous nous sommes dit tout ce que nous avions à nous dire.

Maître Liwehr s'éclaircit la gorge et regarda sa montre :

— Ce n'est qu'à cause du court...

— Alors amusez-vous bien !

Julia prit par la main les deux enfants, qui avaient suivi Maître Liwehr, et regretta pour la première fois de sa vie de ne pas être plus grande et plus imposante pour mieux marquer son départ.

Maître Liwehr la suivit des yeux.

— Nom d'un chien ! dit-il. Tu sembles avoir mis la petite dame drôlement en colère !

— Tu devrais me plaindre.

— Tu as l'air furieux.

— Je le suis.

— Eh bien, qu'est-ce que je vais prendre !

Après cela, Julia ne revit plus Maître Busch.

Il passait parfois devant elle en voiture, lorsqu'elle faisait ses courses ou se promenait avec ses enfants. Alors elle détournait la tête et ne lui donnait même pas l'occasion de la saluer.

Elle ne comprenait pas qu'il ait refusé l'amitié qu'elle lui offrait. Elle ne pouvait croire que chaque homme qui s'intéressait à elle ne cherchait que des rapports sexuels.

Elle fut souvent sur le point de raconter l'incident à Agnes, mais elle y renonçait chaque fois, car elle ne connaissait que trop bien la façon de voir de son amie.

« Pourquoi ne couches-tu pas avec lui ? aurait-elle dit. Je ne te comprends pas. Il est sympathique, il est amoureux de toi. Pas la peine de l'épouser tout de suite, heureusement tu n'attends pas après lui. Mais comme amant c'est juste ce qu'il te faut. »

Agnes avait le talent de tout présenter de telle manière que Julia se voyait dans son tort quand elle défendait son point de vue.

Mais elle savait qu'elle avait raison de ne pas coucher avec un homme qu'elle n'aimait pas, uniquement pour avoir un ami. Elle n'en éprouvait pas le besoin, et elle était sûre que ses enfants, au moins, la comprenaient. Ils étaient contents que « Oncle Bernd » ait disparu de leur vie.

Ils rencontraient parfois Maître Liwehr. Il attirait toujours leur attention en agitant la main ou en klaxonnant, il arrêtait sa voiture et venait vers eux. Les enfants l'aimaient parce qu'il avait trouvé le ton juste avec eux, et Julia devait s'avouer qu'il lui plaisait avec sa belle moustache et ses yeux malicieux. Mais après s'être disputée avec Maître Busch, il lui paraissait impossible de l'encourager. Son avenir dépendait peut-être de bonnes relations avec le collègue plus âgé, et cela donnerait sûrement lieu à des commérages dans la petite ville si elle le rencontrait, même de façon tout à fait innocente. Elle était furieuse contre Maître Busch, mais elle ne voulait pas le mettre dans une situation ridicule.

Naturellement, si les enfants avaient aimé Maître Liwehr et avaient vu en lui un père de remplacement, tout aurait été différent. S'il s'était agi du bonheur de ses enfants, elle ne se serait pas souciée que Maître Busch soit ridicule ou non, ni de la carrière de Maître Liwehr, ni des commérages de la petite ville.

Elle tâta le terrain en disant un jour à Ralph :

— Dommage que nous voyions Maître Liwehr si rarement. Nous devrions peut-être l'inviter ?

— Pourquoi faire ?

— Pour avoir un peu de compagnie.

— Tu t'ennuies ? demanda Ralph d'un ton presque choqué.

96

— Bien sûr que non ! dit Julia très vite pour le rassurer.

— Alors pourquoi as-tu besoin de compagnie ?

— Pas moi ! C'est à toi que je pensais, petite bête ! J'ai pensé que tu avais peut-être envie d'avoir un ami plus âgé, qui peut jouer avec toi au cerf-volant ou au football...

Ralph la regarda avec surprise.

— Il sait le faire ?

— Probablement, je ne sais pas. Il faudrait essayer.

— Tu dérailles, Julia !

— Ralph !

— Mais c'est vrai ! Tu as vu trop de publicité. Là, on voit les pères jouer avec leurs fils, les porter sur leurs épaules... En réalité, ils sont toujours absents, ils cherchent à gagner de l'argent ou bien ils sont au café.

— Je ne crois pas que Maître Liwehr soit comme ça.

— S'il voulait jouer au foot avec moi, il l'aurait demandé.

— Oui, tu as raison ! dit Julia, qui comprit seulement à cet instant que Maître Liwehr savait aussi bien qu'elle combien les relations entre eux étaient impossibles.

Elle embrassa tendrement son fils.

L'été passa trop vite ; en septembre, Ralph devait aller à l'école. Ce n'était pas un événement particulier pour la petite famille, puisqu'il était habitué déjà depuis deux ans à partir le matin pour le Jardin d'Enfants et plus tard pour l'école primaire. Mais avec l'automne c'en serait fini pour Ralph des journées de liberté, des grasses matinées et des couchers tardifs. Pour Julia, il était tout naturel de le conduire le matin à l'école, tenant Roberta par la main, et d'aller le chercher à midi.

— Je ne veux pas me mêler de ce qui ne me regarde pas, dit Agnes lors d'une soirée de Skat chez Julia, tout en battant les cartes, mais à la longue je ne peux plus me taire, sinon je vais éclater.

— J'ignore de quoi tu veux parler.

— Depuis des semaines, je te vois conduire Ralph tous les jours à l'école !

— Et alors ? Je vais aussi le chercher.

97

— Tu ne te rends donc pas compte que tu le ridiculises auprès des autres enfants ?

Julia ne comprit pas pourquoi cette question l'atteignit tellement qu'elle en devint toute rouge.

— Mais non, voyons !

— Alors tu réfléchiras !

— Agnes, écoute...

— Je ne veux pas discuter avec toi, cela ne servirait à rien, mais je suis contente de te l'avoir dit. A qui de jouer ?

— A toi ! dit Lizi Silbermann.

— Allons-y ! Je te dis dix-huit, Julia... et vingt...

Plus tard, lorsqu'elle se glissa, en chemise de nuit, dans la chambre à coucher — comme d'habitude sans allumer pour ne pas réveiller les enfants —, elle entendit Ralph chuchoter :

— Julia !

— Tu devrais dormir depuis longtemps !

— Je voulais seulement venir un peu dans ton lit. Je peux ?

— Mais il est minuit passé !

— C'est pas ma faute si vous avez joué aussi tard.

Le sourire de Julia se perdit dans l'obscurité.

— Bon, viens ! Demain nous pourrons dormir plus tard.

Les paroles d'Agnes restaient comme une épine dans son cœur. Elle essaya de deviner comment Ralph réagissait en l'apercevant devant le portail de l'école. D'habitude, il se détachait aussitôt de ses camarades et courait vers elle — mais ce n'était plus avec le visage rayonnant d'autrefois, mais, au contraire, avec une expression grave, contenue, pas du tout enfantine.

Elle sentit qu'il était sur le point de s'endormir.

— Ralph, murmura-t-elle, mon grand chéri...

Des grognements lui répondirent.

— ... tu préférerais peut-être que je ne vienne plus te chercher à l'école à midi ? Et que je ne t'accompagne plus le matin ?

Soudain, il fut complètement réveillé et se redressa.

— Qu'est-ce que tu dis ?

— Je crois que tu m'as très bien comprise.

— Mais je n'ai jamais dit que tu ne devais pas venir me chercher !

— Je viens d'y réfléchir. Ecoute : jusqu'à l'école, tu n'as à traverser la rue que deux fois, et il y a les feux rouges. Tu es maintenant un grand garçon et tu pourrais très bien aller à l'école tout seul.

— Oui, je pourrais... dit-il, hésitant.

— Mais ?

— Mais je croyais que ça te faisait plaisir.

— Oh, ce n'est pas un tel plaisir de sortir dès le matin de la maison, par tous les temps, mentit-elle en enfonçant les ongles dans ses paumes pour ne pas montrer combien elle se sentait malheureuse.

Ralph ne devina pas ce qu'elle ressentait.

— Tu sais, ça ne me dérangerait pas tellement si seulement tu n'amenais pas chaque fois Robsy. Un si petit enfant, et une fille par-dessus le marché.

— Tu crois que les filles ont moins de valeur ?

— Voyons, Julia, tu comprends très bien ! Les filles, c'est très bien quand elles restent à leur place. Mais quand tu tiens Robsy d'une main et moi de l'autre, j'ai l'air vraiment idiot.

— Tu aurais pu me le dire depuis longtemps.

Julia ne put cacher son amertume.

— Julia, Julia ! s'écria Ralph, épouvanté. Tu m'en veux ?

— Mais non, Ralph, pas du tout ! — Elle couvrit son visage de baisers. — Je plaisantais. Pourquoi t'en vouloir ? Ce ne serait pas raisonnable. Je me réjouis, au contraire, que tu deviennes un grand garçon.

Le petit corps de Ralph se détendit, et il pressa la tête contre l'épaule de sa mère.

— Alors tout va bien.

— Mais on va se promettre qu'à l'avenir on se dira toujours quand quelque chose ne nous plaît pas. Ce serait terrible si je t'agaçais.

— Jamais, murmura-t-il, et déjà il s'endormait.

Julia resta encore longtemps éveillée.

Un matin de la mi-décembre, Julia était seule à la maison avec Roberta, quand Maître Liwehr, venu à l'improviste, se tint devant la porte.

Julia fut interdite.

— Hallo ! dit-il joyeusement, je suis le Père Noël !

Il était chargé de paquets.

Roberta arriva dans la cuisine.

— Je veux voir ! — Elle reconnut Maître Liwehr et dit, déçue : — Ce n'est que toi !

— Je t'ai apporté quelque chose de beau ! déclarat-il, mais lorsqu'elle voulut s'emparer d'un paquet, il le tint en l'air. — Tu ne l'auras que la veille de Noël !

— Cher Maître Liwehr, je ne comprends pas... je veux dire, vous ne pouvez pas faire de cadeaux de Noël à mes enfants !

— Aux enfants et à vous ! dit-il gaiement en lui montrant un long carton plat qui semblait contenir une pièce de vêtement.

— Non ! s'écria-t-elle, sur la défensive.

Il devint sérieux.

— Madame Severin, je suis venu pour faire mes adieux.

Elle eut tellement peur qu'elle sentit le sang quitter son visage ; un léger frisson la parcourut.

— Julia ! — Il la saisit dans ses bras et l'embrassa passionnément. — Julia ! Je le savais !

Les paquets tombèrent à terre.

Ils se séparèrent lorsque Roberta se mit à crier.

Julia s'agenouilla devant la petite.

— Robsy, chérie, calme-toi ! Il ne s'est rien passé !

Il leva l'enfant en l'air.

— Je n'ai pas fait de mal à ta maman ! Il se trouve que je l'aime... et toi aussi ! Qu'en dis-tu ?

Julia se mit à ramasser les paquets éparpillés.

— Vous ne voulez pas enlever votre pardessus ? demanda-t-elle. Je veux dire : veux-tu... Mon Dieu ! Je ne connais même pas ton prénom !

— Ernst, dit-il.

Il posa Roberta par terre et prit Julia de nouveau dans ses bras.

— Attends un instant, dit-elle affectueusement, je vais cacher tes cadeaux avec les autres dans mon armoire.

Lorsqu'elle revint, Ernst Liwehr était installé dans le

salon. Assis dans le fauteuil préféré de Robert, il tenait Roberta sur le genou gauche.

— Puis-je t'offrir quelque chose? demanda-t-elle.

— Viens ici! Tu vois, l'autre genou est encore libre!

Elle n'accepta pas sa proposition mais s'assit, un peu éloignée de lui, sur le divan.

— Je n'y comprends rien, avoua-t-elle.

— C'est normal. Mais tu as peut-être remarqué que de grands changements ont eu lieu dans ma vie.

— Tu me parais, en effet, très changé.

— J'ai quitté Maître Busch et j'entre début janvier dans l'étude de mon père.

— Et où se trouve-t-elle?

— A Passau! — Il posa Roberta par terre et bondit. — Chère Julia! Je t'en prie, ne t'évanouis pas! Réjouis-toi, au contraire!

— J'essaie, dit-elle, les lèvres tremblantes.

— Je peux enfin quitter ce sale bled! Nous pourrons nous retrouver quand et où nous voudrons. Nous pouvons nous marier, Julia!

— Mais je te connais à peine! dit-elle, et elle se rendit compte avec surprise que l'idée d'une vie commune avec cet homme ne lui paraissait pas impossible.

— Je t'aime, Julia! Tu sais depuis quand?

— Depuis que nous nous sommes rencontrés devant les courts de tennis avec Maître Busch, dit-elle.

— Non, des années auparavant. Tu étais déjà mariée et moi un jeune assesseur. Mais je n'ai jamais osé te le montrer, cela n'aurait servi à rien.

— Sûrement.

— Tu vois, et maintenant tout est tel que je l'avais rêvé. Tu es libre, je peux te sortir de ce trou et commencer avec toi une existence nouvelle.

— La question est : en ai-je envie?

— Je sais, tout cela est plutôt inattendu pour toi, Julia. Je ne veux pas te prendre au dépourvu. Pas la peine de te jeter dans un nouveau mariage, et moi non plus je n'ai pas besoin de me marier précipitamment. Mais désormais nous pouvons nous voir. Nous pouvons nous rencontrer sans éveiller de commérages. Je fiche le camp d'ici, tu comprends?

Elle fit un signe de tête sans rien dire.

— Après demain je lève le camp. Tout est déjà prêt. Je passe les fêtes de Noël chez mes parents... Je commence à travailler avec mon père début janvier. Dans deux, trois ans, il va certainement me transmettre son étude et je pourrai alors subvenir à tes besoins et à ceux de tes enfants...

— Je suis indépendante financièrement ! interrompit-elle.

— Je sais, tu as une bonne pension. Je veux seulement t'expliquer que je ne construis pas de châteaux en Espagne.

— Tu es un juriste typique, dit-elle en souriant.

— Je ne vois pas pourquoi ça te gênerait. — Il lui prit les mains. — Je suis si heureux qu'il en soit ainsi entre nous.

— Tout ça est un peu brusque...

— Je sais. Nous avons le temps... une année, même deux si tu veux. Mais entre-temps nous pourrons nous voir. Pour les week-ends. Et pas seulement ça. Nous pouvons voyager ensemble. Toi et moi. Toi et moi et les enfants. D'ailleurs, je suis garé au tournant de la rue, par précaution.

— Et tu crois sérieusement tromper quelqu'un ?

— Bah, ce ne sera pas tellement tragique si on remarque que je te fais une visite d'adieu. Mais partir en week-end ne peut nuire à ta réputation.

— Ma réputation n'est pas ce qui compte le plus pour moi.

— Je sais, Julia. Mais tu dois vivre avec les gens d'ici. Ce serait donc insensé de te compromettre.

La pensée traversa l'esprit de Julia que lui aussi était attaché à sa réputation, sinon il serait venu avant avec sa proposition.

— J'ai déjà tout arrangé pour le réveillon de la Saint-Sylvestre. Nous allons chez des amis à Munich. J'ai déjà retenu des chambres pour nous à l'hôtel-pension « Le Pélican ». Il n'est pas aussi élégant que les « Quatre Saisons », mais il a l'avantage d'être assez près de mes amis et nous pouvons nous y rendre à pied.

Il lui serra les mains.

— J'espère que tu n'as pas l'impression que je décide tout derrière ton dos ?

— Tout ça est trop rapide pour moi.

— Au contraire : cela a duré beaucoup trop long-temps, avant que nous ne soyons réunis !

— Et les enfants ?

— Tout est arrangé. Lizi Silbermann est une amie à toi, n'est-ce pas ? Nous avons souvent parlé de toi... il fallait bien que je parle de toi à quelqu'un. Elle va fêter le Nouvel An ici, avec Leonore et tes enfants. Elles coucheront ici, et le lendemain tu seras de retour.

— Tu es un remarquable organisateur.

Roberta essaya de prononcer le mot difficile ; elle n'y réussit pas complètement.

— Je sais : tu aimes tes enfants et ils te sont attachés. Mais tu pourras bien leur expliquer que tu veux pour une fois partir sans eux ?

Il embrassa la petite main de Roberta.

— Je les trouve formidables. Tous les deux. Mais cela n'empêche pas de souhaiter passer le réveillon avec toi seule.

Il ajouta, en fronçant le front :

— Je ne tiens pas du tout à la beuverie tradition-nelle. J'aurais aimé fêter le Nouvel An avec toi ici, mais tu sais...

— Les gens ! compléta-t-elle.

— Ce n'est pas pour moi, Julia ! Quand je serai à Passau, les gens pourront dire de moi ce qu'ils vou-dront. Mais toi, tu dois vivre ici... tant que tu n'auras pas pris une décision.

— D'accord, dit-elle, et elle eut quelque difficulté de l'appeler par son prénom : — Ernst ! Tu as raison en tout.

— Tout est donc arrangé !

— Je n'ai aucun argument contre...

— Aucun, chérie ! C'est bien que tu le reconnaisses !

Il l'embrassa sur la bouche en riant.

Julia lui retira ses mains et prit Roberta sur ses genoux.

— Puis-je t'offrir quelque chose ? du café ? un cognac ?

— Non, merci, rien du tout. Je suis pressé. C'est

vraiment une visite d'adieu. J'avais seulement peur que tu ne m'envoies promener.

— Mon Dieu ! Quelle réputation ai-je donc ?

— La meilleure ! — Ernst Liwehr se leva. — Je t'attends donc à Munich le 31. Dans l'après-midi. Descends à la gare principale et prends un taxi. L'hôtel s'appelle « Pélican ». Tu te souviendras ?

— Tu sembles me prendre pour une demeurée, répliqua-t-elle en souriant.

— Pas du tout. Mais on peut facilement mélanger un pélican avec un héron ou un cygne ou autre chose.

— Ça ne m'arrivera pas. Le pélican est cet oiseau qui s'arrache les entrailles pour nourrir ses petits. On ne peut l'oublier.

— Et n'imagine surtout pas que tu vas te précipiter pour rentrer à Eysing. Nous allons dormir tard le lendemain, n'est-ce pas ? Et déjeuner confortablement ensemble. Lizi Silbermann restera jusqu'à ton retour, elle me l'a promis.

— Tu sembles bien la connaître.

— Oui, du temps où elle briguait encore le titre de « Miss Univers ». Elle ne l'a jamais obtenu, pas plus que moi je n'ai obtenu de la mettre dans mon lit. Depuis, c'est trop tard pour les deux.

Julia rit.

— Petit plaisantin !

— Je voulais seulement te rassurer pour que tu ne sois pas jalouse. Ni de la belle Lizi ni d'aucune autre femme ! Toi seule habites mon cœur !

Il pressa ses deux mains sur sa poitrine.

Julia se leva, la lourde Roberta sur le bras.

— Tu es contente ?

— Je suis sûre que je le serai. Seulement... tout ça est arrivé si subitement !

— Tu prétends que tu ne t'es jamais aperçue que j'étais amoureux ?

— Je m'en doutais un peu.

— Mais tu as pensé à moi ?

— J'ai toujours été une femme fidèle.

— Je sais, Julia, naturellement je le sais ! Ne fais pas cette tête-là. Tout ça ce sont des plaisanteries stupides. Je dois plaisanter parce que je suis tellement heureux.

— J'en prends note, promit-elle et elle ajouta avec emphase : — Ernst !

— Ernst ! Ernst ! cria Roberta.

— Qui vous prend très au sérieux, toi et ta mère, dit Maître Liwehr, devenu soudain très grave. — Il vous aime toutes les deux.

— Et Ralph ?

— Ralph aussi !

Julia interrompit cette conversation.

— Tu oublies que tu es pressé.

— Si tu savais combien j'aurais aimé rester avec toi !

— Je te crois. Est-ce que Bernd se doute de quelque chose ?

— Absolument pas ! On l'invitera à notre mariage !

Julia ne pouvait répondre à la question : était-elle amoureuse de Ernst Liwehr ou non ? A peine la porte fut-elle refermée derrière lui, que sa visite lui parut être un rêve.

Mais il avait apporté un souffle d'air nouveau dans sa vie. Monotones, les jours ne s'écoulaient plus lentement, mais passaient rapidement. Julia attendait quelque chose : le Nouvel An à Munich. C'était l'aventure. Elle ne savait pas encore si elle coucherait avec lui, mais l'occasion se présenterait sûrement si elle la sollicitait.

— Emporte une jolie chemise de nuit, on ne sait jamais, conseilla Lizi Silbermann. Ça remonte le moral.

— Comment cela ?

— Je veux seulement dire que l'on doit être prêt à tout, que l'on doit avoir l'esprit libre... ne pas avoir à se demander si son petit linge est irréprochable ou si le lait est sur le point de bouillir.

Julia rit.

Agnes et Lizi décidèrent que Julia devait absolument s'acheter une nouvelle robe pour le réveillon ; ses robes n'avaient plus la bonne longueur. Son sac de croco rouge leur plut, ainsi que les chaussures assorties, mais il lui fallait une chemise de nuit neuve, d'élégantes mules et un négligé.

— Tu trouveras tout ça à Munich, dit Agnes. Tu as plus de chances qu'ici de tomber sur ce qu'il te faut.

— Heureusement que tu m'as! ajouta Lizi, je te conduirai à Munich et je vais te conseiller. Le mieux serait d'y aller dans la matinée pendant que Ralph est à l'école. Nous pouvons laisser Roberta avec ma fille.

— Veux venir! cria Roberta, qui rampait à quatre pattes au milieu des vêtements que les femmes avaient sortis de l'armoire.

— Mais Leonore doit aller à l'école? demanda Julia.

— Ah, ses résultats sont si faibles que cela ne fait aucune différence si elle manque l'école.

Roberta s'était enveloppée dans un vieux kimono de sa mère, qu'elle traînait derrière elle. — Veux aller à Munich! déclara-t-elle en tapant du pied.

Il pleuvait le dernier jour de l'année.

Julia était déçue, car pour aller à Munich elle voulait mettre son manteau de castor qui allait si bien avec ses boucles brunes.

Lizi Silbermann, venue dès le début de l'après-midi avec sa fille, aida Julia à remplir sa petite valise, pendant que Leonore s'occupait de Roberta et de Ralph.

— Je ne sais pas comment te remercier?

— En abandonnant tous tes soucis et en t'amusant bien! Ernst est un gentil garçon. Pendant ses études à Munich, il était un peu turbulent, mais il s'est assagi depuis. Pas étonnant qu'il ait fait carrière. Son père est notaire à Passau et il le sera certainement aussi.

— Oui, il est très gentil.

Julia se laissa tomber sur le bord du lit.

— Tu sais, toute cette histoire est un peu déroutante pour moi.

— L'amour ne l'est-il pas toujours?

— L'amour! Je ne sais pas si je l'aime.

— Alors essaye de le savoir. — Lizi alla à la fenêtre. — D'ailleurs, tu as de la chance.

— Comment ça?

— Il neige. Alors quand même le castor.

— Peut-être. — Julia se leva et se mit devant la grande glace. — Je crois que je vais me mettre un peu de rouge.

— Ça ne peut pas faire de mal.

— Connais-tu les Berger ?

— Lui est un condisciple de Ernst. Un homme plutôt sec, mais foncièrement honnête. Il te plaira.

Julia s'était mis du rouge à joues et se plaisait mieux maintenant. Ses yeux marron, très écartés, brillaient.

— Je vais commander un taxi, puis dire au revoir aux enfants.

— Ne le prends pas tellement au tragique. Tu te rends à Munich pour une nuit et non dans une expédition au pôle Sud.

Julia rit.

— Je sais. Je trouve seulement un peu éhonté de ma part de vous accaparer justement pour le Nouvel An.

Julia alla vers Lizi et l'embrassa sur les deux joues.

— Si je ne vous avais pas, toi et Agnes, je ne sais pas ce que je serais devenue.

— Pur égoïsme de notre part. Il est très agréable d'avoir pour amie la propriétaire de la maison, qui a des rentes considérables qu'elle est prête à perdre au jeu.

— Nous jouons demain soir chez moi, n'est-ce pas ?

— J'espère que demain soir tu auras des tas de choses à nous raconter !

Julia alla dans l'ancien bureau de Robert et téléphona pour avoir un taxi. Lizi Silbermann la suivit, tenant sa petite valise et le manteau de castor.

Leonore et Roberta étaient étendues sur le tapis du salon en train de construire tout un complexe de bâtiments avec des cubes en bois et des pierres en plastique. Ralph était assis, apathique, dans un coin.

— Au revoir, mes chéris ! dit Julia. Je serai de retour demain après-midi.

Elle se pencha sur les fillettes et les embrassa toutes les deux, ce dont elles ne s'aperçurent même pas, tant elles étaient accaparées par leur jeu.

Julia s'approcha de son fils.

— A demain, Ralph !

Il la regarda de ses yeux verts obliques.

Elle lui posa la main sur le front.

— Mais tu as le front brûlant !

— Il fait très chaud ici, dit Lizi. Il faut ouvrir un peu la fenêtre.

— Ce n'est pas ça. Je crois qu'il a de la fièvre !

— Il n'en est pas question ! Ralph, tu ne vas pas avoir l'impolitesse de tomber malade justement aujourd'hui !

— Je ne suis pas malade, dit Ralph, seulement un peu fatigué.

— Touche-le, Lizi, je t'en prie ! Il est brûlant !

— Bon, alors je vais le mettre au lit...

— Il faut prendre sa température.

On sonna à la porte.

— Le taxi ! Vas-y, Julia ! Je vais m'occuper du petit !

— Mais je ne peux pas partir ! Non, c'est impossible !

— Tu ne peux pas faire attendre le taxi, Julia ! Mets ton manteau !

— Tu ne crois pas que je vais partir quand Ralph est malade ?

— Que peux-tu faire pour lui ? Si ça peut te tranquilliser, je vais appeler le docteur Opitz.

— Je ne partirai pas avant de savoir ce qu'il a.

— Voyons, Julia, que pourrait-il avoir ? Un refroidissement, peut-être la grippe ! Je suis mère moi-même, je vais faire tout ce qu'il est humainement possible. Maintenant, va-t'en ! C'est ta soirée ! Pense depuis combien de temps tu l'attends ! Pars à Munich et amuse-toi bien !

— Non, dit Julia, il n'en est pas question. Je ne peux pas m'amuser si je sais Ralph malade.

— Et Ernst ?

— Je m'en fiche ! Je t'en prie, descends dire au taxi que je n'en ai pas besoin. Donne-lui ce qu'il demande. Je vais téléphoner au médecin.

Il était huit heures du soir lorsque le docteur Opitz arriva enfin. Il s'excusa en les saluant.

— Je suis désolé, madame Severin, mais aujourd'hui il y a eu tant de contretemps, comme chaque fois que l'on a des projets. Il s'agit de Ralph, n'est-ce pas ?

Il enleva sa pelisse et Julia et Lizi Silbermann virent qu'il était en smoking.

— Oui, il a une forte fièvre. — Julia dut faire un effort pour empêcher sa voix de trembler. — Quarante et un dixième. Nous l'avons prise à cinq heures.

— Ce n'est pas si grave. Chez les enfants, il suffit de peu de chose pour faire monter la température.

— Nous lui avons donné de l'aspirine, dit Lizi.

— Vous avez bien fait. Et... quel est le résultat ?

— Nous n'avons pas repris sa température.

— Eh bien, nous allons voir ça.

Julia les précéda dans la chambre à coucher.

Le docteur Opitz fronça légèrement les sourcils en voyant Ralph couché dans le grand lit, mais il ne fit pas de commentaire. Le petit garçon le regardait avec des yeux brillants de fièvre ; il avait la bouche ouverte et sa respiration était haletante.

— Alors, voyons un peu, jeune homme ! dit le docteur Opitz, d'un ton un peu protecteur, comme c'était son habitude. Tu as mal quelque part ?

Ralph secoua la tête.

Le médecin procéda à l'auscultation.

— Il faut que tu restes au lit quelques jours, dit-il finalement. Fallait-il que ça tombe pendant les vacances de Noël ! Pas de chance, non ? A présent, essaye de dormir. Je reviendrai demain.

Julia accompagna le médecin dans la salle de bains où elle avait préparé une serviette propre.

— Qu'a-t-il ? Je vous en supplie, dites-moi ce qu'il a ? !

— Absolument rien de grave ! Une infection grippale, rien de plus.

— Dieu merci !

Il lui sourit.

— Vous pouvez tranquillement partir pour Munich !

— Et le laisser seul dans cet état ?

— Mais il ne court aucun danger ! Je lui laisse un somnifère, et avant qu'il se réveille demain, vous serez de retour !

— Je n'aurais pas un instant de paix !

— Le Nouvel An n'est pas fait pour ça. — Il prit la serviette-éponge et se sécha les mains. — Amusez-vous bien !

Julia ne le contredit pas ; elle ne voulut pas se disputer avec le médecin.

— Il serait naturellement préférable que les autres enfants ne soient pas en contact avec lui, dit le docteur Opitz, c'est certainement contagieux, et vous et Mme Silbermann devriez également faire attention.

Julia retourna auprès de Ralph, alors que Lizi attendait dans l'entrée que le médecin enfile sa pelisse.

— Il n'y a vraiment rien de grave, dit-il, essayez de calmer Mme Severin. Quantité de mes jeunes patients ont eu la grippe ce mois-ci. Son cœur est parfait, je ne vois vraiment aucun danger. — Il consulta sa montre. — Ma femme m'attend en bas, dans la voiture. Je lui ai promis d'être de retour dans dix minutes, et ça fait déjà un quart d'heure.

— Je ne veux pas vous retenir davantage.

Lizi ouvrit la porte.

— Je ne vous fais aucun reproche... seulement à cette maudite grippe. Le Lion's-Club donne ce soir un dîner, suivi d'une soirée dansante, alors il faut essayer d'y être à l'heure !

— Je vous souhaite une bonne soirée, à vous et à Mme Opitz !

— Merci, madame Silbermann. Encouragez Mme Severin à aller à Munich. Cela ne servira pas à ses enfants si elle tombe malade à force de se faire du souci.

Naturellement, Julia ne partit pas.

— Impossible, dit-elle, lorsque Lizi chercha à la persuader. Je ne peux laisser Ralph seul dans cet état ! Comment ne le comprends-tu pas ?

— Mais je suis parfaitement capable de le soigner.

— Lizi, comprends donc ! Même si tu étais une infirmière diplômée, je ne serais pas plus rassurée pour autant. Je suis sa mère, je dois rester auprès de lui. D'ailleurs... crois-tu réellement que je pourrais m'amuser, sachant qu'il a la fièvre ?

— Moi, je le pourrais.

— Non, je ne te crois pas.

— Et qu'en est-il avec Ernst Liwehr ? Ne devrais-tu pas au moins lui téléphoner ?

— Pourrais-tu le faire pour moi ? Lizi, c'est la seule chose que je te demande !

— J'appelle ça de la lâcheté.

— Tu as peut-être raison, mais je ne veux pas que lui aussi cherche à me persuader de venir à Munich.

— Il sera déçu.

— Tant pis. Un homme comme lui trouve toujours une compensation.

Lizi céda. Elle appela Ernst Liwehr au « Pélican », pendant que Julia préparait pour Ralph, qui se plaignait de maux de tête, un sac de glace et lui donnait le somnifère.

— Tu as perdu un admirateur, dit Lizi en revenant dans la chambre.

— C'est que son admiration ne valait pas cher, répliqua Julia sans quitter Ralph des yeux.

— Tu devrais au moins l'appeler demain matin et lui dire quelques mots de réconciliation, d'explication...

— Je sais que tu me veux du bien, Lizi, mais c'est au-dessus de mes forces.

Lorsque Ralph s'endormit une demi-heure plus tard, Julia voulut bien faire couler du plomb avec Lizi, Leonore et Roberta.

C'était la première fois que Roberta avait le droit de participer à cet amusement, et Julia lui tint la main ; malgré cela, elle fit couler le plomb liquide dans l'eau qui ne forma que de petites bulles.

— Cela signifie de l'argent, beaucoup d'argent, déclara Lizi.

La petite fille fut parfaitement satisfaite de cette explication.

Julia fit couler une forme bizarre, que Lizi interpréta comme une couronne de myrthes.

Julia ne sourit point.

— Ça pourrait être aussi bien une couronne d'épines !

Ralph alla mieux dès les jours suivants, mais sa température montait chaque soir et il devait garder le lit.

— Je ne veux pas lui donner d'antibiotiques, dit le docteur Opitz ; cela le remettrait vite sur pied, mais le corps s'y habitue vite, et qu'arriverait-il si dans quelque temps il tombait sérieusement malade ?

— Vous êtes seul juge, dit Julia.

Elle était pâle, des ombres profondes cernaient ses yeux.

— Je me fais bien plus de souci pour vous, dit le médecin. Il ne faut pas que vous vous laissiez dévorer par vos enfants.

— Mais ce n'est pas le cas !

— Ralph peut très bien rester quelques heures seul. Prenez Roberta par la main et allez vous promener avec elle. L'air vous fera le plus grand bien.

— Oui, bien sûr, je le ferai.

D'habitude, elle suivait strictement les prescriptions du médecin, mais elle ne lui obéit pas cette fois-ci. Pendant les semaines que dura la maladie de Ralph, elle ne quitta pas l'appartement. Agnes faisait ses courses.

Ce fut une vraie fête pour tous les trois, lorsque le docteur Opitz déclara enfin que Ralph pouvait se lever et que le danger de contagion était écarté. Julia changea les draps dans les lits, Roberta jubilait parce qu'elle pouvait de nouveau entrer dans la chambre, et Ralph tenta ses premiers pas, vêtu de sa robe de chambre, maintenant trop petite.

— Comment te sens-tu, mon grand chéri ? demanda Julia.

— Bien. J'ai seulement une drôle de sensation dans les jambes. Mes genoux ne sont plus solides.

— Ça passera.

— Je crois que je vais faire des exercices.

— Très bien, comme ça nous pourrons sortir bientôt.

— Quand faut-il que je retourne à l'école ?

— Pas tout de suite. Seulement quand tu seras complètement rétabli. Pas avant huit jours, en tout cas.

— J'ai beaucoup de retard ?

— Ne t'inquiète pas pour ça. Tu es un garçon intelligent et nous le rattraperons vite.

— Si tu m'aides, dit-il, plein de confiance.

— Bien sûr. Je suis encore capable d'aider un débutant comme toi. Que dirais-tu si j'allais demain voir M. Bissinger à l'école et lui demandais où en sont les autres ? Nous pourrions alors commencer à les rattraper. Ou bien est-ce encore trop tôt pour toi.

— Non, dit-il, je peux m'y mettre.

Pour fêter ce jour, Julia prépara un pudding. A peine étaient-ils à table que l'on sonna à la porte de l'appartement.

Julia se leva.

— Commencez sans moi, dit-elle. Je reviens tout de suite.

Un étranger en anorak de ski noir et bonnet rouge se tenait devant la porte. Julia le dévisagea avec étonnement.

— Tu ne me reconnais même plus ? demanda-t-il.

Alors seulement Julia le reconnut : c'était Ernst Liwehr.

— Mais si, naturellement, répondit-elle, et elle sentit le sang lui affluer au visage. — Seulement... je ne t'attendais pas, et puis cet anorak !

— Je vais skier pendant le week-end... et je pensais que peut-être toi et les enfants...

— C'est vraiment gentil de ta part. Mais Ralph s'est levé aujourd'hui pour la première fois.

Ils se tenaient sur le seuil.

— Eh bien, alors... dit-il.

Elle avait l'impression qu'il venait d'un autre monde.

— Tu ne veux pas entrer ? demanda-t-elle.

— Je ne voudrais pas perdre de temps, je ne voulais que te demander...

— Je suis désolée, Ernst !

— Et si nous demandions à Lizi ? Le gamin est guéri, à ce que j'ai cru comprendre.

— Mais nous ne savons pas si Lizi...

— Nous pouvons toujours essayer ! Je vais tout de suite lui téléphoner.

— Non, Ernst !

— Donne-moi une seule raison valable !

— Nous sommes si heureux que Ralph soit enfin guéri !

Il la regarda et il n'y avait dans ses yeux pas trace du sourire qu'elle avait tant aimé.

— Ne me regarde pas comme ça ! pria-t-elle, se

passant les mains dans les cheveux, soudain consciente de son aspect négligé. — Je sais moi-même que je...

Il l'interrompit.

— Au fond, Julia, tu n'aimes que tes enfants !

— Oui, reconnut-elle, les lèvres tremblantes. Oui, peut-être as-tu raison !

— Adieu Julia !

Il sortit et claqua la porte derrière lui.

Julia resta figée sur place ; elle ne pouvait ni sentir ni penser. Mais elle comprit qu'elle avait irrémédiablement perdu quelque chose.

Ralph se rétablit.

Julia travaillait avec lui et se réjouissait de la rapidité de ses progrès et du soin qu'il mettait à dessiner les lettres et les chiffres, qui se présentaient comme de petites œuvres d'art. La jeune Mlle Mangst revint à la maison et Julia écoutait, fascinée, Ralph jouer ses premières petites études.

La maladie de Ralph avait encore rapproché la mère et le fils. Julia devait se forcer à accorder la même attention à Roberta. Elle craignait parfois que la petite, qui était déjà en état d'infériorité par rapport à son frère à cause de la différence d'âge, ne se sente négligée.

Tous les chagrins semblaient apaisés. Bientôt Julia ne frémit plus d'horreur à la vue de son reflet dans la glace. Elle retrouva le plaisir de se faire les ongles, de s'épiler les sourcils et de se laver les cheveux. Elle voulait être belle pour ses enfants.

Mais seulement pour ses enfants. Elle était fermement décidée à éviter le moindre flirt. Elle voyait un rapport direct et magique entre son désir de passer le réveillon du Nouvel An avec un homme et la maladie de son fils.

Julia était heureuse de reprendre les moments de bavardage avec Agnes. Pour la remercier de son assistance durant les semaines difficiles, elle lui offrit une magnifique gerbe de fleurs. On reprit également les soirées de Skat et pendant le jeu palpitant il y avait des secondes où Julia oubliait ses enfants ; autrement, toutes ses pensées, tous ses sentiments leur étaient consacrés.

Les jours se suivaient rapidement. Après des vacances de Pâques pluvieuses vint un printemps resplendissant.

Un jour, Ralph revint de l'école visiblement mal en point. Il refusa toute nourriture.

— Qu'est-ce qui t'arrive ? demanda Julia, inquiète. — J'ai fait exprès pour toi des boulettes de viande, ton plat préféré. Tu ne veux pas au moins y goûter ?

— Toi avec tes boulettes de merde ! rétorqua-t-il sur un ton que Julia ne lui connaissait pas.

Il repoussa sa chaise et se précipita hors de la pièce.

Julia était tellement horrifiée que sa fourchette lui tomba de la main.

— Ralph est un méchant garçon ! constata Roberta avec plaisir. — Boulettes de merde ! répéta-t-elle, parce que l'expression l'enchantait et elle ajouta hypocritement : — Ça se dit ?

Julia était toujours déconcertée ; l'éclat de Ralph l'avait prise au dépourvu.

— Il ne le pensait pas, finit-elle par dire.

— Mais il l'a dit ! — Roberta regarda sa mère avec espoir. — Tu dois le gronder.

— Non, non ! se défendit Julia.

En réalité, elle ne savait pas comment elle devait se comporter. Jusqu'à cet instant, elle avait toujours cru qu'il suffisait de donner à ses enfants de l'amour et de la tendresse pour qu'ils soient tendres et aimants.

Comment était-ce possible que Ralph ait été aussi grossier avec elle ?

Elle fut profondément blessée, mais décida de ne pas le laisser deviner.

— Continuons notre déjeuner, Robsy, dit-elle. J'espère que tu trouves ça bon !

— Tu as bien cuisiné, Julia !

Roberta desservit — elle pouvait maintenant le faire, même si elle devait se mettre sur la pointe des pieds. Puis elle alla jouer avec ses poupées.

Julia resta assise à sa place. Elle n'avait même pas la force de se lever, de préparer une tasse de café et d'allumer une cigarette. L'agressivité de Ralph l'avait profondément frappée.

Soudain, il fut devant elle.

— Julia ! — Il se jeta dans ses bras — Julia ! J'ai tellement honte !

Sa tension tomba aussitôt.

— Ce n'est rien, dit-elle l'attirant tout contre elle. Mon grand chéri a prononcé un gros mot ! Ça peut arriver.

— Non, c'était très vilain.

— Au fond, c'est à mes boulettes que tu t'es attaqué, pas à moi !

— Mais elles ne le méritaient pas non plus ! dit-il, et il rit à travers ses larmes.

— Tu vois, ce n'est pas si grave que ça ! — Elle lui donna un mouchoir. — Maintenant, tu cesses de pleurer, tu te mouches, et tu me racontes ce qui s'est passé à l'école.

— Oh, toujours la même chose. Le Bissinger est tellement odieux. Il est toujours après moi.

— Mais au début tu t'es bien entendu avec lui.

— Oui, au début. Il n'avait pas encore montré son vrai visage.

— Veux-tu que je lui parle ?

— C'est justement ça. Il veut que tu viennes le voir.

Ralph croisa les bras et regarda à terre.

— C'est ça qui t'inquiète ?

Le garçon fit un signe affirmatif de la tête.

— Voyons, Ralph, cela n'a rien de terrible. C'est tout naturel qu'un instituteur veuille parler avec les parents ou que les parents veuillent parler avec l'instituteur.

— Il va dire du mal de moi.

— Crois-tu vraiment que quelqu'un puisse me dire du mal de toi ? Le crois-tu possible ?

— Je ne veux pas qu'il te fasse de la peine.

— Il ne le pourra pas. Je te connais trop bien. — Soudain, une pensée lui vint. — Ou bien as-tu fait quelque chose ? Aurais-tu mauvaise conscience ? Alors il vaudrait mieux que tu me le racontes toi-même. Je préfère l'entendre de ta bouche que de celle de Bissinger.

— Non, Julia, dit-il avec sincérité. Je n'y peux rien s'il me cherche noise sans arrêt.

— Alors tu n'as rien à craindre. Tu vas voir comment je vais le remettre à sa place !

— Oui, toi tu le peux, dit-il, consolé.

— Alors tout va bien ? Je te fais une proposition : je vais réchauffer les « boulettes de merde »...

— Julia ! s'écria-t-il, à la fois amusé et horrifié.

— ... tu en mangeras quelques-unes, et moi je te tiendrai compagnie en buvant une tasse de café.

La paix était retrouvée. Mais l'idée qu'il pourrait se dresser contre elle un jour n'était plus impossible.

Uwe Bissinger était un jeune homme blond, grand, maigre, vêtu de manière décontractée d'un pantalon en velours côtelé et d'un pull à col roulé.

Il reçut Julia au début de l'après-midi, dans la salle des professeurs, vide à ce moment-là. Ils s'assirent face à face à la grande table des conférences.

— Chère madame Severin, commença M. Bissinger, croyez-moi, je ne vous aurais pas fait venir si les succès scolaires de Ralph ne me tenaient pas tant à cœur.

— Ralph croit que vous avez quelque chose contre lui.

Le visage pâle de M. Bissinger se colora.

— Mais pas du tout ! Au contraire, j'essaye de l'aider, mais je dois vous avouer qu'il devient de plus en plus difficile.

Julia se raidit.

— Ralph n'a jamais été un enfant difficile.

— Je ne veux pas dire cela, seulement... il s'est produit un changement bizarre.

M. Bissinger prit un paquet de cigarettes, en retira une, puis se ravisa et le tendit à Julia. Elle secoua la tête, bien qu'elle aurait volontiers fumé. M. Bissinger alluma sa cigarette.

— Au début de l'année scolaire, continua-t-il, oui, encore jusqu'à Pâques, il a été un élève exceptionnel. J'espérais pouvoir établir pour lui un bulletin élogieux. Mais, depuis, ses résultats se sont rapidement dégradés. Supervisez-vous ses devoirs ?

— Bien sûr.

— N'avez-vous pas remarqué que son écriture est devenue mauvaise ?

— Oui, dut admettre Julia, c'est vrai, mais je croyais...

Elle s'arrêta.

— Qu'avez-vous cru ? demanda-t-il avec rigueur.

— Qu'il n'est plus aussi enfant. Au début, il dessinait les lettres et les chiffres.

— Il avait une très, très belle écriture, avant qu'il ne commence à bâcler.

— Mais il ne fait pas de fautes.

— Ça viendra. Quand un enfant commence à écrire sans ordre, il commence également à penser sans ordre.

— Mon mari n'avait pas une écriture particulièrement belle, et cependant...

L'instituteur l'interrompit.

— Il y a des enfants qui ont du mal à écrire. Les traits ascendants et descendants sont de travers et les ronds anguleux. Ce n'est alors qu'une maladresse. L'état d'esprit n'a rien à y voir, mais Ralph a jusqu'ici écrit à la perfection. Pourquoi ne le fait-il plus ? Parce que l'école ne l'intéresse plus ? Je crois plutôt qu'il cherche à me provoquer.

— Non, monsieur Bissinger, c'est impensable !

— Je lui ai fait faire des exercices d'écriture... uniquement dans son propre intérêt, comprenez-moi. Mais son écriture n'est pas devenue meilleure, au contraire, elle s'est détériorée davantage. On aurait pu s'attendre à ce qu'il fasse un effort pour ce travail de punition.

— Il n'est pas habitué à être puni.

— C'est peut-être là une erreur. Vous devriez être plus sévère.

— Je crois que ma façon d'élever mes enfants ne regarde que moi.

— Je ne veux pas me mêler de ce qui ne me regarde pas, madame Severin. Je ne veux pas non plus vous affliger, mais Ralph me préoccupe réellement...

Julia décida qu'il valait mieux être aimable.

— Je vous en suis très reconnaissante, dit-elle.

— J'ai naturellement des tas d'élèves médiocres dans ma classe et il y a même des cas désespérés, mais j'essaye de les faire tous progresser... Ralph, lui, était un de mes meilleurs élèves et je trouve simplement tragique qu'il se laisse aller de plus en plus.

— Seule son écriture n'est plus aussi belle qu'auparavant, dit Julia, voulant remettre les choses à leur place.

— Pas seulement, madame Severin, pas seulement ! Je le dis à regret. Il est entêté et il est devenu hostile à mon égard. Peut-être est-ce parce qu'il n'est pas habitué à être puni. Peut-être ne peut-il supporter même une réprimande.

— Je pense que l'on réussit mieux avec des compliments, dans l'éducation, dit Julia.

— Mais comment puis-je faire des compliments à un élève dont les résultats laissent chaque jour davantage à désirer ?

— Je vais lui faire la leçon, promit-elle, je vais aussi faire des exercices avec lui...

— Son écriture était si bonne au début ! Il n'avait qu'à continuer !

— Peut-être réussirai-je.

Julia se leva.

— Je l'espère. Ce serait trop dommage de ne pouvoir lui donner les bonnes notes qu'il avait méritées jusqu'ici.

Julia quitta l'école soulagée. Le souci de M. Bissinger concernant l'écriture de Ralph devenue négligente lui paraissait exagéré. Elle était persuadée que cela ne dépendait que de la bonne volonté du garçon d'écrire mieux de nouveau.

Ralph vint à sa rencontre dès la porte d'entrée.

— Comment c'était ?

— Rien de spécial. — Julia se pencha vers lui et l'embrassa. — Tu n'avais pas à t'inquiéter. Il est seulement agacé parce que ton écriture est devenue mauvaise.

— Il me fait faire des exercices d'écriture sans arrêt. Même quand les autres sont en train de dessiner.

— Pourquoi ne me l'as-tu pas raconté plus tôt ?

— Parce que je trouvais ça idiot.

— A dire vrai, je trouve aussi toute cette histoire idiote. Il ne faut jamais discuter avec son instituteur.

— Mais je n'ai jamais discuté avec lui !

— Il dit que tu es entêté et récalcitrant avec lui.

— Quand il me fait tout le temps copier quelque chose !

— Tu ne vois donc pas qu'il existe une solution très simple à ton problème ?

— Laquelle ?

— Tout simplement, écrire aussi bien qu'avant. Dessiner tes lettres. Cela semble lui avoir tellement plu.

— Mais je ne peux plus, Julia, ne comprends-tu donc pas ?

— Tu te l'imagines, dit-elle avec légèreté, viens, on va essayer ensemble.

Elle alla dans le bureau de son défunt mari, prit une belle feuille de papier ministre dans le tiroir de la table de travail et mit dessous un guide-lignes.

— Viens t'asseoir ici. D'ailleurs, tu pourrais travailler ici plus tranquillement qu'au living ou à la cuisine. Ici, à la table de travail de ton père.

— Il me faut mon stylo !

— Alors va le chercher.

Il partit en courant.

Julia alla chercher un coussin et le mit sur le fauteuil pour qu'il soit assis plus haut.

Roberta arriva en trottinant.

— Ralph doit jouer avec moi !

Elle prit la petite dans ses bras.

— Plus tard, Robsy, à présent Ralph va travailler.

— Faire quoi ?

— Ecrire, Robsy ! Vas-y, Ralph, sois très calme et détendu. Ne pense pas à l'école ni à M. Bissinger. Tu écris pour toi et pour moi, pour t'amuser...

— Qu'est-ce que j'écris ? demanda Ralph.

— Quelque chose de très simple. Ecris : « J'ai un ballon »... très lentement et très calmement.

Roberta sur un bras, elle alla à la fenêtre et regarda dans la rue.

Après un bon moment, elle se retourna. — Ça y est ?

Sans un mot, il lui tendit la feuille. Il avait écrit une ligne, mais l'écriture était lamentablement inégale.

Julia ne savait pas ce qu'elle devait dire.

— C'est pas beau, je le sais ! cria-t-il. Mais je ne peux pas faire mieux ! Je ne peux pas !

Julia restait là, Roberta toujours dans les bras, sans savoir ce qu'elle devait dire.

Une certaine inquiétude persista chez Julia, et elle saisit la prochaine occasion pour en parler avec Agnes.

Agnes venait de lui apporter deux salades. Julia la remercia.

— Qu'y a-t-il de meilleur qu'une bonne salade fraîche !

— Ne me remercie pas, rétorqua Agnes. C'est ton salaire pour m'avoir aidée au jardin.

Julia contemplait les deux salades vert pâle, avec admiration.

— Je vais les assaisonner à la crème et au sucre.

— Quelle horreur !

Agnes fit la grimace.

— C'est une recette du nord de l'Allemagne. Les enfants la préfèrent ainsi. Dis, as-tu du temps pour un petit café ?

— Bien sûr !

Tout en mettant à bouillir l'eau et en posant les tasses sur la table de la cuisine, elle commença à raconter. Comme toujours, Agnes l'écouta attentivement.

— Bien sûr, c'est la faute de cet instituteur, dit-elle lorsque Julia eut terminé. Une telle histoire à cause de l'écriture de Ralph ! Tout le monde sait que les enfants écrivent parfois très proprement, et d'autres fois salement. Lorsque le maître d'école se comporte ainsi, il rend Ralph malheureux, et comme il est malheureux, il écrit de plus en plus mal. C'est une sorte de cercle vicieux.

Julia avait versé le café et elle alla s'asseoir en face d'Agnes.

— Tu trouves donc que j'ai raison de ne pas en faire un drame ?

— Absolument.

Julia poussa un soupir de soulagement.

— As-tu des projets pour les vacances ?

— A vrai dire, je n'ai pas envie de partir. Nous avons ici tout ce qu'on peut désirer.

— Et à ne pas dire vrai, vous partez quand même ?
Effrayée, Julia la regarda.

— Tu trouves que j'ai tort ?

— Mais non, voyons, pas du tout ! Alors, où veux-tu aller ?

— A la mer.

— Mer du Nord... Baltique ?

— Non, Adriatique. J'ai plusieurs prospectus et je vais encore les étudier avec les enfants avant de faire les réservations.

Agnes la regarda attentivement.

— Les enfants ont donc toujours le dernier mot.

— Je fais ce voyage uniquement pour les enfants. S'il ne s'agissait que de moi, les promenades dans le parc thermal me suffiraient largement. Mais je pense qu'un changement d'air fera du bien aux enfants, surtout à Ralph.

— A toi aussi, Julia. Ça te donnera un coup de fouet.

Quelque semaines plus tard, la gentille Mlle Mangst demanda à parler avec Julia seule à seule, après la leçon de piano.

— Mais naturellement. Le mieux est d'aller dans le bureau.

Julia précéda Mlle Mangst, lui offrit un fauteuil, ferma la porte et s'assit sur le bord de la table.

— Il y a des difficultés ?

— Malheureusement, oui.

Mlle Mangst semblait embarrassée, elle jouait avec la fermeture de son sac à main blanc.

— Allez-y, parlez ! Ne me torturez pas !

— Vous savez qu'au début j'étais très satisfaite des progrès de Ralph. — Mlle Mangst fit une pause. — Mais depuis quelque temps, il travaille mal.

— Ce n'est pas possible ! Il fait ses exercices tous les jours.

— Cela ne sert à rien s'il n'apprend pas à ne pas faire de fausses notes. Sa main gauche est encore correcte, mais la droite ne va pas du tout.

De nouveau la main droite ! Julia chercha à se représenter Ralph en train de faire ses gammes. Oui, en effet, depuis quelque temps il se trompait de touche de la main droite.

— Qu'est-ce qu'on peut faire ?

— Je l'ignore. Je me suis déjà cassé la tête à ce sujet, mais je ne trouve pas. Je ne voudrais pas le gronder, il me semble très sensible.

— Oui, il l'est.

— D'ailleurs, cela ne donnerait rien. Je n'ai pas l'impression qu'il s'agisse de mauvaise volonté.

— Mais ?...

— De maladresse. Il a le sens de la musique, c'est sûr. Mais il y a des tas de gens qui aiment la musique sans jamais être capables de jouer d'un instrument.

— Si je le faisais s'exercer davantage ?

— Combien de temps par jour joue-t-il du piano ?

— Trois quarts d'heure.

— Et il joue réellement ?

— Je l'écoute la plupart du temps.

— Alors il devrait pouvoir jouer. Les exercices que je lui donne sont faciles. Il devrait les réussir s'il a l'habileté nécessaire.

— Alors que proposez-vous ?

— Renoncer.

Julia reçut le mot comme une gifle. Mlle Mangst se taisait et jouait nerveusement avec son sac.

— Ce sera terrible pour lui, dit Julia.

— Peut-être pas. Peut-être se sentira-t-il libéré.

— Mais il n'a jamais exprimé le désir d'abandonner.

— Il est intelligent, madame Severin. Il faut en tenir compte. Il remarque sûrement lui-même que ses progrès sont insuffisants. De toute manière, il finira bientôt par s'en rendre compte.

— Ce sera une terrible déception pour lui.

— La vie nous réserve beaucoup de déceptions.

Julia avait toujours bien aimé Mlle Mangst, mais subitement elle lui parut prétentieuse et suffisante.

— Si cela ne vous fait rien, voudriez-vous encore venir jusqu'à la fin de l'année scolaire ?

— Mais bien sûr. J'ai beaucoup de plaisir à enseigner à Ralph. C'est un garçon tellement charmant.

— Bon. C'est décidé. Nous allons interrompre les leçons pendant les vacances, ce sera tout naturel, et après j'essaierai de faire en sorte qu'il abandonne le piano de lui-même.

— Ce ne sera pas difficile. Lorsqu'on remarque qu'on ne réussit pas, on y perd tout intérêt.

RALPH traînait dans l'entrée quand Julia raccompagna le professeur de piano.

— Alors ? demanda-t-il, inquiet.

— Rien de spécial, mentit Julia.

— Mais elle voulait te parler à toi seule ! dit-il, mettant l'accent sur le mot « seule ».

— Ben oui ! Les enfants curieux n'ont pas à mettre partout leur petit nez.

— Qu'est-ce qu'elle voulait ? insista Ralph.

— Il s'agissait de vacances, inventa Julia, elle voulait interrompre les leçons pendant cette période, parce qu'elle part. Je lui ai dit que ce n'était pas un problème, puisque nous partons également.

— Ah, bon !

Son petit visage se détendit.

Julia fut soulagée d'avoir esquivé l'explication, tout en ressentant un léger malaise. Elle avait menti à Ralph, et elle n'était pas sûre d'avoir bien fait.

Elle aurait dû lui parler ouvertement, et elle le pouvait encore. Le soir, lorsqu'il se serra contre elle avant de s'endormir, elle fut sur le point de le faire.

Au lieu de cela, elle prit la main droite de Ralph, la caressa et la tâta avec précaution ; il n'y avait rien, pas la moindre modification.

— Dis-moi, est-ce que ta main droite te fait mal, quelquefois ? demanda-t-elle.

Il fut soudain bien réveillé.

— Pourquoi ?

125

— Je me demandais. A cause de ton écriture. On peut avoir une crampe dans la main. As-tu mal, parfois ?

— Non.

— Tout est en ordre, vraiment ?

Il se serra de nouveau contre elle.

— Tu te fais trop de soucis, Julia.

Elle sourit dans l'obscurité et posa un baiser sur son front.

Le lendemain matin Ralph refusa de se lever ; il se plaignit de maux de tête et de nausée.

Julia prit sa température.

— Non, dit-elle en regardant le thermomètre, non, tu n'as pas de fièvre. Alors debout ! l'école t'attend !

— Je me sens si mal ! gémit-il.

— Tu te sentiras beaucoup mieux dès que tu seras dehors !

Il lui fut infiniment difficile de rester inflexible, mais pour elle, une maladie véritable comportait toujours de la fièvre. Elle supposa qu'il simulait ou bien qu'il se sentait réellement mal à l'idée d'avoir à faire face à l'implacable M. Bissinger.

Son attitude impressionna Ralph. Il se ressaisit, mangea un peu, but une tasse de cacao et quitta la maison.

A midi il sembla tout à fait normal, mais quelques jours plus tard il recommença à avoir des accès de nausée, des douleurs au ventre et à la tête.

— Peut-être es-tu réellement malade, dit Julia, inquiète.

Les yeux verts de Ralph lancèrent des flammes.

— Tu crois peut-être que je fais semblant ?

— Non, bien sûr. Seulement... tu n'as pas de fièvre...

— Toi et ta fameuse fièvre !

— Bon, alors nous allons consulter le médecin.

— Si tu veux.

Tenant Roberta par la main, ils se dirigèrent dans l'après-midi vers la maison du docteur Opitz, distante de dix minutes à pied.

Ils étaient des patients privés du médecin, aussi

furent-ils introduits dans un salon à part et leur tour vint rapidement. Ralph et Julia se levèrent lorsque l'assistante ouvrit la porte et Roberta glissa de sa chaise.

— Tu restes ici, Robsy ! décida Julia. Nous reviendrons très vite.

Roberta fit la grimace.

— Veux pas ! cria-t-elle, et déjà les larmes lui coulaient sur les joues.

— Je peux très bien aller seul, déclara Ralph.

— Bien sûr ! dit l'assistante. Tu es un grand garçon !

Elle sourit à Julia par-dessus la tête de Ralph pour la rassurer et le poussa vers le cabinet du pédiatre.

Ralph s'y dirigea, les épaules très droites ; jamais encore il n'avait tant ressemblé à son père.

Il revint au bout de vingt minutes, le menton haut, le dos toujours aussi droit.

Julia bondit.

— Qu'a dit le docteur ?

— Que je n'ai rien !

— Dieu merci !

Le docteur Opitz parut dans la porte.

— Voulez-vous venir un instant, madame Severin ?

— Oui naturellement.

Il lui tendit sa main tiède et sèche et l'attira dans son cabinet de consultations où il lui offrit son fauteuil derrière le bureau et lui-même s'assit sur le bord de la table.

— Il n'a vraiment rien ? demanda Julia, toujours inquiète.

— Je l'ai ausculté des pieds à la tête. Il n'a rien d'organique. — Il regarda Julia de ses yeux gris perçants. — Dites-moi, il n'a pas de difficultés à l'école ?

— Si.

— C'est bien ce que je pensais.

— Mais il ne simule absolument pas !

— Je ne voulais pas dire ça. Mais vous savez vous-même : quand on fait quelque chose qui vous répugne, on a facilement mal au cœur. — Il jouait avec le stéthoscope qui pendait à son cou. — Voyez-vous, moi, par exemple, j'avais des difficultés avec le médecin-chef, quand j'étais bizuth. Il était très autoritaire et, pour des raisons inconnues, il avait une dent contre moi. Chaque matin, en arrivant à la clinique, je devais d'abord me rendre aux toilettes pour vomir, jusqu'à ce que la bile vienne. Pourtant, je n'avais strictement aucune maladie.

— Comment pourrais-je l'aider ?

— Parlez avec son professeur.

— Oui, je le ferai.

— Dites-lui, qu'il ne doit pas traiter le gamin de cette manière. Mais il n'y a pas à s'inquiéter. C'est sûrement un phénomène passager. Bientôt les vacances d'été, et après tout sera différent.

L'instituteur Bissinger fut consterné lorsque Julia lui fit part du diagnostic du médecin.

— Je n'aurais jamais supposé que votre fils puisse prendre mes remontrances tellement à cœur ! dit-il. Bon, je ne vais plus l'exhorter à mieux écrire.

L'instituteur n'était pas quelqu'un d'insensible. Il s'efforça d'éveiller en Ralph la joie de venir à l'école et ne lui demanda pas plus qu'à ses autres élèves.

Mais il dut bientôt constater qu'il avait perdu la sympathie de Ralph. Le garçon resta fermé à son égard.

Ralph rompit complètement le contact avec ses camarades, contact qui d'ailleurs n'avait jamais été très étroit. Alors que les autres jouaient pendant les récréations, il se tenait dans un coin du préau et ne les regardait même pas.

— Qu'as-tu, Ralph ? demanda l'instituteur un jour. Tu ne veux pas courir un peu ?

— Non, répondit brièvement le gamin.

Ce n'était pas un bon début pour un entretien, et l'instituteur y renonça.

Le soir, lorsqu'il se serrait dans les bras de sa mère, aucune consolation ne lui venait plus de sa proximité, et il y renonça au bout de quelque temps.

Elle s'en aperçut et un samedi soir, alors qu'ils se couchaient en même temps — ils avaient regardé ensemble la télévision jusqu'à dix heures moins le quart —, elle lui demanda tendrement :

— Tu ne veux pas venir un petit moment dans mon lit ?

Il répondit seulement :

— Non.

Elle chercha à le comprendre.

— M. Bissinger est-il toujours aussi désagréable avec toi ?

— Non.

— Mais quelque chose te tourmente quand même ?

— Non.

Après un long moment de silence, pendant lequel elle réfléchit aux réponses évasives de son fils, elle dit :

— Alors dors bien, mon grand chéri !

— Toi aussi, Julia.

En réalité, les accès de douleurs à la tête et au ventre revenaient constamment. Seulement, il n'en parla plus, puisque personne n'y croyait. Tous le considéraient comme bien portant. Mais les douleurs étaient toujours là.

Il n'en voulut pas au docteur Opitz d'avoir fait un faux diagnostic. Il savait qu'il était faux, car il sentait que quelque chose en lui ne tournait pas rond. Mais il s'attendait à ce que sa mère le croie, et non le médecin. Il ne lui avait encore jamais menti, car il n'avait jamais eu de raison de le faire.

Il se sentait tellement perdu et abandonné qu'il aurait pu pleurer parce que personne ne le comprenait. Il ne le faisait pas, car il se sentait obligé d'être fort comme son père l'avait été. Il voulait protéger Julia et non l'accabler.

Qu'il ait une nausée affreuse, une migraine à lui donner le vertige, il n'en soufflait mot.

Mais Julia était une mère trop aimante pour ne pas s'en apercevoir.

— Tu as mauvaise mine, constata-t-elle un matin au petit déjeuner.

Ralph lui jeta un regard méchant ; il avait besoin de toute sa force de volonté pour supporter ses malaises.

— Tu ne te sens pas bien ? insista-t-elle.

— Pourquoi me demandes-tu ça ? répliqua-t-il. Tu sais bien que je suis parfaitement bien portant.

Elle rit nerveusement.

— Même quelqu'un de bien portant peut parfois ne pas se sentir bien.

La compassion submergea Julia et emporta toutes ses résolutions d'être ferme et conséquente.

— Si tu n'as pas envie d'aller à l'école, n'y va pas, dit-elle bien vite.

Il la regarda de dessous ses beaux cils soyeux, la scrutant non plus avec colère, mais en réfléchissant.

Elle s'attendait à ce que sa proposition le fasse rayonner de joie. Mais l'expression morne de Ralph ne se modifia pas.

— A quoi cela servirait-il ?

— C'est toi qui me le demandes ? Quand on ne va pas à l'école, on a un jour de liberté. Nous pourrions aller nager !

— Tu ne comprends rien du tout !

— Non, vraiment rien ! Je te propose de manquer l'école et d'aller nager, et tu ne te réjouis même pas !

— Tu crois peut-être que je me sentirai mieux en nageant ?

Julia était déconcertée, elle chercha une réponse, mais avant qu'elle n'en trouve une, il était déjà parti.

Durant toute la matinée, elle rumina le comportement étrange de son fils ; elle en parla à Agnes, en rentrant avec Roberta après avoir fait les courses.

— A ta place je ne m'inquiéterais pas, dit son amie.

— Mais il avait l'air vraiment malheureux !

— Pas étonnant, avec cette chaleur ! Agnes ne portait qu'un slip et une blouse sans manches, et ses cheveux blonds avaient un besoin urgent d'une décoloration.

Julia qui, dans sa robe de piqué, avait l'air de sortir d'une boîte fut sur le point de lui dire qu'elle devrait, ne serait-ce que pour Günther, soigner davantage son apparence.

— Tu n'as pas bonne mine, dit-elle seulement, ne voulant pas vexer son amie.

— Je ne me sens pas bien du tout. — Agnes passa son avant-bras sur son front humide. — Même une tasse de café ne me tente pas.

— Dommage, je voulais justement t'inviter chez moi.

— Pas aujourd'hui.

— Alors repose-toi. Tu te sentiras sûrement mieux à midi. Il y a de l'orage dans l'air.

Julia monta l'escalier, tenant Roberta par la main.

— Et au sujet de Ralph... cria Agnes derrière elle. Julia se retourna.

— Oui ?

— ... ne te fais pas de souci. C'est l'homme qui se réveille en lui.

— Que veux-tu dire ?

— Tu devrais le savoir toi-même ! C'est la façon des hommes de se rendre intéressants.

Julia ne pouvait accepter totalement cette explication. Le comportement de Ralph à son égard avait beaucoup changé ces derniers temps. Mais elle décida d'aplanir les malentendus par une longue conversation détendue.

Le soir, le temps s'étant un peu rafraîchi, Ralph faisait ses exercices au piano. Il jouait si mal que Julia dut faire un effort pour l'écouter.

Elle fut soulagée lorsqu'il referma le piano.

— Ecoute, Ralph... — Elle tendit la main vers lui et l'attira contre elle. — Je crois que nous avons à nous parler.

Il se dégagea.

— Il fait trop chaud, dit-il pour s'excuser.

— Tu m'en veux parce que je ne prends pas ta maladie au sérieux.

— Mais je ne suis pas du tout malade. Puisque le docteur Opitz l'a dit !

— Tu n'es pas malade de corps...

— Je suis seulement fou ! termina-t-il pour elle.

— Voyons, Ralph, ne dis pas ça ! Personne n'a pensé à cela !

— A quoi d'autre ! ?

— Il y a des maladies qui ne viennent pas du corps, mais de l'âme.

Il s'était éloigné de quelques pas ; il s'arrêta et se tourna vers elle.

— Il ne te manque rien corporellement, continua

Julia, le docteur Opitz l'a constaté. Ce ne sont pas des douleurs imaginaires, mais réelles.

— Alors d'où proviennent-elles ?

— De l'âme, je viens de le dire.

— Je ne comprends pas.

— Par exemple, tu as peur de ton instituteur...

— Mais pas du tout ! interrompit-il avec violence. Je ne peux pas le sentir, c'est tout. Il a toujours été odieux avec moi, et à présent il est tout sucre tout miel.

— Bon, tu ne l'aimes pas, tu l'aimes si peu que tu te sens mal dès que tu penses à lui.

— Tu es dingue, Julia !

— Ralph !

— Je regrette d'avoir à te le dire. Tu inventes des choses, et si c'est Opitz qui t'a mis la puce à l'oreille, c'est qu'il est encore plus dingue que toi.

— Ralph, viens ici ! Laisse-moi t'expliquer...

Il se boucha les oreilles. — J'en ai assez de ton baratin ! Fiche-moi la paix !

— Si seulement tu étais heureux ! s'écria-t-elle, tout en sachant que c'était inutile.

S'il ne voulait pas l'écouter, elle ne pouvait pas l'y forcer.

Le dernier jour de l'école tombait le 27 juillet. Les excellentes notes de Ralph étaient gâchées par un quatre en écriture. Ralph ne laissa pas voir s'il en était ennuyé ou si cela lui était égal.

A présent, tout était sous le signe du départ.

Julia et les enfants s'étaient décidés à aller au « Lido di Venezia » et avaient choisi le « Grand Hôtel des Bains » pour leur séjour. Evidemment, c'était un des établissements les plus chers, sinon le plus cher, mais Julia dépensait très peu, et elle estimait pouvoir offrir à sa famille quelque chose de luxueux. Elle était attirée par cet hôtel parce qu'elle savait que Thomas Mann y avait écrit « La Mort à Venise », un livre qu'elle relisait souvent. Les enfants étaient ravis parce que l'hôtel avait une plage privée et ils étaient tombés amoureux des jolies cabines de bain rondes, dont les toits de paille se terminaient par des touffes amusantes.

Il y avait encore beaucoup de choses à acheter :

peignoirs de bain, des robes d'été légères et un costume en velours côtelé blanc pour Ralph — car Julia voulait être à la hauteur du public sûrement très élégant du Lido.

Très tôt le matin, Lizi Silbermann les conduisit tous les trois dans sa voiture à l'aéroport de Munich-Riem. Leonore les accompagnait, et elle s'agitait dans son effort pour cacher sa jalousie. Cela accentua encore le sentiment de Ralph et de Roberta qu'une grande aventure les attendait. Julia était plutôt inquiète.

Lizi s'en douta.

— N'aie pas peur, Julia, dit-elle, tout ira bien ! Le personnel d'un hôtel comme celui-là a l'habitude de soigner les clients. En arrivant, donne de bons pourboires, au portier et aussi au maître d'hôtel.

— Des pourboires ? Ça m'est désagréable.

— C'est la coutume. Pense combien c'est agréable de recevoir quelques billets. Pour eux, ce n'est absolument pas pénible.

— Est-ce indispensable ?

— Bien sûr ! Sois généreuse, si tu veux être bien servie.

Peu après huit heures ils furent à Munich, et Lizi surveilla les enfants pendant que Julia allait au contrôle. Ralph et Roberta n'avaient encore jamais pris d'avion et ne pouvaient rester en place.

De longues files se tenaient devant les guichets, et lorsque Julia fut enfin prête, ils durent se hâter vers la porte d'embarquement A 12. L'appareil devait partir à 8 heures 40.

— Bonnes vacances ! dit Lizi. Nous allons monter sur la terrasse pour vous regarder décoller. Alors nous participerons un peu à votre grand voyage !

Julia la remercia encore.

— Il n'y a pas de quoi, répondit Lizi. Vous nous manquerez beaucoup !

Julia était touchée.

Elle serra son lourd sac de voyage sous le bras, prit Roberta et Ralph par la main et s'en fut rapidement. Après l'appel, les familles avec enfants avaient le droit de monter les premiers, ils eurent donc de bonnes places à l'avant de l'avion. Pendant que le Bœing

133

roulait sur la piste avant de décoller et de s'élever dans les airs, les enfants furent très intéressés, ils goûtaient l'aventure et la commentaient avec des exclamations. Mais plus tard lorsqu'ils survolèrent les Alpes, avec leurs crevasses et leurs pics, leurs vallées verdoyantes et leurs ombres bleues modelées, ils s'intéressèrent davantage à la boîte de jouets bon marché que l'hôtesse de l'air leur avait donné. Cela déçut Julia : elle avait d'habitude le sentiment d'être en étroite communion d'esprit avec ses enfants, mais elle sentit qu'ils vivaient dans un monde à part, le monde de l'enfance. Alors qu'elle mangea à peine, ils dévorèrent le déjeuner peu savoureux avec grand appétit.

Une heure à peine après le décollage, l'avion atterrit si près de la mer que Julia eut un instant peur qu'ils ne s'y enfoncent. L'avion était plein, et ils durent attendre longtemps que les bagages soient déchargés. Il faisait très chaud et les enfants devenaient grognons.

— Je crois que je vais vomir, dit Ralph.

— Fais un petit effort, répondit Julia nerveusement. — Elle le regarda et constata qu'il était très pâle. — Je suis désolée, mon grand chéri, mais nous ne pouvons rien faire d'autre qu'attendre. Vous ne pouvez sortir et j'aurais d'ailleurs peur de vous perdre.

Enfin, leurs valises apparurent. Julia les chargea sur un caddy. Ils passèrent au contrôle des passeports et à la douane et sortirent à l'air libre. Un soleil jaune rayonnait dans un ciel limpide.

— Nous voilà en Italie ! s'écria Julia. N'est-ce pas merveilleux ?

— Merveilleux ! répéta Roberta en sautant d'un pied sur l'autre.

Ralph ne dit rien, mais son visage reprit des couleurs.

L'enthousiasme de Julia cachait une inquiétude. Elle ne savait pas ce qu'il fallait faire. Puis elle découvrit avec soulagement un homme dont la casquette portait l'inscription : « Grand Hôtel des Bains ». Elle lui fit signe. « Nous allons au Grand Hôtel des Bains, dit-elle, — au Lido… » Elle le regarda d'un air interrogateur, se demandant s'il l'avait comprise.

Mais il n'y eut aucun problème.

— Lido, Grand Hôtel des Bains, répéta-t-il, si, si !

Il appela un autre homme, qui portait la même casquette, et ils rechargèrent les bagages sur un chariot qu'il traîna. Julia et les enfants le suivirent jusqu'à l'embarcadère, où un bateau à moteur de l'hôtel les attendait. L'homme les aida à monter à bord et installa leurs valises.

Puis il se tapota la poitrine du doigt.

— Moi... m'appelle... Pietro, dit-il dans un allemand pénible. *Un momento, prego !*

— Un bateau à moteur vient nous chercher ! dit Julia. Alors, les enfants, qu'en dites-vous ?

— Bon ! s'écria Roberta. C'est bon d'aller en bateau !

— Pourquoi ne partons-nous pas ? demanda Ralph.

— Pietro est allé voir s'il y a d'autres clients pour le Lido, expliqua Julia.

De toute évidence ils étaient les seuls arrivants à cette heure-là, et Pietro revint bientôt, sauta dans le bateau et mit le moteur en marche. Ils traversèrent en bourdonnant les lagunes, dont les eaux grises reflétaient le ciel bleu, passèrent devant des îles aux maisons pittoresques, blanches, beige et ocre.

— Murano ! indiqua Pietro d'un mouvement de la main.

— On y produit du verre coloré, dit Julia aux enfants, nous irons visiter.

Puis ils accostèrent au Lido.

— Regardez ! dit Julia. Là-bas, c'est Venise ! Nous irons visiter aussi !

La ville aux belles coupoles était très éloignée, enveloppée d'une légère brume.

Pietro les aida à monter sur le quai et chargea leurs bagages sur un véhicule noir très respectable, appartenant à l'hôtel. Fidèle aux recommandations de Lizi, Julia lui donna un généreux pourboire, et fut récompensée par un large sourire.

Ils traversèrent l'île en voiture et virent bientôt la vaste plage et la mer. L'Hôtel des Bains était encore plus grand et plus magnifique qu'ils ne l'avaient imaginé, et la dimension du hall intimida les enfants. Ils ne voulurent pas s'asseoir dans les grands fauteuils confortables et préférèrent attendre auprès de leur mère pendant qu'elle s'informait de leur chambre au réceptionniste.

Elle fut soulagée qu'il parle l'allemand.

— Lâche-moi, dit-elle à Ralph et elle sortit un gros billet de son sac, qu'elle tendit au concierge. — Pour le personnel ! dit-elle timidement.

Comme Lizi l'avait prévu, il ne fut nullement choqué.

— Merci, madame ! dit-il, faisant discrètement disparaître le billet. Voilà, j'ai une très belle chambre pour vous... avec vue sur la mer ! — Il appela le groom à qui il donna une clé. — Il va vous accompagner, Madame... les bagages vous suivent.

La chambre, au quatrième étage, était un peu démodée, mais presque luxueuse et meublée avec goût. Il y avait un grand lit, un petit bureau, deux fauteuils, une petite table ronde et un lampadaire avec un abat-jour en soie. Une aquarelle représentant des fleurs printanières était accrochée au-dessus du lit. Mais le plus impressionnant était la vue sur l'immense mer bleue. Quand on s'approchait de la fenêtre, on ne voyait ni la rue, ni les arbres, ni la plage, on avait l'impression d'être sur la mer.

— C'est très beau ! dit Julia qui donna un pourboire au garçon d'étage, avec assurance cette fois.

— Alors, ça vous plaît ? demanda Julia lorsqu'ils furent seuls.

Ralph regardait la mer avec nostalgie.

— Je voudrais être capitaine... ou plutôt pilote !

— Où je vais dormir ? demanda Roberta.

— On va apporter un petit lit.

— Autrement, je dormirai dans ton lit ? dit Roberta avec espoir, car elle n'aimait rien tant que de se glisser dans le lit de Julia le samedi et le dimanche matin.

Mais avant même que Julia ait achevé de défaire ses valises, on apportait le petit lit.

Ils étaient impatients d'aller à la mer et se changèrent rapidement. Ils atteignirent la plage privée par un passage souterrain — le « tunnel » comme l'appelèrent les enfants. Ils enlevèrent leurs sandales et coururent jusqu'à l'eau sur le sable très chaud, se mouillèrent les pieds dans le ressac, sautèrent en riant et en se tenant par la main.

— Mes enfants, dit Julia, je suis sûre que nous allons avoir des vacances merveilleuses !

Les premiers jours de leur séjour furent, en effet, excellents. Ils les passèrent à la plage, à l'ombre d'un auvent de paille. Julia lisait, se bronzait et surveillait tendrement ses enfants. Ralph était encore assez jeune pour aimer jouer dans le sable, de préférence tout au bord de la mer. Mais Julia ne les laissait pas jouer longtemps, car elle craignait les coups de soleil. Bien que la mer soit très peu profonde au bord, les enfants n'y entraient qu'en tenant leur mère par la main, et Julia en était contente car cela lui évitait des peurs.

Lorsqu'ils en avaient assez, ils changeaient de décor. L'hôtel était entouré d'un grand parc privé, où il y avait un terrain de jeux pour enfants, une grande piscine d'eau de mer et un bassin spécial pour les petits. Ralph et Roberta y avaient plus de courage parce qu'on pouvait voir le fond propre et carrelé. Les enfants y barbotaient avec leurs animaux en caoutchouc, pendant que Julia nageait et plongeait dans la grande piscine.

A midi, ils achetaient quelque chose au snack-bar dans le parc, pour ne pas avoir à s'habiller, mais le soir ils se mettaient sur leur trente et un pour dîner autour d'une petite table ronde dans l'élégante salle à manger, dont les portes grandes ouvertes laissaient entrer l'air du soir.

C'est Ralph qui bronza le plus vite et il avait très bonne mine. Julia le regardait souvent, et elle n'avait pas l'impression qu'il souffrait de ses douleurs.

Elle se trompait. Ralph avait toujours ses douleurs, mais il ne voulait pas gâcher les vacances de sa mère et de sa sœur. Il s'était d'ailleurs presque habitué à cette maladie à laquelle il était seul à croire et dont la cause restait inconnue.

Julia aurait aimé se rendre au moins une fois à Venise avec ses enfants, mais ils semblaient se sentir si bien à la plage ou dans le parc qu'elle ne pouvait les arracher à cet environnement.

Comme c'était la période des grandes vacances, il y avait à l'hôtel principalement des familles avec des enfants.

Il n'y avait qu'un seul homme non accompagné, mais comme elle ne cherchait pas l'aventure, plusieurs jours se passèrent avant qu'elle ne s'en aperçoive. Il avait un fils du nom de Markus, âgé de neuf ans, un garçon à la tignasse blonde, avec des yeux bleus moqueurs et des taches de rousseur. Ralph et lui se lièrent d'amitié, et c'est ainsi que Julia découvrit que l'homme long et mince, au visage étroit et allongé de musicien, était le père. On se saluait, on échangeait des sourires, quelques remarques sur le temps, la climatisation de l'hôtel ou un repas particulièrement savoureux.

Un jour, Julia était assise à l'ombre de son auvent de paille à observer les deux garçons. Ils étaient accroupis sur le môle qui s'avançait loin dans la mer, protégés du soleil par des chapeaux et des chemisettes, et étaient occupés à pêcher de petits crabes inmangeables qu'ils jetaient dans leurs seaux remplis d'eau. Roberta jouait près de sa mère.

Le père de Markus s'approcha. Julia ne l'aperçut que lorsqu'il se trouva devant elle.

— Hallo! salua-t-il.

— Oh!... Hallo!

— Ils semblent bien s'entendre.

— Oui, c'est même étonnant. Ralph est d'habitude très... réservé.

— Il semble être un garçon très sérieux.

— C'est vrai.

La tête rejetée en arrière, Julia était inconfortable pour le regarder. « Vous ne voulez pas vous asseoir un instant ? » demanda-t-elle et elle trouva aussitôt que cette invitation était déplacée : elle aurait mieux fait de plonger le nez dans son livre, lui faisant ainsi comprendre qu'elle n'était pas intéressée par une conversation.

Mais maintenant il était trop tard.

Il s'était déjà laissé tomber sur le sable, les jambes élégamment croisées.

— Je voulais vous dire... vous avez une façon charmante de traiter votre frère et votre petite sœur.

Julia enleva ses lunettes de soleil et le regarda.

— Mon frère et ma sœur ? répéta-t-elle sans comprendre.

— Ne me dites pas que je me suis trompé. Je ne dirais pas qu'ils sont vous tout crachés, mais il y a un air de famille qui ne trompe pas.

— Pas étonnant ! dit Julia en riant de bon cœur. Ce sont mes enfants !

— Vraiment ?

— Vous savez, j'aime assez les compliments, mais il ne faut pas qu'ils soient trop gros ! — Julia rit de nouveau. — Roberta, ma petite sœur ! Avec une telle différence d'âge !

— Mais pourquoi ? Vous pouvez avoir… quoi ? vingt ans ?

— Disons plutôt vingt-sept.

— Mais vous paraissez tellement jeune !

— Il me manque peut-être quelque chose pour paraître vraiment adulte. — Sans le vouloir, elle ajouta : — Mon mari m'a toujours traitée comme une enfant.

— Vous l'avez quittée ? Pour prouver que vous êtes adulte ?

— Oh non ! Je ne suis pas divorcée, je suis veuve.

— Je suis désolé. Je veux dire d'avoir touché un point sensible.

— Vous ne pouviez pas le savoir. D'ailleurs, c'est ma faute. C'est moi qui en ai parlé.

Un silence un peu gêné s'installa.

— Je suis heureux que les deux gamins s'entendent si bien, dit-il au bout d'un moment. Markus traverse en ce moment une phase assez difficile. Vous comprenez, c'est un enfant de divorcés.

Il avait un léger accent berlinois.

— Vous êtes de Berlin ? demanda Julia.

— Ne me dites pas que cela s'entend.

Elle sourit.

— Un petit peu.

— J'ai oublié de me présenter ! — Il sauta sur ses pieds et s'inclina très cérémonieusement, ce qui était assez drôle, car il ne portait qu'un slip de bain. — Michael Reutner.

Julia lui tendit la main.

— Julia Severin. D'Eysing-les-Bains. Vous connais-sez peut-être ? Ça se trouve entre Traunstein et Munich.

— Vous êtes donc de Bavière ? demanda-t-il.

— J'en suis. A Eysing-les-Bains. Mais je n'y appar-tiens pas réellement. Mes parents étaient d'ailleurs, et je reste une « étrangère » aux yeux des habitants.

— Nous, Berlinois, nous sommes très différents, dit Michael Reuther non sans complaisance. — Chez nous, on peut se considérer comme Berlinois authentique au bout de quelques années.

— Et quand quelqu'un vient d'Amérique et ne reste que quelques heures, il a droit également à l'appela-tion ?

Il rit, et parut soudain très jeune. « Touché ! » dit-il. Elle rit également.

Dès lors, leurs rencontres ne furent plus fortuites, et ils n'en restèrent pas à un bref échange de paroles insignifiantes ; au contraire, on voyait qu'il recherchait sa présence. Elle apprit qu'il avait quarante-deux ans, qu'il était conseiller d'Etat, et que son mariage avait échoué parce que sa femme avait voulu faire sa propre carrière et avait commencé à suivre ses propres che-mins. Comme elle n'avait pas demandé la garde de l'enfant, le garçon était resté avec lui.

— Ce n'est pas comme si elle ne l'aimait pas. Mais elle ne veut pas qu'il soit déchiré entre nous deux, et aussi parce qu'elle sait que Markus et moi nous nous entendons très bien.

— Je n'aurais jamais renoncé à mon fils ! déclara Julia.

Ils étaient assis au bord de la piscine, les jambes dans l'eau.

— Non, vous sûrement pas.

— Et je n'aurais jamais divorcé.

Il lui posa légèrement la main sur l'épaule.

— Aucun homme ne vous aurait jamais quittée, Julia !

C'était agréable d'être courtisée, mais Julia était très loin d'être tombée amoureuse de Michael Reuther. Il était intelligent, assez beau, grand et mince, mais elle le

140

trouvait trop vieux. Ce n'était pas une question d'âge, mais il avait tendance à être paternel.

Une fois, alors qu'elle allumait une cigarette — ils étaient assis à une petite table de fer forgé près du snack-bar, sirotant un « drink », il lui dit avec reproche :

— Devez-vous absolument fumer, dans cet air merveilleux ?

— Je ne dois pas, mais j'en ai envie.

— Alors renoncez-y, pour me faire plaisir !

— Si cela vous dérange tellement, vous pouvez vous asseoir à une autre table.

— Ce qui me dérange, c'est que vous empoisonniez vos jolis poumons roses avec cette horreur.

Elle but une gorgée de gin-tonic.

— Cessez de refaire mon éducation. Vous êtes exactement comme mon mari.

Ses grands yeux s'élargirent d'horreur lorsqu'elle se rendit compte de ce qu'elle venait de dire.

— Vous n'étiez donc pas heureuse, vous non plus, dans votre ménage ?

— Si.

— Mais vous venez de dire...

— Du vivant de mon mari, cela m'était égal. J'avais trois ans de moins et je n'avais pas encore l'habitude de l'indépendance. J'ai dû changer depuis, c'est pourquoi cela m'agace maintenant.

Michael Reuther eut un sourire moqueur.

— C'était une excellente plaidoirie, vous ne trouvez pas ?

— Ah, vous, les juristes !

— Encore une ressemblance avec votre mari ?

— Oui.

Il lui prit la main.

— N'est-ce pas magnifique que nous soyons déjà assez proches pour pouvoir nous disputer ?

— Ne vous approchez pas trop ! dit-elle, et elle se leva.

— Non, Michael Reuther ne signifie rien pour moi, dit-elle un après-midi à Ralph.

— Il est très gentil, répliqua Ralph sans la regarder.

141

— Bien sûr. Mais je ne suis pas amoureuse de lui, je t'assure.

— Pourquoi me racontes-tu ça ?

— Pour que tu saches que tu n'as aucune raison d'être jaloux.

Il leva la tête et la regarda de ses yeux verts :

— Tu me prends donc pour un bébé ?

— Ecoute Ralph, ce n'est pas une honte d'être jaloux !

Il se dégagea.

— Je ne le suis pas du tout.

— Tant mieux. Je voulais seulement te dire que je ne reverrai pas Michael Reuther après les vacances.

— Ça m'est complètement égal.

I L faisait très chaud; on ne se sentait bien qu'à l'ombre ou dans l'eau.

— Si nous allions danser? proposa Michael Reuther. Ils étaient paresseusement étendus à l'ombre vert émeraude d'un marronnier.

Julia se redressa. La proposition l'électrisa. Il y avait longtemps qu'elle n'avait pas dansé. Ses yeux brillèrent.

— Je savais que vous en auriez envie!

— L'envie ne me manque pas, dit-elle avec une indifférence feinte, et elle s'étendit de nouveau, mais je ne peux pas laisser les enfants seuls.

— Et pourquoi pas? Il ne peut rien leur arriver, ici.

— Il pourrait y avoir un incendie.

Il rit.

— Absurde! Justement dans notre auberge de luxe!

— Ils n'ont pas l'habitude de rester seuls.

— Il est donc grand temps qu'ils la prennent.

— Non, je ne peux simplement pas m'y résoudre.

— Julia, je sais combien vous aimez vos enfants. Vous voulez pour eux ce qu'il y a de meilleur, mais vous ne devez pas tellement vous accrocher à eux. Vous devez les aider à devenir indépendants.

— Ils sont bien trop petits pour cela!

— Ralph a huit ans!

Julia se redressa, enleva ses lunettes de soleil et le regarda en face.

— Vous voulez peut-être m'apprendre comment élever mes enfants ?

Il rit d'un air conciliant.

— Ne me regardez pas avec cet air sinistre, chère Julia ! Je n'ai nullement l'intention de me mêler de vos méthodes d'éducation...

— Mais vous venez de le faire ! s'écria-t-elle.

— ... Je veux seulement aller danser avec vous !

— Rien à faire !

Il passa ses longues jambes bronzées par-dessus le bord de sa chaise longue, fit un pas vers elle et s'agenouilla près d'elle dans l'herbe.

— Et si vous leur en parliez ? demanda-t-il.

— Non, dit-elle.

Le souvenir du réveillon manqué du Nouvel An, qu'elle voulait passer à Munich en laissant les enfants seuls, la submergea. La vie commune avec ses enfants n'était plus aussi harmonieuse qu'auparavant. Julia y voyait sa punition pour avoir voulu s'amuser. Mais elle ne pouvait expliquer cela à Michael Reuther, car elle craignait que sa logique de juriste ne démolisse ses arguments. Elle se rendit également compte qu'il était en droit d'attendre de sa part autre chose que ce « non ».

— Michael, dit-elle se tournant vers lui et s'appuyant sur le coude, vous ne connaissez pas Ralph. Il ne dirait rien si je lui annonçais que je veux sortir le soir. Il n'est pas du tout craintif et parfaitement capable de veiller sur sa sœur. Il ne s'agit que de moi, rien que de moi ! Je suis incapable de les laisser seuls !

— Vous êtes une petite personne complètement folle, dit-il en hochant la tête.

— Parce que je me sens responsable de mes enfants ?

Il se releva.

— Bon, ne nous disputons pas. Je vois que je ne peux pas vous changer. — Il se mit à marcher de long en large, puis il s'arrêta devant elle. — Mais nous n'avons pas besoin d'aller à Venise ! dit-il joyeusement, comme s'il venait seulement d'y penser. — On danse ici aussi... derrière la piscine.

— Oui, je sais, dit Julia d'une voix éteinte.

— Restons ici ! Alors vous verrez à temps quand l'hôtel sera en flammes.

— Ne vous moquez pas de moi !

— Non, je me réjouis seulement.

— Oui, ce serait une solution. Mais un peu différente de ce que vous imaginez.

Elle se leva, enfila son peignoir de bain et mit ses sandales.

— Je suis bien curieux…

Elle fit, rayonnante et libérée :

— Nous laisserons les enfants ici, tout simplement ! De toute manière ils se couchent beaucoup plus tard qu'à la maison, alors une heure de plus ne fera pas une grande différence.

Il n'aima pas tellement cette idée. Il aurait préféré être enfin seul avec Julia, car même pendant cet entretien Roberta était restée à côté d'eux à jouer avec sa poupée, alors que Ralph et Markus, qui se parlaient à l'oreille, restaient à portée de vue.

Mais il avait quand même avancé d'un tout petit pas, et il fit semblant d'être très heureux.

— Entendu, Julia ! Alors quand ?

— Pourquoi pas aujourd'hui ? Si vous voulez bien surveiller les enfants un petit moment.

— Que voulez-vous faire ?

— Aller chez le coiffeur, la manucure, etc. Je veux me faire belle pour vous !

— Je ne peux imaginer ce que l'on pourrait améliorer dans votre apparence !

— Vous serez surpris !

Le soir, Julia était en effet magnifique, et Michael Reuther en eut le souffle coupé.

Elle s'était fait laver et couper les cheveux, raidis par l'eau de mer, et ils avaient retrouvé leur souplesse et leur brillant. Elle s'était mis du mascara et avait ombré ses paupières. Un peu de fard soulignait ses pommettes et elle s'était servie d'un rouge à lèvres orangé. La robe qu'elle portait était très simple — c'était ce qu'on appelle « une petite robe » —, toute droite, sans manches, ouverte sur le côté, avec un grand décolleté rond, qui mettait en valeur son joli corps, ses bras et ses jambes minces, ainsi que sa peau lisse, maintenant légèrement hâlée.

— Vous n'avez même pas vingt ans ! s'écria-t-il, déconcerté. Vous ne pouvez avoir un jour de plus que dix-huit ans, avouez-le !

Julia rit.

— Vous auriez dû me connaître à dix-huit ans. J'étais très différente.

— Je ne puis l'imaginer.

— Si. J'étais alors plutôt avachie et un peu flasque : je venais d'avoir Ralph.

— Ne me racontez pas d'histoires. Je sais ce que je sais et je ne me laisserai pas dissuader... Vous n'êtes pas la mère, mais la grande sœur de Ralph et de Roberta.

Elle rit encore.

— D'accord, je le serai pour aujourd'hui.

L'air était tiède, et c'était merveilleux de danser en plein air. Les lampions donnaient juste assez de lumière pour reconnaître son partenaire et voir luire l'eau ; mais ils n'assombrissaient pas l'éclat des étoiles qui, d'une immobilité trompeuse, brillaient dans le ciel sans nuages.

La stéréo faisait entendre les « tubes » à la mode.

Michael Reuther était un bon danseur, ce à quoi Julia ne s'attendait pas. Ils trouvèrent très vite un tempo commun et suivirent facilement les rythmes « hot ».

Savoir ses enfants à proximité augmentait encore le plaisir de Julia. Elle les avait habillés avec soin : Ralph portait son costume en velours côtelé blanc, une chemise bleu clair à ruches, et Robsy une longue robe de mousseline rose garnie de volants.

Ralph et Markus — Markus portant une blouse de matelot blanche à grand col — se tenaient à l'écart et refusaient les invitations à danser des petites filles, alors que Roberta tournait sur elle-même au bord de la piste de danse.

— N'est-elle pas ravissante ? demanda Julia.

— Qui ?

— Robsy, naturellement.

— Oui, elle est charmante.

146

— Et nos fils semblent s'entendre très bien. N'as-tu pas remarqué.

— Julia, je t'en prie, oublie-les ? Au lieu de penser tout le temps aux enfants...

— A qui d'autre ?

— A toi et à moi ! A Julia Severin et à Michael Reuther !

— Je ne fais que ça ! assura-t-elle. Mais cela ne me fait pas oublier le reste.

— Tu devrais.

— J'essaierai. — Elle leva son visage vers lui. — C'est merveilleux de danser avec toi !

Elle ne se rendait pas du tout compte qu'ils étaient en train de se tutoyer.

— C'est déjà mieux !

Il la serra contre lui. A cet instant, Markus surgit sur la piste de danse et le tira par le bras.

— Ralph est en train de dégueuler ! cria-t-il si fort que tous les danseurs s'arrêtèrent et les regardèrent.

Julia eut peur.

— Psst ! Markus, quelle expression ! dit Michael Reuther.

— Mais c'est vrai, Papa, assura Markus et, pour marquer l'incident, il ajouta : Il dégueule comme un héron !

— Où est-il, Markus ? Conduis-moi, vite !

Markus fit demi-tour et courut dans le parc. Julia et Michael Reuther le suivirent aussi vite qu'ils le pouvaient. Ils trouvèrent Ralph à quelques pas de la piste de danse. Il venait de vomir et sentait mauvais. A présent, il haletait en se pressant les mains sur le ventre.

— Ralph, mon pauvre chéri...

— Les crabes de ce soir n'étaient peut-être pas frais, suggéra Michael Reuther.

— Alors on serait tous malades, rétorqua Markus.

Timidement, Julia posa la main sur le front de son fils ; il était froid, couvert de sueur.

— Je suis désolée, dit-elle, désemparée.

— Il faut qu'il aille au lit, décida Michael Reuther.

Julia prit Ralph par la main.

— Nous passerons par-derrière, décida-t-elle.

Michael, voulez-vous être assez gentil pour m'apporter mon sac?

Dix minutes plus tard, Ralph était au lit, lavé et vêtu d'un pyjama frais. Il était couché, les yeux fermés, et très pâle. Julia et Michael Reuther se tenaient au pied du lit et l'observaient.

— Ne vous faites pas trop de soucis, dit-il, demain il sera rétabli.

Il mit le bras autour des épaules de Julia. Elle ne savait pas comment se dégager sans le vexer, et elle fut soulagée lorsque le problème fut résolu de lui-même : on frappa à la porte.

Elle courut ouvrir.

Un homme en smoking blanc se tenait devant elle, très mince, très élégant, avec une petite moustache noire et des yeux très noirs derrière des lunettes cerclées d'or.

— Bonsoir, madame, dit-il dans un allemand un peu hésitant, je suis le médecin de l'hôtel, le docteur Menotti...

— Vous êtes le bienvenu ! déclara Michael Reuther. Le garçon s'est senti mal. Ce sont probablement les crabes.

Le docteur Menotti sourit avec indulgence.

— On ne sert pas de produits avariés à l'Hôtel des Bains, signora !

— Mais il n'a rien mangé en dehors de l'hôtel... n'est-ce pas, Julia ?

Elle secoua négativement la tête.

— Si vous permettez, je vais l'ausculter, dit le docteur Menotti en regardant Julia.

Elle acquiesça de la tête et se tourna vers Michael Reuther. Ses yeux étaient agrandis par la peur.

— Nous avons oublié Robsy ! Voulez-vous aller la chercher ?

— Ne soyez donc pas si inquiète, Julia. Robsy est au milieu de gens. Markus s'en occupe sûrement.

— Je vous en prie, Michael, allez la chercher.

Elle fut soulagée lorsqu'il quitta la chambre ; elle avait l'impression étrange que Ralph ne pouvait aller mieux tant qu'il serait présent.

Le médecin tâta le ventre plat et bronzé de Ralph, lui

pressa fortement le côté droit, et le garçon poussa un petit cri.

— Ça fait mal, n'est-ce pas ?

Ralph fit « oui » de la tête.

Le docteur Menotti se tourna vers Julia.

— Est-ce la première fois...

— Qu'il a vomi ? oui. Mais il s'est déjà plaint de maux de ventre. Du moins il y a quelque temps.

— Intéressant. Racontez, s'il vous plaît !

Julia rapporta ce qu'elle savait, en omettant seulement de dire qu'il écrivait moins bien et que son professeur de piano n'était pas contente de lui ; elle ne pouvait imaginer que cela ait quelque chose à voir avec sa maladie.

— Depuis que nous sommes au Lido, termina-t-elle, il allait très bien.

— Vous voulez dire qu'il n'avait plus de douleurs ?

— Oui.

— Je ne puis le croire.

— Vous pensez qu'il n'en a pas parlé ?

— Oui, naturellement. — Il caressa doucement la joue de Ralph. — Il semble être un ragazzo très courageux.

— Je ne peux y croire. C'est exclu.

— Réfléchissez, signora. Vous allez avec lui chez le dottore. Dottore dit : il n'a rien. Vous croyez dottore. A qui peut-il se plaindre ? Et puis, vacances. Il ne veut pas vous malheureuse faire.

Julia se serait volontiers jetée à genoux devant Ralph.

— Est-ce vrai, Ralph ? cria-t-elle. As-tu entendu ce que le docteur a dit ? Est-ce vrai ?

Ralph ouvrit les yeux, mais ne dit rien.

Le docteur Menotti lui prit la main.

— Tu as toujours eu ces douleurs, dit-il avec calme, au Lido également.

Ralph fit un signe de tête affirmatif.

— Mais tu ne voulais pas faire triste ta mamma.

— Elle... ne me croyait jamais, dit Ralph avec hésitation.

— Tu ne dois pas être fâché contre elle. Elle ne

pouvait croire, parce que le dottore lui a dit que tu n'avais rien.

— Mais s'il avait toujours ces douleurs, demanda Julia, et elle dut lutter contre l'évanouissement, qu'est-ce que cela signifie? Il faut faire quelque chose!

— Cela peut être une appendicite. Les symptômes semblent l'indiquer. Son péritoine est légèrement enflammé.

— Mais il n'a pas de température!

Le docteur Menotti se leva, avec un sourire rassurant.

— Ce n'est pas un cas classique. Mais cela pourrait être l'appendicite.

— Il faut donc l'opérer?

— Je dirais : oui.

Michael Reuther entra, tenant Roberta par la main, suivi de Markus.

— Vous êtes blanche comme la craie! dit-il.

— Mais pourquoi? intervint le docteur Menotti. Non, je ne vous le conseille pas. Il y a un très bon hôpital pour enfants au Rio dei Riformati. Il faut le conduire là. Subito. Tout de suite.

— Ce soir? demanda Julia, angoissée.

— Mais qu'a-t-il? s'informa Michael Reuther.

— Appendicite, murmura Julia.

Reuther jeta un regard inquiet au docteur Menotti.

— Vous craignez une péritonite?

— Oui.

La conscience du danger réveilla l'énergie de Julia.

— Je vais réunir ses affaires. Ça prendra quelques minutes. Ce n'est pas la peine de l'habiller. Un manteau sur son pyjama suffira.

— Molto bene. Très bien.

— Robsy restera avec moi, proposa Michael Reuther. Markus et moi veillerons sur elle.

Roberta se cramponnait aux jambes de Julia.

— Veux venir aussi! Veux venir!

Le docteur Menotti comprit la situation.

— Je vais vous trouver une jeune fille, signora... Comment appelle-t-on ça? Une « babysitter ». Une demoiselle qui sait s'occuper d'enfants. Elle va mettre la petite au lit, la consoler et la veiller jusqu'à votre retour, signora. Notre absence ne durera pas toute la nuit !

— Merci, Docteur !

— Je vais aller faire le nécessaire. Nous irons avec le bateau de l'hôtel diretto à Rio dei Riformati. A tout de suite.

Lorsque la porte se referma sur lui, Julia dit avec gratitude :

— Comme c'est bien qu'ils aient ici un médecin aussi sérieux ! Il est aussi très gentil, n'est-ce pas ?

Elle avait déjà sorti une petite valise de l'armoire et était en train de la remplir de pyjamas, de slips, de pantoufles et des affaires de toilette.

— Voulez-vous que je vous accompagne ? demanda Michael Reuther.

— Pour quoi faire ? Elle lui jeta un bref regard.

— Ce dottore Menotti semble avoir fait votre conquête !

— Vous êtes fou, Michael. Vous devez être fou pour supposer une chose pareille de ma part.

— Bah, il est beau garçon... un type qui plaît aux femmes.

Julia ferma la valise et se redressa.

— Je crois qu'il est temps que vous partiez.

— Autrement dit, vous me mettez à la porte.

— Oui. — Elle put même sourire. — A demain. — Elle lui tendit la main. — Ça aurait pu être une charmante soirée.

— Nous avons encore beaucoup de soirées devant nous, Julia.

Il retint sa main bien trop longtemps.

— Bonne nuit ! dit-elle en lui retirant sa main. Bonne nuit, Markus !

Julia se pencha vers Roberta et, par ses baisers, enleva les larmes de son petit visage défait.

— Il faut que tu sois très courageuse, ma chérie, tu es maintenant une grande fille ! Une gentille demoiselle va venir, elle te tiendra compagnie jusqu'à mon retour. Mouche-toi et lave-toi le visage à l'eau froide, pour qu'elle voie comme tu es jolie dans ta belle robe !

L'allusion à sa beauté et au fait qu'elle était une grande fille fit son effet ; Roberta renifla, s'essuya les yeux avec ses petits poings et tenta d'exploiter la situation.

— Je peux avoir encore une limonade ?

— Mais oui, chérie, vous aurez toutes les deux de la limonade, la demoiselle et toi. — Julia s'approcha de Ralph. — Je crois que tu ne dois plus rien boire, dit-elle.

Il la regarda, les yeux plissés.

— Ils vont m'opérer tout de suite ?

— Je ne sais pas. Mais tu ne dois pas avoir peur...

Il la prit au mot. — Je n'ai pas peur, au contraire, je suis content.

Il passa ses jambes par-dessus le bord du lit.

— Content ? répéta Julia, sans comprendre.

— Oui. Parce que c'est l'appendicite.

Le lendemain, Ralph fut opéré dès les premières heures de la matinée. Lorsque Julia vint lui rendre visite à l'hôpital, il ne pouvait pas encore parler. Mais dès le lendemain il se sentit beaucoup mieux et elle en fut très soulagée.

Jour après jour elle se rendait à l'hôpital pédiatrique avec le bateau de l'hôtel. Quand il le pouvait, le docteur Menotti l'accompagnait. Elle aimait sa présence et il semblait plaire à Ralph.

Lorsqu'elle fut certaine que Ralph allait de mieux en mieux, qu'il n'avait ni fièvre ni douleurs, elle se laissa entraîner par le jeune médecin à faire un saut jusqu'à Venise, avant de rentrer au Lido. Il lui montra certains canaux romantiques, que les étrangers ne pouvaient connaître, lui fit admirer des ponts aux courbes élégantes, les places pittoresques et lui fit apprécier la magnifique architecture des Palazzi et du Campanile. Elle prenait d'autant plus plaisir à ces excursions, qu'elle savait Roberta bien gardée par Maria, la jeune fille italienne. C'était pour Julia une sensation étrange d'être seule avec un homme, sans penser à ses enfants ni s'inquiéter pour eux. La plupart du temps, ils prenaient l'apéritif au Harry's Bar ou bien dans un des nombreux petits « ristorante », que le docteur Menotti semblait très bien connaître. Lui-même était à Venise un personnage connu, il était souvent salué et devait s'arrêter pour échanger quelques mots avec des gens.

Un jour, il la conduisit dans la cour d'un Palazzo, au milieu de laquelle étaient placés des tables et des bancs, entourant un pied de vigne géant, dont le feuillage offrait une ombre agréable. Il lui commanda un Campari, et pour lui une cruche de vin blanc âcre, qu'il aimait particulièrement.

Julia respira profondément, but une gorgée de son verre glacé et dit, sans y attacher d'importance :

— J'aime être ici !

Il la regarda avec une expression de tendre admiration dans les yeux.

— Oui, dit-il, je l'ai déjà souvent pensé : au fond, vous êtes ici à votre place.

— Qu'est-ce qui vous le fait croire ?

— Votre manière de vivre. Votre amour pour vos enfants. Vous les aimez comme une Italienne. Avouez-le : chez vous, on doit trouver que vous les gâtez trop.

— C'est très possible.

— Nous, les Italiens, nous trouvons tout naturel de gâter nos enfants.

— Avez-vous des enfants ? demanda Julia, et son cœur battit très fort.

Elle espéra qu'il ne s'en apercevrait pas.

— Non.

Elle se trouva idiote, parce qu'elle en fut infiniment soulagée, et elle dut lutter contre l'impulsion de toucher l'étroite main brune du médecin. Pour cacher son émotion, elle prit une cigarette.

Il lui donna du feu.

— Je me fais du souci pour vous, Julia, dit-il, l'appelant pour la première fois par son prénom. Des soucis...

— Mais pourquoi ? — Elle arbora un petit sourire. — Je me porte très bien.

— Vous venez de subir un douloureux coup du destin... ou bien ne devrais-je pas vous le rappeler ? Vous ne voulez pas que j'en parle ?

— Il n'y a rien à en dire.

— Si. Je voudrais vous parler de moi. J'ai été fiancé. A une jeune fille très belle et très douce. Nous nous connaissions depuis l'enfance. Nous devions nous marier dès ma promotion. Mais elle est morte. D'une congestion pulmonaire.

— C'est affreux !

— Je ne vous le raconte pas pour éveiller votre compassion, mais pour que vous sachiez que je vous comprends.

— Je l'ai senti dès le début.

— Vraiment ?

Cette fois, c'est lui qui lui prit la main. Elle n'avait jamais cru que le contact d'un homme puisse l'émouvoir autant, et elle n'osait pas le regarder.

— Après cela, je ne pouvais plus supporter de vivre chez moi, reprit-il, tout me rappelait ma perte. J'aurais pu reprendre la clientèle de mon père. Mais je ne le voulais pas. Je ne le pouvais pas. Je savais que je faisais de la peine à mes parents. Mais je les ai quittés, ainsi que mes frères et sœurs, j'ai quitté tous ceux que je connaissais et qui voyaient toujours en moi le jeune homme qui avait perdu sa fiancée. Je suis parti en mer. Je me suis engagé comme médecin de bord et, voyez-vous, Julia, cela m'a sauvé.

— Oui, je puis très bien le comprendre, dit-elle, l'espace... la mer... les aurores et les tempêtes... On peut oublier sa douleur.

— Comme vous voyez juste !

— Ce n'est pas difficile. Moi-même, j'ai souvent envie de fuir... mais où ? un voyage autour du monde ? Mais je ne peux laisser mes enfants seuls.

— Bien sûr que non ! Venez ici, en Italie... avec les enfants. Vous avez notre manière de vivre, et vous apprendrez vite notre langue.

Julia le regarda et elle lut l'amour dans ses yeux. Il était tellement différent de Robert, différent de tous les hommes qu'elle avait connus, et elle sentit qu'elle pourrait l'aimer. Quelle tentation ! mener une vie nouvelle à ses côtés ! Habiter un de ces appartements aérés, dont la vue donnait sur un de ces jardins fleuris que l'on ne pouvait voir de la rue.

— Tout est encore si étranger pour moi, dit-elle.

— Mais vous me connaissez !

Elle eut soudain une envie folle d'être dans ses bras.

— Ce serait une aventure.

— La vie n'est belle que si elle reste une aventure ! ne le sentez-vous pas ?

— Je ne l'ai encore jamais envisagée sous cet angle.

— Il est temps de vous réveiller de votre hibernation nordique, Julia !

Elle sentait qu'il était sérieux. Il ne voulait pas la perdre. Mais quelque chose de décisif manquait à ses paroles. Elle regarda sa main droite qui tenait toujours la sienne serrée. Il ne portait pas d'alliance.

Il comprit ce qui inquiétait Julia.

— Oui, Julia, c'est vrai, dit-il. Je suis marié.

Le sang quitta le visage de Julia. Elle voulut retirer sa main, mais n'en eut pas le courage.

— J'étais fatigué des petites... comment dites-vous ça ? des petites liaisons minables. Je voulais avoir une femme convenable, un lien solide, et je me suis marié. C'est une bonne épouse. Mais c'était une erreur de ma part. J'aurais dû attendre un amour véritable. L'affection seule ne suffit pas !

Elle aspira l'air profondément et chercha à se ressaisir.

— J'en suis désolée pour vous !

— Vous me comprenez, Julia !

— Oui. — Elle retira sa main. — Je crois qu'il se fait tard. Nous devons rentrer à l'hôtel.

— Réfléchirez-vous à mes paroles ?

— J'aurai suffisamment de temps, dit-elle, et elle retrouva même son sourire.

Elle ne se rendit pas compte combien il était douloureux.

Le retour au Lido fut silencieux.

Julia ne pouvait en vouloir au docteur Menotti : son penchant pour elle était trop sincère, elle ne pouvait en douter. Mais elle était déroutée par ses propres sentiments qui avaient menacé de la submerger — des sentiments pour un homme dont elle ne connaissait même pas le prénom. Elle avait pourtant été tellement sûre de n'avoir besoin d'aucun homme ni de pouvoir en aimer un.

Elle avait l'impression que sa réserve n'était pas une

protection suffisante, mais une fragile couche de glace qui pouvait se briser au moindre choc.

Elle décida d'être à l'avenir encore plus vigilante.

Le lendemain, lorsque le docteur Menotti proposa de l'accompagner à l'hôpital, elle ne refusa pas. Cela lui aurait semblé être une faiblesse de sa part. Mais elle s'efforça d'éviter toute conversation personnelle.

Ce n'était pas difficile, car il sentit immédiatement son changement d'attitude et n'insista pas. Mais il la traita avec une réserve affectueuse.

Quand, huit jours après l'opération, Julia voulut aller chercher son fils, le docteur Menotti était à ses côtés, comme si cela allait de soi.

A l'entrée de l'hôpital on leur dit que le professeur Malatesta voulait lui parler.

Le professeur, un homme très grand aux cheveux blancs, les reçut dans son cabinet, une vaste pièce d'angle à trois fenêtres. Les stores étaient baissés, de sorte que l'ardeur aveuglante du soleil n'entrait pas par les étroites fentes. Il salua Julia très poliment et la pria de prendre place dans l'un des fauteuils d'osier aux coussins multicolores qui formaient un coin-salon. Il ne parlait que l'italien, mais ses gestes étaient tellement expressifs qu'elle put le suivre. Il échangea avec le docteur Menotti, qu'il paraissait très bien connaître, quelques rapides paroles que Julia ne saisit pas. Puis les deux hommes s'assirent à leur tour. Alors commença l'entretien véritable et le docteur Menotti servit d'interprète.

— Signore professore dit, commença-t-il, que l'opération s'est très bien passée. Il n'y eut aucun incident. Le cœur et les poumons du patient sont bons. Il n'y a pas eu de fièvre après l'opération. Il n'a pas eu besoin d'antibiotiques.

Julia écouta ce rapport satisfaisant sans pouvoir pourtant se décontracter. Elle sentait qu'il cachait quelque chose de grave, sinon le professeur ne l'aurait pas fait venir. Elle chercha à se rassurer en se disant que c'était peut-être l'usage. Aucun de ses enfants n'était retourné en clinique depuis sa naissance.

— Le signore professore dit que l'opération était inutile...

— Inutile ?

Julia se redressa, très droite.

— Le signore professore a confirmé mon diagnostic : appendicite. Mais il n'a pas trouvé d'inflammation. Il a quand même retiré l'appendice pendant qu'il y était. Vous avez donné votre permission pour l'opération.

— Oui, bien sûr, dit Julia. Il a bien fait. L'appendice ne sert à rien, n'est-ce pas ? Maintenant nous saurons, s'il a encore des douleurs au ventre, que cela ne provient pas de son appendice. Mais alors d'où cela vient-il ? demanda-t-elle d'une voix contenue avec peine, ses maux de ventre ? ses nausées ? ses migraines ?

Le docteur Menotti transmit sa question au professeur Malatesta et traduisit sa réponse.

— Le signore professore dit que l'on a examiné le patient à fond, mais que l'on n'a trouvé aucun foyer d'infection. Un examen psychologique du patient était rendu impossible par l'ignorance des langues.

— Il pense, dit Julia en se tordant les mains, il pense que ces manifestations pourraient avoir des causes psychiques ?

— C'est possible.

Julia fut sur le point de raconter qu'elle avait elle-même soupçonné un déséquilibre psychique, mais elle ne le fit pas car cela aurait été une trahison à l'égard de Ralph. Les deux hommes étaient des étrangers, ils ne pourraient donc pas la secourir. Alors que leur importait que son fils soit jaloux de ses amis à elle et qu'il ait eu des heurts avec son instituteur ?

Le professeur Malatesta parla au jeune médecin.

— Vous ne devez pas penser, traduisit lentement le docteur Menotti, que le patient simule les symptômes de maladie. Ce serait trop simple. Ce ne sont ni sa volonté ni son subconscient qui les provoquent, mais les tensions psychiques qui se transmettent directement au corps. Le patient se sent réellement malade.

— Oui, je comprends, dit Julia, son médecin chez nous était du même avis. Mais que peut-on faire pour y remédier ?

De nouveau, les deux médecins se concertèrent.

— Le professeur Malatesta vous conseille, dit enfin le docteur Menotti, de ne pas dire au patient qu'il n'avait pas d'appendicite. S'il est convaincu objectivement d'être guéri, il va probablement se sentir aussi guéri subjectivement.

— Je n'aime pas lui mentir.

— Mais nous voulons lui venir en aide, n'est-ce pas ?

— Evidemment.

— Un médecin aussi préfère dire la vérité à son patient. Mais il y a des cas où il est obligé de se taire ou même de mentir.

Le professeur Malatesta dit quelque chose.

— A un enfant non plus, dit Menotti, on ne peut toujours dire la vérité. Il y a des choses qu'un enfant ne peut comprendre.

— Vous avez raison, dit Julia.

— Avant toute chose, essayez de le débarrasser de ses tensions psychiques.

— Mais comment ?

— Conduisez-le chez un psychiatre.

— Mais il n'est pas fou !

— Si les symptômes prennent une telle ampleur, il est au moins perturbé psychiquement.

Les deux médecins échangèrent encore quelques phrases, que Julia ne put comprendre. Puis ils se levèrent.

Julia se leva également ; elle tendit la main au professeur.

— Je vous remercie, Professeur !

Ralph la reçut tout habillé ; il paraissait plein d'entrain, il se jeta dans les bras de Julia et salua le docteur Menotti par une de ses jolies courbettes.

— Ah, que je suis heureux d'être débarrassé de ce sacré appendice !

Les trois autres garçons, encore dans leurs lits, le regardaient avec envie. Pendant que Julia faisait sa valise, Ralph alla de l'un à l'autre, leur serra la main et leur dit au revoir avec quelques bribes d'italien.

— Bravo ! dit le docteur Menotti alors qu'ils longeaient le couloir gris, tu as appris l'italien !

— Pas beaucoup. Mais j'étais bien obligé. Aucun ne parlait l'allemand.

— Ton appendice a donc servi à quelque chose ?

— Comment va Markus ? demanda Ralph alors qu'ils naviguaient sur la lagune pour rentrer au Lido.

Il avait perdu son hâle, mais ses yeux brillaient.

— Je ne sais pas, répondit Julia, nous ne l'avons pas vu.

— Comment cela ?

— Cela s'est fait ainsi. Je n'étais jamais là.

— Ils n'ont même pas demandé de mes nouvelles ? s'écria Ralph, indigné.

— Mais si, Ralph, dit le docteur Menotti, le signore Reuther et Markus m'ont demandé comment tu allais. Ils étaient même très inquiets.

— Alors pourquoi ne me le dis-tu pas, Julia ?

— Parce que moi, je ne les ai pas vus.

Le docteur Menotti offrit une cigarette à Julia et elle lui en fut reconnaissante, même si elle n'avait pas beaucoup de goût, car le vent en arrachait la cendre. Lui aussi fumait, appuyé sur la timonerie ; la longue écharpe bigarrée qu'il portait autour du cou lui donnait un air téméraire ; son regard, qui enveloppait Julia et son fils, était plein d'amour.

Ralph ne voulut pas abandonner le sujet.

— Je trouve ça drôle, dit-il, je vous croyais amis.

— Les Reuther sont des amis de vacances. Rien d'autre. Dès qu'ils seront partis, ils nous oublieront. Nous aussi, d'ailleurs.

— Markus était mon premier ami véritable.

— Rien ne t'empêche d'aller le retrouver dès que nous serons rentrés à l'hôtel.

— Je peux ?

— Pourquoi pas ?

— Je croyais que vous étiez peut-être fâchés.

— Pas du tout. Monsieur Reuther ne m'intéresse pas, tout simplement.

Elle pensait que Ralph serait soulagé par sa réaction, mais il resta pensif, jusqu'à ce que le docteur Menotti attire son attention sur un grand yacht blanc. « S'il est jaloux, pensa Julia, ce n'est certainement pas conscient. » Mais cela n'avait rien d'extraordinaire. S'il avait été conscient d'un tel sentiment, elle aurait pu le combattre avec des arguments raisonnables. Mais cela devait être enfoui très profondément dans son âme.

— Ce doit être formidable de fendre les vagues avec un yacht comme ça ! s'écria-t-il. Evidemment pas ici, sur la lagune, mais au large, en haute mer.

— Tu n'aurais pas peur d'être malade ? demanda le docteur Menotti.

— Jamais plus ! Maintenant que ce sacré appendice est parti, jamais plus ! Dommage que je n'aie pas encore le droit de nager. Ou bien peut-être quand même ? Le professeur a dit : « no aqua » ou quelque chose comme ça.

— Tu as bien compris. Il vaut mieux attendre un peu avant d'aller dans l'eau.

— Combien de temps ?

— Huit jours.

— Alors nous serons déjà rentrés, dit Julia.

— Oh ! fit Ralph.

— Vous ne voulez pas rester encore un peu, Julia ? demanda le docteur Menotti.

— C'est très aimable. Mais je crois que j'aime mieux rentrer.

— Mais pourquoi, Julia ? se révolta Ralph. Maintenant que ça commence à être merveilleux ?

— Nous avons une piscine à Eysing !

— Oui, mais quand il fait chaud elle est tellement pleine qu'on peut tout juste s'y tenir debout.

Julia rit.

— Tu exagères, Ralph ! Nous y avons toujours trouvé de la place pour rester debout, nous étendre et nager.

— Mais ici c'est tellement différent !

— Oui, Julia, s'il vous plaît ! dit le docteur Menotti en l'implorant de ses beaux yeux noirs.

Julia rougit et se le reprocha aussitôt. « J'y réfléchirai », promit-elle, et elle fut heureuse quand le bateau accosta et qu'ils purent le quitter.

— Comme c'est beau ! s'écria Ralph en pénétrant derrière Julia dans la chambre d'hôtel, et il s'arrêta involontairement sur le seuil.

— Oui, ça n'a rien à voir avec une chambre d'hôpital ! dit Julia.

Il se mit aussitôt à enlever sa chemise et sa culotte.

— Où est mon maillot de bain ?

— Où il a toujours été... à gauche, dans le troisième tiroir.

— Tu ne peux savoir comment c'est... d'être enfin bien portant et de pouvoir enfin sortir.

Les larmes montèrent aux yeux de Julia lorsqu'elle vit combien il avait maigri : on lui voyait les côtes.

— Mais ne va pas au soleil ! dit-elle négligemment. Fais attention !

Elle était occupée à vider sa valise.

— Tu ne viens pas avec moi ?

— Si tu veux m'attendre un instant.

Ralph regardait la mer par la fenêtre, pendant qu'elle se changeait. Lorsqu'il se retourna, elle portait déjà son maillot blanc une pièce, qu'elle n'avait pas mis les premiers jours, car elle n'était pas encore assez bronzée.

— Tu es très belle ! dit-il avec admiration.

— Tu trouves ? demanda-t-elle, puis elle rit, courut vers lui et l'embrassa. — Non, chéri, je ne vais pas faire la coquette. C'est vrai, en ce moment j'ai très bonne mine. Mais tu m'aimeras toujours, même quand je serai vieille et laide ?

— Tu ne le seras jamais.

Julia se redressa et se regarda dans la glace : sa taille était fine, les petits seins fermes et ronds sous le maillot moulant, les bras, le cou, la poitrine et le visage étaient délicatement hâlés, et ses yeux ronds, très écartés, brillaient. Ses cheveux bruns, bouclés, étaient ébouriffés par le vent et elle les coiffa rapidement. Elle dit pensivement :

— Dans quelques années, je ne serai plus la même qu'aujourd'hui. Je vais paraître plus âgée, j'aurai des rides. C'est inévitable. M'aimeras-tu encore, alors ?

— Toujours, Julia, tu le sais bien !

Il la serra violemment dans ses bras. Puis il enfila une veste en tissu-éponge, elle sa robe de plage bleue ; ils rassemblèrent les serviettes de bain, des maillots pour se changer, mirent leurs chapeaux de paille et descendirent. Dès qu'ils furent sortis de l'ascenseur, Ralph la dépassa. Julia lui courut après et le retint par l'épaule.

— Tu ne vas pas tout de suite rejoindre Markus !

Etonné, il demanda :

— Pourquoi pas ?

— Il s'est très bien passé de toi pendant une semaine.

— Mais il sera sûrement content de me revoir.

— Moi aussi, Ralph. J'aimerais t'avoir près de moi. Ce n'est pas tellement plaisant pour moi que tu coures tout de suite vers ce garçon étranger.

— Bon, si tu veux.

Elle sentit sa déception, mais ne voulut pas céder.

— Oui, c'est ce que je veux, exactement.

Ils cherchèrent d'abord Roberta, qui jouait au ballon avec Maria, à l'ombre des marronniers. Julia paya généreusement la jeune fille, qui la remercia joyeusement et l'assura dans son allemand approximatif qu'elle avait aimé travailler pour la signora et qu'elle restait à sa disposition. Elle embrassa Roberta en prenant congé.

Julia trouva cela inconvenant, beaucoup trop familier, et elle eut du mal à cacher son mécontentement ; elle se dit que Maria trouvait naturel d'avoir de l'affection pour sa petite protégée. Mais elle n'aima pas du tout quand Roberta lui mit les bras autour du cou et l'embrassa également.

— Elle est gentille, Maria, dit Roberta.

— Bien sûr. Je ne sais pas ce que nous aurions fait sans elle. Mais je suis heureuse que nous soyons de nouveau entre nous.

Julia s'installa dans la chaise longue que Maria venait de quitter.

Roberta prit Ralph par la main. — Tu viens avec moi dans le bassin ? Je peux déjà nager... presque.

— Je ne dois pas encore aller dans l'eau.

— C'est bête.

— A cause de ma cicatrice, tu sais.

— Ils t'ont vraiment ouvert le ventre ?

— Oui.

— Fais voir.

Ralph baissa son slip, et sa cicatrice apparut très rouge et renflée.

— Iiiiii ! cria Roberta s'accrochant à sa mère.

— C'est parce qu'elle est encore fraîche. Plus tard elle sera blanche et plate. Le professeur me l'a promis !

— Pourquoi n'allez-vous pas un peu sur le terrain de jeux ? proposa Julia.

Ralph la regarda avec reproche.

— Tu as dit que je devais rester avec toi...

— Mais tu restes avec moi si tu vas jouer là-bas. Je ne te perdrai pas de vue une seconde.

— Ce n'est pas la même chose.

— Qu'aimerais-tu faire ?

— Aller à la mer.

— Bon, allons à la mer.

Ils ramassèrent leurs affaires et coururent à la plage, cette fois non par le souterrain, mais en traversant la rue, pour n'avoir pas à retourner à l'hôtel.

Julia se tourna vers Gino, le gentil plagiste qui lui avait gardé une place avec vue sur la mer.

Le gril était déjà ouvert. Cela sentait bon, et ils s'aperçurent qu'ils avaient faim. Il y avait du poisson, des steaks, des hamburgers, des hot-dogs et de la salade. Ils se servirent abondamment, retournèrent à leur place à l'ombre de l'auvent de paille et se mirent à dévorer.

Soudain, Ralph cria : « Le voilà ! » Il se leva d'un bond, la saucisse qu'il était en train de manger tomba dans le sable, et il partit en courant.

Julia ramassa la saucisse et tenta de la nettoyer. Mais elle n'était plus mangeable.

— Qu'il est bête ! dit Roberta.

— Il n'aura rien d'autre jusqu'au dîner, décida Julia, énervée. S'il a faim, ce sera de sa faute.

— Pas même une glace ? demanda Roberta, soucieuse.

Julia vit Ralph qui rejoignait deux silhouettes bronzées, qui déambulaient dans l'eau peu profonde près du môle. Si elle n'avait pas su qu'il s'agissait de Michael Reuther et de son fils, elle ne les aurait pas reconnus.

Ralph resta auprès d'eux, une conversation animée était en cours, les deux garçons gesticulaient gaiement.

Puis Michael Reuther se détacha du groupe et se dirigea vers la cabine de bains devant laquelle Julia et Roberta étaient assises, alors que les deux garçons, se tenant par la main, couraient au milieu des petites vagues.

Julia aurait aimé se lever et fuir. Elle en avait le temps, mais cela lui parut quand même trop niais. Elle resta donc où elle était, finit son repas et porta les restes dans une poubelle. Puis elle et Roberta se lavèrent les mains sous le robinet d'une fontaine. Lorsqu'elles revinrent, Michael Reuther était là.

— Hallo! salua-t-il avec aisance. Ma chère Julia! Robsy! Je suis si heureux que vous ayez ramené Ralph!

Julia s'assit sur sa serviette de bain, sans rien dire.

Robsy devina la réserve de Julia à l'égard de Reuther, et elle dit, désinvolte :

— Je ne suis pas du tout allée le chercher, seulement Julia.

Il lui sourit.

— Il ne faut pas toujours tout prendre à la lettre, Mademoiselle!

Julia se garda bien de l'inviter à s'asseoir. Au lieu de cela, elle alluma une cigarette.

Cette fois, il n'osa pas la gronder.

— Veux-tu me laisser seul avec ta maman, Robsy? demanda-t-il.

— Où veux-tu que j'aille?

— Va te chercher une glace... ou une limonade!

Il sortit deux billets de la pochette imperméable qu'il tira de son slip de bain rayé.

Cela produisit son effet : Robsy bondit et lui arracha l'argent de la main ; sachant qu'elle agissait contrairement au désir de sa mère, elle lui pressa un rapide baiser sur la tempe.

— Je reviens tout de suite, Julia!

Michael Reuther se laissa tomber en tailleur sur le sable près de Julia.

— Nous en sommes débarrassés pour un moment! Il y a une de ces queues devant le glacier!

Julia suivit du regard sa fille qui trottinait pieds nus sur le sable.

— Pourquoi l'avez-vous éloignée ?

— Pour vous parler !

— C'était possible en sa présence.

— Il y a des choses qui ne sont pas pour les oreilles des enfants.

— Je n'ai pas de secrets pour mes enfants.

— Peut-être. Mais je voulais être seul avec vous. — Il lui saisit le bras. — Julia, vous m'avez évité tous ces jours-ci.

— Mais non. J'étais seulement... tout le temps en route entre le Lido et le Rio dei Riformati à Venise.

— Mais nous aurions pu nous rencontrer, si vous l'aviez voulu.

— C'est possible. Ecoutez, lâchez-moi ! Vous me faites mal !

— Avouez-le !

— Quoi ?

— Que vous m'avez évité exprès !

Il lui lâcha le bras. Elle frotta l'endroit douloureux.

— Vous devez comprendre que je n'étais pas d'humeur à bavarder.

— Justement ! J'aurais partagé votre inquiétude... je l'ai partagée, Julia ! J'aurais pu vous consoler, vous rassurer !

— Ce n'était pas nécessaire. Vous voyez, je m'en suis très bien tirée toute seule.

Il garda le silence pendant un moment, tout en dessinant des cercles et des lignes droites dans le sable.

— Vous êtes un être étrange, Julia.

— Je ne vois pas en quoi.

— Si. Vous vous êtes comportée exactement comme si c'était ma faute que Ralph ait eu l'appendicite. Moi ! En quoi étais-je responsable ?

— En rien ! Absolument en rien.

Elle écrasa sa cigarette.

— Justement ! Et pourtant vous avez une attitude hostile envers moi.

— Michael, pour l'amour du ciel, vous exagérez terriblement !

— Pas du tout.

— La maladie de Ralph m'a arrachée à l'atmosphère des vacances. Vous devriez le comprendre.

— Et moi peut-être pas ? Je suis un père. La même chose aurait pu m'arriver avec Markus.

— Mais c'est à moi que c'est arrivé, pas à vous. Et c'est à moi d'en tirer les conséquences.

— Julia ! Voyons ! Une opération de l'appendicite ! Je parie qu'une personne sur deux est opérée ! Ce n'est vraiment pas une tragédie !

Elle le regarda.

— Vous ne comprenez rien ! Rien du tout !

— Comment puis-je comprendre quelque chose si vous ne me dites rien ?

— Non, naturellement, vous ne le pouvez pas.

— Julia, je croyais qu'il y avait entre nous davantage qu'une... amitié de vacances.

— Ah, vous croyiez ! Mais c'est justement ce que je ne veux pas. J'aime la vie que je mène. Elle a un sens, j'ai une tâche à remplir. Tout le reste... n'est que dérangement.

— Autrement dit : je vous dérange ?

— Oui, dit-elle avec calme, c'est vrai... vous me dérangez.

Il bondit.

— Julia, bon Dieu...

— Ne jurez pas ! Si j'ai horreur de quelque chose, c'est bien de ça !

— Vous ne vous regardez donc jamais dans la glace ?

— Si. Très souvent même.

— Alors vous devriez savoir que vous êtes une créature adorable, presque encore une jeune fille...

— Je suis une mère.

— Oui, d'accord, vous êtes une mère ! Une mère terriblement jeune ! Ce qui n'exclut quand même pas tout le reste.

— A moi, ça me suffit.

— Mais ne comprenez-vous donc pas que les enfants ne font que prendre ? Qu'ils ne donnent jamais rien...

— Ce n'est pas vrai ! Ils me donnent énormément ! L'amour, la confiance, la tendresse !

— Mais un jour ils vous quitteront. Les deux. Ils suivront leur propre chemin, et alors vous resterez seule, après leur avoir sacrifié les meilleures années de votre vie !

— Qu'est-ce que vous me racontez là ? dit-elle avec agacement. Pourquoi me racontez-vous ça ? J'étais satisfaite de mon existence. Pleinement satisfaite. Et vous venez et m'expliquez qu'il me manque sûrement quelque chose. Je m'attendais à une sortie de ce genre. C'est pour cela que je vous ai évité, et vous me prouvez que j'avais raison.

— Vous l'admettez donc ?

— Quoi ?

— Que c'est exprès que vous m'avez évité.

— Oui, d'accord, si vous y tenez. J'avais assez de soucis, je ne voulais pas en plus écouter vos élucubrations.

— Je ne suis donc rien pour vous ?

Elle le regarda.

— Si. Vous êtes très gentil.

— Gentil, gentil... quelle expression !

— Elle exprime exactement ce que je ressens. Vous êtes gentil... et c'est tout.

— Mais nos âges correspondent, nos situations sont en rapport, notre éducation...

— Vous devriez essayer une agence matrimoniale, dit-elle d'un ton tranchant. Vous avez déjà le vocabulaire adéquat !

— J'avais pensé qu'il pourrait y avoir davantage entre nous ! Je voulais passer mon prochain congé à Eysing-les-Bains...

— Qu'est-ce qui vous en empêche ?

— Je voulais vous revoir !

— Vous le pouvez. Je ne suis pas de pierre, Michael. J'ai pris beaucoup de plaisir à notre petit flirt de vacances. D'ailleurs, ça me fait toujours plaisir de plaire, même quand ce sont les femmes qui m'offrent leur sympathie. L'être humain est un être social, n'est-ce pas ? Mais je ne supporte pas que l'on se mêle de ma vie ou que l'on veuille la changer.

— Ne pourrions-nous reprendre là où nous nous sommes arrêtés ? Ne pourrions-nous pas être de nouveau comme avant la maladie de Ralph ?

— Il n'y a pas de retour en arrière.

— Ne soyez donc pas aussi dramatique. Il n'y a rien eu. Est-ce vraiment tellement téméraire de ma part de vous demander de venir danser avec moi ce soir au Disco ?

— Je n'en ai pas envie. J'ai perdu toute envie de m'amuser. Ce n'est pas tellement difficile à comprendre.

— Je ne vous comprends pas. Pas du tout.

— Tenez-vous-le pour dit, tout simplement. Je veux passer mes derniers jours de vacances dans la paix et l'harmonie. Sans aucune agitation. Nous... Ralph et moi... nous avons vraiment besoin de repos.

— Mais un peu d'amusement en fait partie !

— Nous nous amusons suffisamment... sans aller danser.

Roberta revint, une gaufre dégoulinante de glace à la main.

— Tu veux lécher, Julia ?

— Avec plaisir. — Julia goûta un peu de glace à la framboise. — Hmmm, fit-elle. Très bon !

Roberta tendit la gaufre à Reuther.

— Toi aussi ?

Il rit.

— Non, merci ! Quand j'aurai envie d'une glace je m'en achèterai une !

Roberta lécha la glace avec délice.

— Il n'y en a pas assez pour trois, de toute façon.

— Alors... on m'envoie promener ? demanda Michael Reuther.

— Qu'est-ce que ça veut dire ? demanda Roberta.

— Ta mère ne veut pas venir danser avec moi.

— Elle ne veut pas, parce que Ralph n'aime pas que les hommes la touchent.

Un silence total suivit cette information ; Julia et Michael Reuther se regardèrent, aussi perplexes l'un que l'autre.

Au bout d'un moment Roberta remarqua que son explication avait surpris les grandes personnes.

— C'est vrai ! confirma-t-elle, en regardant sa mère par-dessus la gaufre.

— C'est donc cela, dit Reuther pensivement.

— Pas du tout ! répliqua Julia avec fureur. Robsy l'a inventé de toutes pièces. — Elle se redressa et secoua la petite fille. — Robsy! Ralph t'a dit qu'il n'aime pas me voir danser?

— Aïe! Tu me fais mal!

— L'a-t-il dit, oui ou non?

— Non.

— Alors comment peux-tu l'affirmer?

— Parce que c'est comme ça.

— Ralph est jaloux? C'est bien ça? — Michael Reuther se laissa de nouveau tomber dans le sable. — Oui, en effet, il a perdu son père très jeune. Je peux le comprendre. Il tient donc doublement à vous. Mais, Julia... — Il appuya un coude sur le genou et posa sa tête dans sa main. — ... Vous devez le guérir de cela. Aussi vite que possible.

— Qu'allez-vous chercher là? dit-elle avec irritation.

— Ce n'est pas bon pour Ralph d'être tellement axé sur vous, et vous-même, vous allez gâcher toute votre jeunesse si vous ne vous libérez pas de lui. Il n'est pas votre mari, mais votre fils, Julia, et c'est encore un enfant. Ce n'est pas un partenaire pour vous. Vous ne devez pas céder sur ce point.

Julia prit le tube de crème solaire et commença à s'enduire les jambes.

— Je vous remercie pour vos conseils d'éducation, monsieur Reuther, dit-elle, railleuse. Vous avez vraiment fourni là un précieux apport. Si jamais des difficultés surgissaient, je ne manquerai pas de m'adresser à vous. Etes-vous satisfait?

— Julia! s'écria-t-il, furieux. Qu'est-ce qui vous prend?

— Je vous demande bien pardon, monsieur Reuther, mais il me semble que ma propre éducation n'est pas à la hauteur. Je crains que vous ne soyez obligé de m'apprendre à me conduire convenablement.

— J'aimerais vous donner une bonne fessée! dit-il méchamment.

— Si c'est tout ce que vous trouvez, il semble que vous ne soyez pas un aussi bon éducateur que vous le croyez!

— Vous ne voulez réellement plus me voir ?

— Vous ne devriez pas tellement insister pour connaître la vérité.

— C'est pourtant ce que je veux. Je veux savoir où nous en sommes.

— Bien que je ne tienne pas à votre amitié, dit-elle lentement en se massant les bras, je ne voudrais pas m'attirer votre inimitié. Ce n'est pas agréable de savoir qu'on est détesté !

— Julia, nom de Dieu...

— Ne recommencez pas à jurer !

— Qu'avez-vous contre moi ?

— Vous m'ennuyez. C'est tout.

Il se leva et dit avec raideur :

— Alors puis-je me permettre de prendre congé ?

— Vous pouvez, dit-elle sans le regarder, apparemment toujours occupée à étaler la crème solaire sur sa peau délicatement hâlée.

Il fit une dernière tentative.

— Nous partons pour Berlin à la fin de la semaine.

— Je vous souhaite bon voyage, répliqua-t-elle froidement.

Il s'en alla enfin.

— Ouf ! fit Julia dès qu'il se fut éloigné, et elle posa la crème solaire.

Roberta avait terminé sa glace et se léchait maintenant les doigts.

— Tu n'as pas été gentille avec lui, dit-elle.

— Il m'énerve.

— Pourquoi ?

— Comme ça. Ecoute, Robsy, tu ne dois plus jamais dire que Ralph est jaloux.

— Mais il l'est.

— Non, il ne l'est pas. C'est ce que tu imagines.

— Mais moi non plus, je n'aime pas quand un homme te touche. Tu es notre Julia.

— Oui, je le suis. Et je te promets qu'il n'y aura plus jamais d'hommes. — Julia embrassa Roberta avec tendresse. — Va te laver la figure et les mains. Sinon le sable va coller.

Après cette explication, Michael Reuther et Julia ne se parlèrent plus. Il n'y eut ni projets communs, ni promenades, ni jeux.

Ralph rencontrait toujours Markus quand l'occasion se présentait, bien que Reuther s'efforçât, de son côté, de mettre fin à cette amitié. Mais c'est justement ce qui en augmentait encore le charme. Des rendez-vous secrets, des messages conspirateurs sur des billets hâtivement griffonnés, l'échange de regards expressifs en présence des adultes, transformaient cette amitié, d'abord acceptée et même encouragée, en une véritable aventure.

Au moment du départ, les deux garçons promirent de s'écrire et de rester en contact. Il en résulta, si nous anticipons un peu, une correspondance qui se ralentit bientôt et qui se termina par une carte de vœux à Noël.

Ralph n'oublia pas Markus. Il pensait souvent à lui et à l'époque où il n'était pas seul, mais avait un ami véritable.

Julia était heureuse de rentrer. Le Lido était merveilleux, l'hôtel luxueux, la nourriture parfaite et le ciel lumineux, mais le séjour avait été obscurci par la maladie mystérieuse de Ralph.

Elle fut touchée que le docteur Menotti veuille les accompagner en bateau jusqu'à l'aéroport Marco Polo.

— Je n'ai pas tellement de patients, dit-il en souriant, de sorte que chacun d'eux m'est encore important !

— Je vous suis très reconnaissante, docteur.

— De quoi ? Mon diagnostic était erroné.

— Mais vous avez essayé de faire quelque chose pour Ralph.

— J'essaye toujours.

Ils étaient assis sur le banc derrière la timonerie, alors que Ralph et Roberta, agenouillés à la poupe, laissaient le vent du large leur cingler les oreilles. Ralph était toujours piteusement maigre, mais son visage avait retrouvé son hâle et ses couleurs.

— Je ne veux naturellement pas contredire le professeur Malatesta, continua le docteur Menotti, il a tellement plus d'expérience que moi. Mais...

Il s'arrêta.

— Quoi donc ?

— Voulez-vous me promettre quelque chose ?

— Cela dépend.

— J'ai à Munich une grande amie. Le docteur Erika Vogel. J'ai travaillé avec elle chez le professeur Habermann à Vienne. A présent elle est à l'hôpital pédiatrique de Schwabing, à Munich.

— Vous croyez qu'elle pourrait quelque chose pour Ralph ?

— Oui. Elle a un excellent diagnostic. Et elle est spécialiste des enfants.

— Me permettez-vous de communiquer à ma collègue les antécédents médicaux de Ralph ?

— J'espérais tellement que tout était terminé !

— C'est peut-être terminé. Je ne veux pas vous alarmer.

— Mais vous venez de le faire.

— Pardonnez-moi.

— Je sais que votre intention est bonne. Je vous remercie pour tout.

— Chère Julia !

Il la prit dans ses bras et l'embrassa tendrement sur les deux joues. Elle le laissa faire et elle dut s'appuyer contre lui, tant ses genoux tremblaient. Mais lorsque ses lèvres cherchèrent les siennes, elle détourna la tête.

— Je ne suis donc rien pour vous ? demanda-t-il.

— Trop ! avoua-t-elle.

Ses yeux étaient pleins de larmes.

— Puis-je vous accompagner jusqu'à l'avion ?

— Non, s'il vous plaît.

Elle était impatiente d'accoster. Il embrassa les enfants aussi, prit Julia dans ses bras et enleva par des baisers les larmes qui coulaient sur ses joues.

— Adieu !

Elle prit ses enfants par la main et partit. Le marin passa les bagages à un porteur. Le docteur Menotti resta sur le bateau.

Lorsque Julia eut atteint l'entrée du hall d'embarquement, elle se retourna encore une fois. Il était là, immobile, très mince et très seul. Elle sentit qu'il était perdu à jamais pour elle.

C'était merveilleux d'être chez soi.

Agnès avait aéré et nettoyé l'appartement, et la reçut avec une grande tarte aux quetsches. Les femmes s'embrassèrent, et Roberta donna même un petit baiser à Christine, alors que Ralph se tenait à l'écart.

Julia voulut tout de suite défaire ses valises, mais Agnès l'en empêcha.

— Ça ne presse pas. Mange d'abord. Après, je t'aiderai.

Ils burent donc du café, mangèrent de la tarte, puis laissèrent les enfants aller jouer dans le jardin. En fumant, Julia raconta à Agnès l'histoire de la fausse appendicite de Ralph.

— Eh bien, c'était une chance, finalement, dit Agnès.

— Que veux-tu dire ?

— Qu'il soit débarrassé de son appendicite ! Tu n'as plus à te faire de mauvais sang chaque fois qu'il a mal au ventre. C'est du moins ce qui m'arrive avec mes deux grands. Parce qu'ils l'ont encore.

— Ça tombait mal pour Ralph, juste au milieu des vacances.

— Ça a dû être moins terrible pour lui que pour toi. Telle que je te connais, tu as dû courir à l'hôpital tous les jours.

Agnès écrasa sa cigarette, puis elle reprit :

— Dis donc, Julia, je ne voudrais pas être indiscrète, mais est-ce là tout ce qui t'est arrivé au Lido ?

— Que veux-tu dire ?

— Est-ce que personne ne s'est intéressé à toi ?

— Il n'y avait presque que des couples avec des enfants, dit Julia, évasivement.

— Presque ! Il y avait donc des exceptions.

— Je n'en ai connu qu'une. Un Berlinois très sympathique. Un conseiller d'Etat.

— Mais ça convient parfaitement !

Julia savait que son amie avait dit cela sans mauvaise intention, mais elle se sentit blessée.

— Agnès, combien de fois faut-il te répéter que je ne cherche pas d'homme !

— Mais on a besoin d'un homme... chaque femme a besoin d'amour et de tendresse...

— Et les hommes en donnent, peut-être ? Est-ce que ton mari t'en apporte, de l'amour et de la tendresse ?

Agnes tressaillit et resta un instant muette, la bouche ouverte comme pour un cri.

Julia savait pertinemment que, sous prétexte qu'il devait repartir le lendemain, Günther Kast ne rentrait pas toutes les nuits, et qu'il passait la plupart de son temps au café pendant les week-ends. Elle avait remarqué depuis très longtemps que le climat de leur mariage s'était sensiblement refroidi, même si Agnes ne s'en était jamais plainte.

— Pardonne-moi, Agnes, dit-elle vite, c'était un coup bas. Mais je ne peux supporter que tu veuilles à tout prix me coller un homme.

Agnes avala sa salive.

— C'est peut-être bête de ma part.

— Crois-moi enfin : je suis satisfaite de ma vie telle qu'elle est ! Je n'ai jamais été tellement portée sur le sexe...

— Un mariage malheureux est tout de même mieux que pas de mariage du tout, prononça Agnes avec difficulté.

— C'est une affaire de goût. Je préfère être seule que de me disputer avec quelqu'un.

— Günther et moi ne nous disputons jamais !

— Non, ce n'est pas un homme avec qui on peut discuter. Toujours est-il que je ne te l'envie pas.

— Mon mariage n'est évidemment pas enviable.

— Tu vois bien ! Et pourtant je ne t'ai jamais dit : « Divorce ou prends un amant. » Tu ne dois pas non plus me dire tout le temps que je dois prendre pour amant le premier venu.

— Mais un conseiller d'Etat, c'est quand même intéressant.

— Il avait presque vingt ans de plus que moi et me le faisait sentir. C'est le genre de type à te compter tes cigarettes. Bref, pour moi il n'en était même pas question. Alors n'en parlons plus, je t'en prie. Mais je dois admettre que son admiration m'a quand même fait du bien.

— Ah, tu l'admets !

— Parce que c'est la vérité. Je n'ai rien à avouer d'autre.

Les premiers jours à la maison passèrent sans incidents.

La vie à l'hôtel avait été agréable, mais Julia se réjouissait de faire la cuisine de nouveau elle-même et de gâter ses enfants. Ils étaient cordialement salués par toutes leurs connaissances. Julia avait envoyé des cartes avec vues du Lido à tout le monde, et on admirait son bronzage.

C'était encore les vacances, et elle voulait chaque jour entreprendre quelque chose avec les enfants. Ils firent des promenades, des excursions, organisèrent des pique-niques, parfois avec Lizi, Agnes et leurs filles, mais le plus souvent seuls.

Puis Ralph eut des migraines. Il ne se plaignait pas et n'en parla que lorsque Julia lui posa des questions, voyant qu'il était si pâle sous son hâle qu'il en paraissait vert.

Puis ce fut le retour des maux de ventre.

— Mais l'appendice est enlevé ! dit-il, désespéré. Je dois être guéri !

Julia ne savait que répondre. Si elle devait en croire le professeur Malatesta et le docteur Opitz, les accès de Ralph étaient provoqués par l'approche de la rentrée des classes. Le docteur Menotti avait douté que leur origine soit d'ordre psychique, mais il avait d'abord émis un diagnostic erroné.

Cela aurait soulagé Julia d'avouer à Ralph qu'il n'y avait pas d'inflammation de l'appendice, mais cela aurait été reconnaître avoir menti, et elle n'en avait pas le courage.

Ses amies lui conseillèrent d'attendre et de l'observer.

Il lui était pénible de ne pas prendre au sérieux les douleurs sporadiques de Ralph ou du moins de faire semblant, car si elles étaient provoquées par la peur de l'école, elles risquaient de s'aggraver si elle se montrait impressionnée.

Julia envisagea un moment de le lui faire croire : si les douleurs diminuaient ou disparaissaient complètement, ce serait la preuve qu'il n'avait aucune maladie organique.

Mais elle ne le fit pas, car elle ne voulait pas avoir à décevoir son fils.

Le temps changea au début de septembre ; l'automne s'annonça par un vent d'ouest glacé et de fortes averses. Après une promenade sous la pluie, ils furent tous les trois heureux de se retrouver dans l'appartement.

Julia fit du cacao pour les enfants, du café pour elle, des gaufres pour accompagner le tout. Puis elle répara les robes des poupées de Roberta, elle lui montra comment on cousait, et s'amusa devant l'application maladroite de la petite fille. Ralph était pendant ce temps occupé à un jeu de construction.

Julia ne cessait d'observer son fils par-dessus sa couture et elle n'était pas avare de conseils et de paroles d'encouragement. Mais quelque chose dans son comportement lui paraissait bizarre et ce n'est qu'au bout d'un moment qu'elle se rendit enfin compte de quoi il s'agissait : il se servait davantage de la main gauche que de la droite.

Elle lui en parla.

— Pourquoi fais-tu ça ?

— Ça va très bien comme ça.

— Mais tu n'es pas gaucher.

— Peut-être que si.

Julia aurait aimé se précipiter aussitôt chez le médecin avec lui, mais s'abstint pour ne pas l'effrayer.

Autre chose la frappa ce même après-midi : le langage de Ralph était parfois curieusement imprécis. D'habitude, elle admirait toujours sa prononciation particulièrement claire et nette.

Lorsqu'elle attira son attention là-dessus, il la regarda d'un air étrangement méprisant ; il n'était absolument pas conscient de son parler indistinct et trouva qu'elle cherchait à le critiquer.

Julia passa une nuit blanche. Elle ne comprenait pas ce qui arrivait à Ralph et se rongea en suppositions. Aux premières heures de la matinée elle prit une décision : elle irait voir le docteur Opitz seule, pour ne pas traumatiser Ralph davantage.

Naturellement, les enfants furent mécontents qu'elle les laisse seuls dans l'appartement.

Mais Julia ne leur céda pas.

— Il ne peut rien vous arriver en plein jour. Il ne faut seulement pas ouvrir si on sonne à la porte.

— Nous ne voulons pas être seuls ! protesta Roberta.

— Alors je vous descends chez Tante Agnès.

— Nous voulons venir avec toi ! cria Roberta.

— Je vais chez le dentiste, mentit Julia, et je ne peux pas vous emmener.

— Nous pouvons attendre !

— Non, il n'en est pas question : vous restez à la maison !

Ralph prit sa petite sœur par la nuque :

— Tais-toi, Robsy ! Tu vois bien que Julia ne veut pas de nous.

Il adressa un regard inquisiteur à sa mère.

— Si vous croyez que je vais rencontrer un homme, vous vous trompez ! s'écria Julia, irritée.

— Tu peux rencontrer qui tu veux, dit Ralph.

Il se détourna d'elle et poussa Roberta devant lui.

Julia dut lutter contre l'impulsion de leur courir après et de leur demander de la compréhension. Mais elle eut peur de se rendre ridicule à leurs yeux. Ce qui importait maintenant pour elle, c'était de parler avec le médecin aussi vite que possible.

Le docteur Opitz la reçut très cordialement, puis il la prit par les épaules et la scruta.

— Ma chère madame Severin, pour une jeune femme qui revient tout juste de vacances, vous n'avez pas tellement bonne mine.

— Je n'ai pas fermé l'œil de la nuit.

— C'est pour cela que vous venez me voir ? Je serais heureux de vous aider, mais comme patiente vous êtes quand même un peu trop adulte.

Elle comprit qu'il plaisantait pour lui remonter le moral, mais elle ne réussit pas à sourire.

— Il s'agit de Ralph ? demanda-t-il. Ou est-ce cette fois Robsy ?

— Non, Ralph.

— Alors venez vous asseoir. — Il lui offrit le fauteuil derrière son bureau. — Voulez-vous boire quelque chose ? Un petit cognac ?

— Il est dix heures du matin !

— Un peu tôt, en effet. Mais quelquefois un petit remontant peut faire du bien, même le matin.

— J'aimerais bien un verre d'eau. Et si vous me permettez de fumer !

— Mais bien sûr ! Voulez-vous vous pousser un peu ? — Il sortit une bouteille d'eau minérale de son bureau. — Elle n'est pas glacée, malheureusement. — Il alla chercher un verre. — Voulez-vous une goutte de cognac dedans ? C'est meilleur !

Julia accepta ; elle croyait avoir réellement besoin d'un fortifiant. Il lui donna du feu, et elle commença alors, d'abord en hésitant, puis de plus en plus claire-ment, à lui raconter ce qui concernait Ralph.

— Je pourrais vous donner un conseil, Julia... dit le docteur Opitz lorsqu'elle eut terminé, mais il s'inter-rompit aussitôt. — Pardonnez-moi de vous appeler ainsi, mais comme je vous ai soignée quand vous étiez enfant...

— Je sais. Appelez-moi comme vous voulez.

— Peut-être cela nous facilitera-t-il les choses, Julia !

Il s'était assis sur le bord de la table et lui prit la main.

— Est-ce grave ? demanda-t-elle, angoissée.

— Pas du tout. Ne soyez donc pas aussi nerveuse !

Julia écrasa sa cigarette.

— Parlez, je vous en supplie ! Je veux savoir la vérité.

— Mettez Ralph dans un internat !

— Quoi ? !

— Vous avez très bien entendu, Julia.

La seule pensée d'avoir à se séparer de Ralph lui serra l'estomac : elle eut physiquement la nausée.

Le docteur Opitz le remarqua.

— Buvez, Julia ! Buvez une longue gorgée !

En effet, le cognac l'aida à se décontracter ; son visage reprit une teinte normale.

— Vous ne parlez pas sérieusement ? demanda-t-elle faiblement.

— Dans un internat, il serait enfin au milieu de ses semblables et aurait une vie normale.

— Mais il est encore si petit !

— Je connais quelques excellentes écoles. Un psychologue attaché à l'établissement pourrait s'occuper de Ralph régulièrement.

— Vous croyez...

— Oui. Je suis persuadé qu'il s'agit d'un trouble du comportement d'origine psychologique. Voyez-vous, Julia, le garçon a perdu son père...

— Mais il y a déjà trois ans de cela ! Si cette perte avait provoqué un trouble du comportement, on l'aurait décelé à ce moment-là ! Mais lui, au contraire, il a supporté l'épreuve avec un sang-froid étonnant.

— Extérieurement, Julia, seulement extérieurement !

— Son mauvais appétit...

— Typique !

— ... ses nausées matinales...

— Egalement typiques ! dans les situations familiales troublées...

— Nous ne sommes pas une famille troublée, nous nous aimons et nous nous comprenons parfaitement !

— Mais, Julia, ce n'est pas un reproche ! Il lui manque le père, c'est tout ce que je voulais dire... et dans de telles situations on note souvent, chez les enfants, des réactions de l'appareil digestif.

— Et son langage qui devient de plus en plus incompréhensible ?

— Un trouble du langage d'origine psychique.

— Je ne peux y croire.

— Ma chère Julia, vous me permettez d'être franc ? Elle ne put qu'incliner la tête.

— Si vous vous observez vous-même, vous devez admettre que vous êtes hypernerveuse...

Elle voulut l'interrompre, mais il ne lui en laissa pas le temps.

— Cela ne sert à rien de le nier ! Vous êtes hypernerveuse, et cette tension se transmet naturellement au petit.

— Je ne suis pas nerveuse, je suis seulement folle d'inquiétude pour Ralph ! Parce qu'il est malade ! Ce

179

n'est pas ma nervosité qui s'est transmise à lui, mais sa maladie qui me tourmente et m'effraye.

— Et la mort de votre mari? Rappelez-vous à quel point elle vous a frappée?

— Non, j'étais triste et bouleversée. Mais j'ai toujours été la même avec mes enfants.

— Je le sais. Vous leur donnez tout l'amour du monde. Mais ne pouvez-vous imaginer que Ralph se sent peut-être étouffé? C'est déjà un grand garçon.

— Vous proposez beaucoup de causes à son prétendu trouble du comportement, vous ne trouvez pas, Docteur?

— Il existe énormément de causes à un possible trouble du comportement, c'en est peut-être une, peut-être une autre, peut-être plusieurs à la fois. Je ne suis pas psychiatre... ce ne serait peut-être pas une mauvaise idée si je l'envoyais chez un psychiatre.

— Pas question, dit Julia.

— Une maladie psychique est tout autant une maladie qu'une maladie physique et doit être tout autant prise au sérieux. C'est un préjugé...

— Oui, oui, oui, je connais tout ça! interrompit Julia avec impatience. Mais je suis convaincue qu'il est malade physiquement. Vous ne pouvez pas vous faire une idée exacte de son état, car je ne peux que vous le décrire, et si vous l'examinez, ce ne sera pas suffisant non plus. Je vis avec lui nuit et jour, Docteur! Il est malade du corps...

— Si mon diagnostic ne vaut rien, pourquoi êtes-vous venue?

— Parce que j'ai besoin d'aide... d'aide pour Ralph! Le docteur Menotti m'a conseillé...

— Oui, oui, celui qui a magnifiquement diagnostiqué une appendicite, n'est-ce pas?

Julia ne se laissa pas interrompre.

— Il m'a conseillé d'aller voir une certaine femme-médecin, Mme Vogel. Elle travaille à l'hôpital pédiatrique de Schwabing, à Munich.

Le docteur Opitz se tut pendant un moment, essayant d'être objectif. Julia comprit qu'il luttait contre son agacement. Elle ne le pressa donc pas, alluma une cigarette et versa de l'eau dans son verre.

— L'hôpital de Schwabing, ce serait naturellement une idée, dit-il enfin, je pourrais le faire admettre en observation. Naturellement, uniquement pour vous rassurer. Je suis, quant à moi, toujours persuadé qu'il n'a aucune maladie organique.

— Organique ou non, il faut faire quelque chose.

— Vous êtes donc d'accord ?

— Oui.

— Quand pouvez-vous y aller ?

Elle se redressa et écrasa sa cigarette à peine entamée.

— Dès cet après-midi.

— Mais aurons-nous une place aussi vite, madame Severin ? Je vous téléphonerai.

Julia enregistra qu'elle n'était plus « ma chère Julia », mais « madame Severin », mais ne s'en formalisa pas, car elle comprenait qu'elle l'avait vexé par son obstination ; elle se leva et lui tendit la main.

— Je vous remercie, cher docteur Opitz... aussi pour le cognac. Je serai chez moi toute la journée et j'attends votre appel.

— Je ne vous appellerai que si j'ai une place pour Ralph. Il ne s'agit pas d'un cas urgent.

— Si, docteur Opitz, il y a urgence, car si quelque chose n'est pas fait immédiatement, j'irai à Munich sans demande d'admission.

— Soyez tranquille, madame Severin, je ferai de mon mieux, dit-il, une colère contenue dans le regard.

— Je n'en doute pas, docteur Opitz.

Julia quitta le cabinet du pédiatre avec le sentiment d'avoir peut-être perdu un ami, mais d'avoir en revanche gagné une bataille pour Ralph.

Sur le chemin du retour, elle fit des courses. Lorsqu'elle pénétra dans l'appartement, les enfants jouaient sur le tapis du living et firent semblant de ne pas la remarquer. Elle rangea dans le réfrigérateur escalopes, beurre, œufs et salade, mit le bouquet de ciboulette dans un verre d'eau, et polit deux pommes bien rouges jusqu'à ce qu'elles brillent.

Puis elle rejoignit ses enfants et se laissa tomber auprès d'eux.

— Je vous ai apporté quelque chose !

Ils continuèrent à jouer sans la regarder ; exceptionnellement, Ralph avait permis à Roberta de le seconder dans son jeu.

— Ne soyez donc pas comme ça ! Vous devez admettre que je me suis terriblement dépêchée ! dit Julia.

Roberta faiblit la première ; elle contempla les pommes, prit, après quelque hésitation, celle qui lui semblait la plus belle, et mordit dedans.

— Ça t'a fait mal ? demanda-t-elle, la bouche pleine.

— Je n'ai pas été chez le dentiste, avoua Julia.

Là, Ralph réagit, lui aussi.

— Alors où as-tu été ?

Pour marquer que la glace était rompue, il lui fit la grâce de prendre une pomme.

— Chez le docteur Opitz ?

Les deux enfants la regardèrent, étonnés, sans comprendre.

— Parce que je me fais du souci pour toi, Ralph ! Tu n'es pas bien portant. Tu as tout le temps des maux de ventre...

— Mais mon appendice est enlevé !

— Oui, oui, oui ! Mais ça ne devait pas être une appendicite, sinon les douleurs auraient cessé. Il doit y avoir autre chose. C'est pour cela que j'ai demandé au docteur Opitz de te faire admettre à la clinique pour enfants de Munich.

— Mais c'est les vacances ! s'écria-t-il, indigné.

— Justement parce que ce sont encore les vacances, Ralph. Tu ne peux quand même pas continuer à te traîner comme une demi-portion. Il faut faire quelque chose.

— Mais pas pendant les vacances !

— Tu crois peut-être que si tu rentres à la clinique au début de l'année scolaire, continua Julia, ça te permettra de retarder un peu de revoir ton professeur ?

— Ça n'a rien à voir avec M. Bissinger !

— Tant mieux.

— Je ne veux pas retourner à l'hôpital !

— Je comprends très bien que ce n'est pas une partie de plaisir. Mais cette fois tu seras avec des enfants, des médecins et des infirmières qui parlent allemand. D'ailleurs, tu n'y vas que pour un contrôle.

— Pour combien de temps ?

— Je ne sais pas. Peut-être seulement une journée.

Ralph se taisait et grignotait sa pomme sans joie.

— Mon grand chéri, dit Julia, l'attirant contre elle, ne me rends pas les choses si pénibles !

Il se dégagea de ses bras.

— Mais qu'est-ce que je peux avoir ? Que t'a dit le docteur Opitz.

— Il croit toujours que tu n'as rien.

— Rien ? s'écria Roberta qui avait saisi l'occasion pour s'occuper du jeu de Ralph et n'avait écouté que d'une oreille distraite. — Rien ? Alors il crache pour s'amuser ?

— C'est pas vrai !

— Elle n'a pas dit que tu le fais exprès, elle a seulement demandé.

— Mais j'ai vraiment quelquefois besoin de cracher.

— Oui, je sais, et c'est à cause de cela qu'il faut que tu te laisses examiner.

— Mais le docteur Opitz dit que je n'ai rien.

— Oui, il en est certain, ce n'est que pour me rassurer qu'il t'envoie à Munich.

— Alors pourquoi ai-je tout le temps mal à la tête ?

— C'est justement ce que l'on recherchera à l'hôpital de Schwabing.

— Mais que dit le docteur Opitz ?

Julia se mit debout.

— Voilà une conversation stérile. Qu'importe ce qu'il dit. Il ne sait justement pas ce que tu as. A présent, il faut que je m'occupe du déjeuner.

Elle alla à la cuisine, mit un tablier et commença à éplucher des pommes de terre.

Peu après, Ralph la suivit ; il s'arrêta sur le seuil de la cuisine et la regarda avec des yeux brûlants.

— Tu ne veux rien me dire ?

— Parce que c'est sans intérêt.

— Je veux savoir, exigea Ralph, appuyant sur chaque mot.

— Bon !

Julia laissa tomber sa pomme de terre épluchée dans

une casserole, tout en réfléchissant comment elle allait lui expliquer cela clairement ; pour gagner du temps, elle s'empara d'une deuxième pomme de terre.

— Le docteur Opitz croit que cela vient de ce que tu es malheureux, dit-elle prudemment.

Ralph s'approcha, tira une chaise près de la table, s'assit en face de Julia, s'appuya sur les coudes et posa la tête sur ses deux mains.

— Malheureux ? répéta-t-il lentement. De quoi ?

— De ne plus avoir de père... — Julia épluchait sans le regarder. — De ne pas t'entendre avec M. Bissinger...

— Tu lui as raconté ça !

— ... aussi parce que je te gâte trop !

— Quelle idiotie ! — Ralph repoussa sa chaise et bondit. — Une telle imbécillité ! C'est archifaux !

Julia le laissa se déchaîner.

— Alors il croit que j'invente tout ça ?

— Ne t'énerve pas comme ça, Ralph, dit Julia, conciliante, nous allons lui prouver le contraire.

— C'est pour cela que je dois me faire encore examiner ? Mais ils l'ont déjà fait en Italie.

— Le docteur Menotti m'a dit que ça n'a pas été fait à fond. Que je devais te conduire à la clinique pour enfants de Schwabing. C'est lui qui m'en a donné l'idée.

— Alors pourquoi ne l'as-tu pas fait tout de suite ?

— Parce que je ne voulais pas le croire. Je pensais qu'avec l'opération de l'appendicite tout serait terminé. Toi aussi, n'est-ce pas ?

— Oui.

— Mais les malaises sont revenus. Ils empirent même, au lieu de regresser. Il faut donc que nous fassions quelque chose.

— Qu'est-ce que ça peut être, Julia ? D'où ça vient ? insista-t-il.

— Tu m'en demandes trop. Je n'ai pas étudié la médecine et si même le docteur Opitz ne sait pas...

— Cet imbécile !

— Ralph !

— Mais c'est vrai. Prétendre que j'imagine...

— Mais ça existe. L'âme et le corps s'influencent

réciproquement. De même que tu es souvent malheureux parce que tu es malade, on peut tomber malade parce qu'on est malheureux.

— Mais je ne suis pas malheureux, Julia ! — Il courut vers elle et lui jeta ses bras maigres autour du cou. — Pas parce que tu me gâtes trop ! Seulement, quand on n'a goût à rien et qu'on a tout le temps mal au cœur...

Elle le serra contre elle.

— ... c'est affreux, termina-t-elle pour lui, et ça ne peut continuer. C'est la raison pour laquelle tu vas te faire examiner à Munich.

— Quand ? demanda-t-il, soumis.

— Je ne le sais pas encore, expliqua-t-elle. Dès qu'il y aura une place de libre.

Toute la journée, Julia guetta le téléphone. Il sonna, et elle se précipita, pleine d'espoir. Ce n'était que Lizi Silbermann. Mais cela donna à Julia l'occasion de lui parler de son inquiétude et de la prier de les conduire à Munich dès que la réponse du docteur Opitz arriverait.

Il faisait beau, et Roberta ronchonnait parce que Julia ne l'emmenait pas en promenade.

— Je ne peux pas m'en aller maintenant, dit Julia. Allez dans le jardin ! Tous les deux !

Quand elle fut seule dans l'appartement, elle se sentit encore plus inquiète. Elle but une tasse de café et fuma une cigarette.

Elle regarda dans le jardin et vit Agnes séparer les deux petites filles qui étaient sur le point de se battre. En temps normal, Julia se serait précipitée en bas et aurait pris Roberta dans les bras pour la protéger. Mais à présent elle était totalement axée sur le téléphone. Ralph était couché sur le ventre au milieu de la petite pelouse, la tête appuyée sur les mains, et il lisait comme si rien de ce qui se passait autour de lui ne le concernait.

Finalement, elle ne put en supporter davantage : elle appela le docteur Opitz. Il fut long à répondre.

— Ma chère madame Severin, dit-il — et sa voix exprima la lassitude —, j'ai évidemment contacté l'hôpital pédiatrique de Schwabing. Ils ont promis de faire pour le mieux. Mais votre Ralph n'est pas le seul enfant malade en Bavière... si même il l'est.

Furieuse et déçue, Julia raccrocha brutalement.

Plus tard elle se traita d'imbécile. Elle n'avait aucune raison de se mettre dans tous ses états. La maladie de Ralph n'avait rien de dramatique en soi, elle s'était seulement développée très lentement, presque imperceptiblement. Cela n'avait aucune importance qu'il soit examiné demain ou dans quinze jours. En y repensant, elle constata que depuis la Saint-Sylvestre, quand elle avait voulu aller à Munich, il n'avait jamais été véritablement bien portant.

Cette pensée l'inquiéta davantage encore. Depuis plus de six mois, Ralph était victime de symptômes douloureux et inexplicables, et elle n'avait pas pu les soulager, elle n'avait même pas pris sa maladie au sérieux pendant une longue période. Il fallait agir.

Elle prit l'annuaire du téléphone et chercha le numéro de la clinique de Schwabing. Elle composa le numéro et demanda à parler à Mme le docteur Erika Vogel. Elle attendit avec une impatience grandissante, jusqu'à ce qu'une voix claire, très profonde, annonce :

— Docteur Vogel.

— Madame Erika Vogel ?

— Oui.

— Je voudrais vous transmettre les amitiés du docteur Menotti.

— Cesare Menotti ?

— Je ne connais pas son prénom, mais j'étais avec mes enfants au Lido...

— Mais oui, c'est lui ! Comment va-t-il ?

— Très bien... du moins il a très bonne mine...

Mme le docteur Vogel rit.

— Il a toujours été très beau ! Comme c'est gentil d'avoir pensé à moi !

Julia avait du mal à aborder la véritable raison de son appel.

— Je ne vous appelle pas uniquement pour vous transmettre ses amitiés, reconnut-elle, mais parce que le docteur Menotti m'a conseillé... mon fils est tombé malade pendant les vacances, et on l'a opéré de l'appendicite à l'hôpital de Venise. Mais ce n'était pas une appendicite.

— Non? — La voix de la doctoresse devint soudain très différente, intéressée et concentrée. — Racontez-moi tout!

Julia raconta tout ce qu'elle savait.

— Mon pédiatre habituel, le docteur Opitz, m'avait promis de demander une place pour Ralph. Mais il ne prend pas sa maladie au sérieux. Il la tient pour un trouble du comportement d'origine psychique, et c'est pour cela que je voulais vous demander...

— Donnez-moi votre numéro de téléphone!

Julia le fit.

— Je vous appellerai dès que j'aurai une place.

Julia retourna dans le living et alluma une cigarette. Ses mains tremblaient. Elle savait qu'elle fumait beaucoup trop et que ce n'était pas le bon moyen pour calmer ses nerfs. La cigarette lui parut insipide et la fit tousser. Elle se versa du sherry.

Le verre dans une main, la cigarette dans l'autre, elle se tenait devant la fenêtre et regardait dans le jardin. Agnes l'aperçut et lui fit signe de descendre. Mais Julia secoua négativement la tête, tout en s'efforçant de sourire. Elle pensa qu'Agnes devait la croire folle, puisque, n'ayant visiblement rien à faire, elle refusait de la rejoindre. Elle allait tout lui expliquer plus tard.

D'en haut on voyait encore plus nettement la large bande foncée de ses cheveux décolorés. Le sourire de Julia devint sincère? Cette légère négligence était bien d'Agnes. Elle sentit combien elle avait d'affection pour son amie, et comme elle aurait eu du mal à se débrouiller sans elle.

La sonnerie du téléphone retentit.

Julia se précipita dans le bureau de son défunt mari, avec, dans une main, le verre demi-plein, et dans l'autre la cigarette brûlante. Pour se libérer les mains, elle vida le verre d'un trait, et le posa sur la table. Le souffle coupé, elle décrocha et dit son nom. La clinique pédiatrique était à l'autre bout du fil et elle fut totalement éberluée: jamais elle n'aurait cru que cela pouvait aller si vite.

— Docteur Vogel, dit la voix profonde de femme.

— Oui ?

— Je suis bien chez Mme Julia Severin ?

— Oui !

— Madame Severin, nous avons de la chance. J'ai pu obtenir un lit pour votre garçon. Si vous pouvez venir dès aujourd'hui...

— Aujourd'hui ? répéta Julia, épouvantée. Vous considérez donc son cas aussi dangereux ?

— Je croyais que vous teniez à ce que ce soit rapide.

— Oui, mais si rapide !

— C'est une question d'organisation, madame Severin ! Alors mettez le strict nécessaire dans une valise et venez. Ou bien avez-vous un empêchement ?

— Non. Simplement, je ne m'y attendais pas.

La voix de la doctoresse resta patience.

— Vous comprenez, si je sais qu'il va être admis dès aujourd'hui, je peux déjà commencer à contacter divers spécialistes et il sera probablement rentré un jour plus tôt que si vous l'ameniez demain matin.

— Divers spécialistes ? Je croyais que vous alliez...

— Oh non ! Il faut qu'il soit examiné par un oto-rhino-laryngologiste, un ophtalmologiste, un neurologue, etc. Nous voulons qu'il soit examiné à fond, n'est-ce pas ?

— Oh oui ! Je veux enfin savoir de quoi il souffre.

— Alors mettez-vous en route ! Avez-vous l'horaire des trains ?

— Une amie nous conduira en voiture.

— Très bien. Soyez là avant cinq heures, parce qu'après le bureau des admissions sera fermé. Naturellement, les accidents et les urgences sont admis toute la nuit, mais votre fils n'en fait pas partie.

— Merci, Docteur... je vous remercie.

Elle avait obtenu exactement ce qu'elle voulait, mais elle était encore plus inquiète qu'auparavant. Il lui parut étrange que la doctoresse ait tout mis en branle pour trouver une place.

« Je suis folle, pensa Julia, ou bien... je suis en train de le devenir. Evidemment, elle l'a fait à cause du docteur Menotti... Cesare Menotti ? Elle a sûrement été amoureuse de lui, peut-être l'a-t-elle aimé réellement et l'aime-t-elle encore ? Cet empressement n'a rien à faire avec Ralph. »

Puis elle reprit le combiné et téléphona à Lizi Silbermann. Son amie proposa de venir immédiatement et d'amener Leonore pour que celle-ci surveille Roberta pendant leur absence.

Le trajet jusqu'à Munich fut pour Ralph un véritable cauchemar qu'il n'oublia jamais.

Auparavant, sa mère l'avait plongé dans la baignoire et lavé de la tête aux pieds, lui avait mis des sous-vêtements propres, et lui avait enfilé son costume en velours côtelé blanc, justement revenu du nettoyage. Il se sentait comme un agneau prêt au sacrifice.

Il était assis à l'arrière de la voiture. C'était tout naturel et c'était sa place habituelle, mais aujourd'hui, pour la première fois, cela lui parut avoir une signification particulière ; il se sentait mis à l'écart.

Les deux femmes devant parlaient d'événements qui ne le concernaient pas. Il aurait détesté qu'elles parlent de sa maladie et peut-être le bombardent de questions et de conseils. Mais qu'elles bavardent entre elles comme s'il n'était pas là, ça le vexait. Un mur invisible s'était dressé entre lui et tous les autres, un mur infranchissable.

Il sentait cependant que Julia était consciente de sa présence à tout instant et qu'elle tremblait au moins autant que lui-même devant ce qui les attendait à Munich. De temps à autre, elle se retournait vers lui pour demander : — Ça va ? Tu te sens bien ?

Julia dit à Lizi :

— Le pauvre ! Je suis heureuse qu'enfin on s'occupe de lui !

Ralph entendit également, mais il ne réagit pas. Des bribes de la conversation des deux femmes lui parvenaient, mais il y faisait à peine attention.

— Ce n'est sûrement pas grave du tout, dit Lizi.

— Si seulement ça ne durait pas depuis si longtemps.

— Tous les enfants passent par de telles phases. Sauf ma Leonore... celle-là, elle ne sort pas de sa mauvaise phase.

— Comment cela ?

— Tu ne sais pas ? Elle a été recalé pour son passage au lycée.

— Ça ne prouve encore rien.

— Chez Leonore, si. C'est une véritable petite nigaude. Je ne serais pas étonnée qu'elle ne termine pas ses études secondaires.

Entre-temps, ils avaient atteint l'autoroute, et Lizi accéléra.

— Sais-tu ce que j'ai l'intention de faire ? continua-t-elle.

— Quoi donc ? demanda Julia.

— Je vais ouvrir une boutique !

— Je croyais que tu avais une bonne pension.

— C'est vrai, mais je m'ennuie. Que faire toute la journée ? Le ménage, la cuisine, attendre Leonore et me tourner les pouces ?

— N'oublie pas nos soirées de Skat !

— Oui, ce sont des rayons de soleil !

— Et Eysing offre pas mal de divertissements. Les concerts de musique de chambre ! Les tournées théâtrales passent chez nous... et je crois savoir que tu n'en manques pas une. Que devrais-je dire, moi ? Je suis attachée à la maison avec les enfants.

— Mais tu es absorbée par eux, alors ne te plains pas ! Non, il faut que je m'occupe, sinon je vais m'encroûter. En plus, il faut que je fasse quelque chose pour Leonore. Tel que je connais son père, il va cesser de payer sa pension alimentaire dès qu'elle aura dix-huit ans, et lorsque je ne serai plus là...

— Elle va probablement se marier.

— Leonore ? cette pauvre chose terne ?

— Elle peut encore changer.

— Non, pas elle. Elle ressemble à son père, seulement lui, il est malin, sans scrupule et sans conscience.

Julia se taisait, car rien ne l'intéressait moins en ce moment que l'analyse du caractère de Leonore.

— Evidemment, j'ai Edgar, continua Lizi, avec un peu de complaisance.

— Qui est Edgar ?

— Mon ami. Tu ne savais pas que j'avais un ami ?

— Si, bien sûr, mais je ne savais pas qu'il s'appelait

190

Edgar. A la façon dont tu en as parlé, on aurait pu croire qu'il s'agissait d'un perroquet.

Lizi rit.

— Je me suis très mal exprimée. Je « n'ai » pas Edgar, au contraire, il est marié. A Munich. Il daigne seulement me rendre visite une fois par semaine.

— Tu le dis plutôt avec amertume.

— Non. Au début, il a parlé de divorce, etc., mais par bonheur je ne l'ai pas écouté. Tu sais, quelles que soient ses relations avec sa femme... pas si mauvaises que ça, je présume... il a trois enfants d'âge scolaire, alors il ne peut pas tout abandonner. D'ailleurs, je ne souhaiterais pas du tout être mariée avec lui. Il est plutôt radin, tu sais. Un type à compter chaque sou que sa femme dépense pour le ménage.

— Robert aussi était plutôt regardant, dit Julia pensivement.

— Je peux l'imaginer !

— Mais c'était tout autre chose ! dit Julia avec force.

— Sûrement. Tu étais tout pour lui. Il ne t'aurait jamais trompée.

— Non.

— Mais quand c'est un étranger qui veut faire la loi chez toi...

— Tu ne sembles pas l'aimer tellement.

— Disons que je l'aime bien. S'il partait, cela ferait un vide dans ma vie. Mais cela ne m'empêche pas d'être réaliste.

— Etonnant.

— Pas du tout. Ou bien crois-tu que ça me rende heureuse ?

— Sûrement pas. Mais est-ce important ? Je trouve bon que l'on puisse voir objectivement sa situation, la place que l'on occupe, ses relations avec ses semblables. J'en suis incapable, je crois.

— Mais tu essayes ?

— Oui.

— Alors tu as plus de chance que cette pauvre Agnes.

— Pauvre ? Pourquoi ?

— Son mari la trompe. Depuis des années. Tout le monde le sait, elle seule se fait encore des illusions.

— Je l'ignorais également, dit Julia.

— Oh, toi ! Tout Eysing en parle. D'abord ce n'étaient que des fredaines occasionnelles. Depuis, il a une liaison stable. Elle est institutrice au lycée de Neubeuern.

Julia, jusqu'ici peu intéressée par la conversation, fut quand même affectée.

— Crois-tu qu'il divorcera ? demanda-t-elle.

— Il ne peut pas se le permettre. Il a commencé avec rien. Selon la loi, il serait obligé de lui laisser la moitié de ce qu'il a gagné depuis, et ça le ruinerait.

— Quelle situation !

— Oui, plutôt dégueulasse.

— Et tu penses qu'elle ne le sait pas ?

— Elle doit s'en douter, sûrement. Evidemment, personne ne va le lui dire. Des gens qui écrivent des lettres dans le genre : « Votre mari vous trompe. Un ami qui vous veut du bien », il n'y en a pas à Eysing, heureusement. Bonne pâte comme elle est, elle ne lui pose pas de questions... peut-être aussi parce qu'elle préfère ne pas le savoir. Lui, de son côté, il ne lui dira rien, parce qu'il a peur qu'elle ne demande le divorce.

— Ils continuent donc de vivre ainsi côte à côte, dit Julia et subitement, sans transition, elle vit sous un autre jour la mort qui lui avait ravi son mari.

Elle lui devait le souvenir d'un mariage heureux, harmonieux. Elle avait fait de leur mariage un succès, que personne ne pouvait plus lui prendre.

— Qu'as-tu ? demanda Lizi.

Julia cherchait son mouchoir.

— Je viens de penser à Robert !

Lizi se méprit sur ses paroles, elle ne pouvait que se méprendre.

— Un jour, tu finiras bien par t'y faire.

— C'est déjà fait, dit Julia, ou presque ! — Elle se tourna vers Ralph. — On arrive ! Il n'y en a plus pour longtemps.

Ils quittèrent l'autoroute, passèrent par le boulevard circulaire, traversèrent le Jardin Anglais et atteignirent Schwabing.

Lizi devait faire très attention et parlait moins ; Julia et Ralph en furent soulagés.

Il était près de cinq heures lorsqu'ils atteignirent la place de Cologne. Lizi laissa descendre Julia et Ralph avant de chercher une place pour se garer.

— Tu viens avec nous ? demanda Julia, tenant Ralph par la main.

— Non, non, je vais boire une petite bière. Je t'attendrai là-bas, en face... à la brasserie du coin.

Julia prit la petite valise de Ralph sur le siège arrière.

— Ne crains rien, Ralph, dit Lizi, ce ne sera pas terrible. Dans quelques jours tu seras de retour à la maison.

Même dans cette situation, Ralph se montra sage.

— Sûrement, Tante Lizi ! Au revoir ! dit-il et il exécuta une de ses parfaites courbettes.

Il voulut porter lui-même sa mallette.

Le terrain — le terrain immense — était entouré d'un mur assez effrité. Ils passèrent par le portail grand ouvert et pénétrèrent dans un parc, dans lequel des enfants convalescents se promenaient ou étaient assis sur les bancs à se chauffer au soleil, en robes de chambre, en peignoirs et en pantoufles, certains portant encore des bandages.

— Ça a l'air très gai, tu ne trouves pas ? demanda Julia. Quel joli parc !

— Oui, Julia, répondit Ralph, résigné.

Il se sentait encore plus isolé qu'auparavant.

Divers bâtiments, anciens et neufs, étaient dispersés dans le parc. Le bâtiment principal semblait dater de la même époque que le vieux mur. Julia ouvrit la porte et poussa Ralph devant elle. Après un petit couloir ils se trouvèrent dans la salle d'attente où il y avait un grand nombre de petits fauteuils à roulettes et des landeaux. Julia fut angoissée de voir que tant d'enfants plus jeunes que Ralph pouvaient être gravement malades.

Alors qu'elle regardait autour d'elle, une femme en blouse blanche vint à sa rencontre ; elle avait des cheveux blonds serrés en chignon, un visage clair sans aucun maquillage ; elle était gracieuse et à peine plus grande qu'un enfant.

193

— Vous êtes madame Severin, n'est-ce pas ? demanda-t-elle en tendant la main à Julia. Je suis le docteur Vogel.

— Comme c'est aimable à vous de nous accueillir ici !

— Je voulais vous faciliter les choses. Dans ce complexe de bâtiments, un étranger se perd facilement.

Julia poussa son fils devant elle.

— Voici Ralph !

— Bonjour, Ralph ; je suis ravie, dit la doctoresse en lui serrant aussi la main.

Il s'inclina sagement, puis se redressa et la regarda en face.

— Parce que je suis malade ? demanda-t-il.

Le docteur Vogel fut d'abord déconcertée, puis elle dit.

— Non, parce que tu es déjà grand et que tu parais très raisonnable. Tu sais, nous avons ici beaucoup de bébés. Ils ne peuvent pas dire où ils ont mal. Et même les enfants plus grands se mettent à hurler dès qu'ils voient une blouse blanche. — Elle se tourna vers Julia : — Vous pouvez vous annoncer là-bas. Donnez les références concernant le gamin, le numéro d'immatriculation à la Sécurité Sociale, etc. Pendant ce temps, je vais déjà m'entretenir un peu avec Ralph.

En revenant de la réception, elle trouva Ralph et la doctoresse en parfait accord et elle en ressentit une pointe de jalousie. Elle se le reprocha, sachant combien cela était injustifié et qu'elle devait, au contraire, se réjouir que la doctoresse ait réussi à gagner la confiance de Ralph aussi rapidement. Mais l'irritation persista, bien qu'elle sût la dissimuler.

— J'ai trouvé une place pour Ralph, dit le docteur Vogel, dans une salle où il y a de pauvres gosses qui se sont cassé bras et jambes, mais qui ne sont pas malades autrement. Maintenant, nous allons monter dans mon cabinet de consultations.

Le cabinet de consultation de la doctoresse avait un coin-salon confortable, avec trois petits fauteuils, groupés autour d'une table ronde recouverte d'une nappe multicolore. Le coin-salon était séparé par un paravent coloré du cabinet d'auscultation garni d'armoires vitrées avec des instruments luisants. Sur le rebord de la fenêtre il y avait même un pot de cyclamen.

— Prenez place, je vous prie ! dit la doctoresse. Toi aussi, Ralph, assieds-toi. On va d'abord boire un verre de limonade. Ça vous fera du bien après votre long trajet en voiture. Combien de temps avez-vous mis pour venir d'Eysing-les-Bains ?

— Plus d'une heure.

— Si peu ? — La doctoresse posa les verres sur la table, sortit une bouteille de limonade du réfrigérateur. — Je la fais toujours moi-même, dit-elle. Je la trouve meilleure que celle qu'on achète. On sait au moins avec quoi c'est fait.

Ralph en but une gorgée le premier.

— C'est bon ! dit-il.

— Tant mieux ! — Elle posa un cendrier sur la table. — Vous voulez sûrement fumer.

— Comment le savez-vous ?

— Je ne le sais pas. C'était plutôt une question.

— Oui, j'en ai envie, en effet. — Julia sortit son paquet de cigarettes et le tendit à la doctoresse. — J'aimerais rester à Munich, dit-elle, aussi longtemps que Ralph reste ici. Ma petite fille est gardée par une amie.

— Ce ne sera pas nécessaire, répliqua la doctoresse, il suffit que vous laissiez votre numéro de téléphone. Ralph ne pourra pas recevoir de visite, de toute manière.

Julia sursauta.

— Pourquoi ?

— Oh, vous savez, tout cela est déjà assez éprouvant pour lui. Il ne faut pas que les larmes maternelles l'accablent davantage.

— Je n'aurais pas pleuré devant lui !

— J'en suis sûre. Mais il sentirait votre inquiétude et votre angoisse. Les enfants devinent très bien quand les grandes personnes font semblant.

— Je crois qu'il aimerait me savoir à proximité.

— Chère madame Severin, je comprends très bien ce que vous ressentez. Mais il s'agit d'une séparation de trois jours seulement. J'ai réussi à grouper les rendez-vous de telle sorte que nous aurons les résultats dans trois jours.

— Alors je peux venir le chercher jeudi après-midi ?

— Disons plutôt vendredi matin. Il se peut qu'une concertation avec mes collègues soit nécessaire. Mais vendredi matin... — Elle disparut derrière le paravent et revint avec un agenda et un stylo.

— ... je vous attends ici à onze heures et je pourrai vous communiquer le résultat des recherches.

— Est-ce que les examens seront douloureux ?

— Absolument pas. Il est possible... je ne le sais pas encore... que certains ne soient pas très agréables. Mais certainement pas douloureux.

— Je n'ai pas peur, déclara Ralph.

— Il n'y a aucune raison. Je veillerai à ce que personne ne te fasse mal.

Julia vida son verre ; la limonade était bonne, même si ce n'est pas la boisson idéale pour accompagner une cigarette.

— J'ai apporté le rapport de son médecin traitant, dit-elle, sortant de son sac l'enveloppe cachetée que le docteur Opitz lui avait remise.

— Au fond, nous n'en avons pas besoin, dit la doctoresse, en le prenant. Nous allons commencer les examens en partant de zéro, tout à fait objectivement, comme si nous ignorions tout de sa maladie.

— Pouvez-vous déjà être certaine qu'il s'agit d'une maladie ?

— Julia ! s'écria Ralph, indigné. Tu crois toujours que je joue la comédie ?

— Mais non, voyons, Ralph, mon grand chéri, pas du tout. Je voulais seulement m'assurer que...

— Oui, madame Severin, dit la doctoresse, il s'agit sûrement d'une maladie. Là où il y a des symptômes, il y a aussi des causes. Ce sont ces causes que nous voulons découvrir. — Elle attendit que Julia termine sa cigarette, puis se leva. — Bon, maintenant nous allons conduire Ralph à sa chambre.

La chambre de Ralph s'avéra être une pièce triste, grise et blanche, avec quatre lits et un cabinet de toilette. Le cœur de Julia se serra à la pensée que son petit garçon aurait à passer ici plusieurs jours. Mais

Ralph resta très décontracté. Les autres garçons — bras, jambe ou pied dans le plâtre — regardèrent le nouveau venu avec curiosité. Ils ne dirent rien, mais on pouvait s'attendre à ce qu'ils l'assaillent de questions dès que les grandes personnes auraient quitté la pièce. Deux d'entre eux étaient plus âgés que Ralph, l'un avec une voix qui muait déjà, et le plus jeune, couché dans son lit et qui paraissait le plus souffrant, avait moins de sept ans.

Julia aurait aimé ramener Ralph immédiatement à la maison ; elle dut se raisonner énergiquement, car il fallait savoir enfin de quoi il souffrait et son séjour ici était inévitable.

Le docteur Vogel prit congé, et Julia s'occupa à défaire la mallette de Ralph et à ranger ses affaires dans la petite armoire à sa disposition.

Elle avait l'impression de livrer son fils à une maison de redressement ou bien à une prison. L'impatience avec laquelle il observait ses mouvements lui était incompréhensible. Il était assis sur le lit qui lui avait été affecté et ne savait que faire.

Une infirmière, blanche, blonde et rose, en uniforme empesé, entra.

— Ah, c'est toi le nouveau ! dit-elle joyeusement, sans faire attention à Julia. Sois le bienvenu ! Déshabille-toi ! Le dîner va être servi.

— Mais je ne suis pas malade ! protesta Ralph.

— Alors pourquoi es-tu là ?

— Ralph n'est vraiment pas grabataire, intervint Julia, venant à son secours.

L'infirmière la regarda avec désapprobation.

— Ici, c'est un hôpital, et tous les enfants doivent être dans leurs lits ! Vous aussi, Alex et Jürgen ! Allez, allez ! au lit !

— Je vais me déshabiller, Julia, dit Ralph, tu n'as pas besoin d'attendre.

— Je ne puis rien faire d'autre pour toi ?

— Non, rien du tout.

Julia hésitait encore.

— Tu sais, tu ne restes que trois jours.

— Je sais.

— Sois courageux !

Ralph lui lança un regard indéchiffrable.

— Tu nous manqueras, à Roberta et à moi.

— Ciao, Julia, dit Ralph, comme il l'avait appris en Italie.

Il avait déjà enlevé ses chaussures et retirait maintenant sa culotte.

Julia aurait aimé le prendre dans ses bras et l'embrasser, mais elle comprit que cela aurait été pénible pour lui devant les grands garçons qui l'observaient comme des bêtes dans un zoo.

— Bon courage, chéri ! dit-elle, et elle se tourna vers la porte, le cœur lourd.

— J'en ai.

— Et s'il y avait quelque chose... tu as notre numéro de téléphone.

— Si je peux téléphoner.

— Il y a bien une cabine téléphonique quelque part...

— Ne te fais donc pas de soucis !

Julia s'en alla ; jamais encore elle n'avait eu le cœur aussi gros.

LES jours suivants furent affreux pour Julia ; elle les vécut comme un cauchemar.

Ni la tendresse de Roberta, heureuse d'avoir sa mère pour elle seule et de dormir auprès d'elle dans le lit de Ralph, ni les attentions de ses amies, qui organisèrent une soirée de Skat spéciale pour la distraire, ne purent la soulager. Déprimée et comme absente, elle traversait la vie quotidienne, ses pensées restant toujours près de son fils, éloigné d'elle, et qui devait subir toutes sortes d'examens. Elle se tourmentait de n'avoir pas demandé à la doctoresse à quel genre de maladie elle pensait car il lui semblait, rétrospectivement, que Mme Vogel avait déjà une idée assez précise sur ce que Ralph devait avoir.

Julia avait bien un dictionnaire médical qui pouvait éclairer un profane pour les maladies subites ; mais elle n'y trouva rien qui corresponde aux symptômes de Ralph. Elle fouilla la librairie de la place de l'Hôtel-de-Ville et acheta plusieurs livres. Mais ceux-ci ne l'aidèrent pas davantage. Elle finit par tomber sur une « sclérose multiple », maladie mystérieuse et sournoise, qui entraîne inévitablement une complète paralysie et un abêtissement total.

Là-dessus elle ferma tous les livres et aurait aimé les brûler tous. « Sclérose multiple ! » Inimaginable !

Elle ne pouvait plus dormir sans somnifères, et bien qu'elle préparât pour Roberta des repas particulièrement savoureux, elle-même y goûtait à peine.

— Tu n'aides pas Ralph en te rendant malade ! dit Agnes.

— Mais c'est justement ce qui me rend folle : de ne pas pouvoir l'aider !

— Tu sais qu'il est en de bonnes mains.

— Mais pas avec moi.

Au début de l'après-midi du jeudi, le téléphone sonna.

Julia, tremblant de nervosité, se précipita dans le bureau, sans se douter que l'appel pouvait concerner Ralph.

C'était pourtant le docteur Erika Vogel.

— Bonjour, madame Severin ! Je peux imaginer votre impatience...

— Ralph a quelque chose ?

— Rien d'alarmant. Mais les résultats des examens sont là, et son cas a déjà été discuté. Je pensais que vous deviez être tenue au courant.

— Alors qu'a-t-il ? Avez-vous trouvé ?

— Le mieux serait que vous veniez à Munich, pour que je puisse tout vous expliquer.

— Vous ne pouvez pas le faire tout de suite ?

— C'est difficile par téléphone.

— Bon, j'arrive. Je pars tout de suite.

— Ne vous précipitez pas. Je reste à la clinique et je vous attends.

Les mains tremblantes, Julia composa le numéro de Lizi Silbermann. Pas de réponse. Elle réfléchit fièvreusement. Lizi n'était pas en voyage, elle allait rentrer tôt ou tard, mais elle n'avait pas le courage d'attendre.

Evidemment, elle aurait pu prendre le train. Mais cela signifiait un changement à Rosenheim, donc une perte de temps. Elle appela Bogenhauser à la compagnie de taxis de Eysing et demanda une voiture pour Munich. Cela coûterait cher, mais dans cette situation cela n'avait pas d'importance.

Elle courut dans le living où Roberta était en train d'habiller sa poupée préférée.

— Je dois aller à Munich, dit Julia. Tante Lizi n'est pas là. Tu resteras chez Tante Agnes jusqu'à mon retour.

Roberta jeta par terre la poupée qu'elle tenait, un instant plus tôt, tendrement dans ses bras.

— Je ne veux pas !

— Tu ne peux pas faire autrement. Alors sois sage. Ton obstination ne sert à rien.

Aussitôt, Roberta se mit à pleurer.

— Je ne veux pas descendre. Tine est mauvaise. Elle m'agace !

— Alors agace-la aussi. Viens, sois sage, ne fais pas d'histoires. Tu sais que Tante Agnes t'aime beaucoup.

— Je ne veux pas !

— Alors tu resteras seule dans l'appartement. Toute seule. Je demanderai à Tante Agnes de venir te voir.

— Je te déteste !

— Non, Robsy, je suis désolée pour toi, mais je dois aller à Munich. Les médecins savent maintenant ce qui ne va pas avec Ralph.

— Toujours Ralph !

— Il est malade, Robsy. Probablement gravement malade. Tu devrais te réjouir d'être bien portante. Alors sois raisonnable.

Roberta s'approcha d'elle.

— S'il te plaît, s'il te plaît, emmène-moi !

Julia la caressa.

— Je l'aurais fait avec plaisir, seulement les petits enfants n'entrent pas dans l'hôpital. Alors... que ferais-je de toi à Munich ?

— Je vais attendre !

Julia n'eut pas le cœur d'abandonner sa fille sanglotante.

— Bon, dit-elle en soupirant, viens ! Mais tu vas attendre dans le taxi pendant que je parlerai avec la docteresse. Tu me le promets ?

Roberta renifla.

— Je pourrai manger une glace ?

— Oui, d'accord ! Mais maintenant nous devons nous changer très vite.

On sonna à la porte d'entrée avant même que Julia et Roberta soient prêtes. Julia n'eut pas le temps de se mettre du rouge à lèvres ni du Rimmel. D'ailleurs, elle n'en avait pas envie. Elle n'avait qu'une seule pensée :

être à Munich le plus vite possible et apprendre ce qu'il en était avec Ralph.

Le docteur Erika Vogel reçut Julia dans le coin confortable de son cabinet.

— Je crois qu'aujourd'hui vous avez besoin de quelque chose de plus fort que la limonade, dit-elle. Un cognac ?

— Ça va mal pour Ralph ?

— Non, pas du tout. Nous espérons en faire un garçon tout à fait normal.

— Qu'est-ce qu'il a ?

La doctoresse versa du cognac dans le verre de Julia.

— Buvez d'abord un peu et allumez une cigarette.

— Mais pourquoi ? Si ce n'est pas grave…

— Faites ce que je vous dis !

Julia goûta le cognac, excellent, et alluma une cigarette. La doctoresse ne fumait pas, cette fois.

— Je suis follement inquiète ! dit Julia.

— Je vous comprends.

— Qu'est-ce qu'il a ?

— L'ophtamologiste a constaté un rétrécissement du champ visuel.

— Et ça signifie quoi ?

— Une congestion de pupille. Des troubles d'équilibre.

— Et alors ?

— Nous supposons qu'un kyste s'est formé dans le cerveau.

— Quoi !? — Julia bondit.

— Oui, un kyste. Nous avons effectué une artériographie cérébrale après avoir injecté un produit de contraste dans une artère du cerveau. Ce n'a pas été très agréable pour le gamin, mais il fallait le faire. Notre supposition a ainsi été confirmée : un kyste du cervelet.

— Mon Dieu ! dit Julia, et elle se rassit.

— Cela explique ses malaises. Les phénomènes de paralysie partielle de la main droite… son pied droit ne doit pas lui obéir non plus, mais vous ne vous en êtes pas aperçue… les troubles du langage, les nausées, les migraines…

202

— Un kyste ? Vous en êtes sûre ?

— Non, nous ne sommes pas sûrs. Selon l'historique de sa maladie, tout semble indiquer un kyste. Mais cela pourrait être une autre sorte d'œdème : une tumeur.

— Maligne ?

— Chère madame Severin, pour le savoir nous devons opérer.

— C'est épouvantable !

— Non, non, ne le prenez pas comme ça. Ralph est malade depuis longtemps, nous avons trouvé la cause de sa maladie, à présent nous espérons pouvoir le guérir.

— Une opération du cerveau ! Et si je refuse mon autorisation ?

— Ça ira en s'aggravant et finira par entraîner la mort !

Julia se tut un long moment, puis tendit son verre à la doctoresse qui le remplit à nouveau.

— Comment une chose pareille peut-elle se produire ? demanda-t-elle finalement.

Elle écrasa sa cigarette et en alluma aussitôt une autre.

— On l'ignore. De toute manière, vous n'avez rien à vous reprocher.

— Pendant longtemps, je ne l'ai pas pris au sérieux, je pensais que les symptômes étaient d'origine psychique.

— Son médecin aussi.

— J'aurais dû le comprendre mieux.

— Comment auriez-vous pu ? Personne ne peut deviner une chose pareille. Seul un examen approfondi l'a révélé.

— Mais une intervention au cerveau ! Ce n'est pas une bagatelle !

— Non. Sûrement pas. — La doctoresse prit une cigarette dans le paquet posé devant Julia. — Le kyste semble bien placé. Assez haut. Mais le danger existe. — Elle alluma la cigarette. — Cela peut provoquer des lésions.

— Et alors ?

— Le cerveau du petit pourrait être endommagé.

— Il pourrait devenir idiot ?

— Non, pas complètement. Mais certaines facultés de la pensée pourraient être atteintes. Je vous en prie, madame Severin, je ne vous dis pas cela pour vous effrayer, mais pour vous familiariser avec la portée de l'opération inévitable et indispensable.

— J'ai l'impression que je deviens folle... oui, sérieusement... je sens que je deviens folle! dit Julia.

— Voyons, chère madame Severin! Vous êtes très sensible, mais il y a loin de la sensibilité à la folie! Nous avons constaté une grosseur dans le cerveau de votre fils. C'est moins dangereux qu'un furoncle dans le nez. Nous allons enlever la grosseur, c'est tout.

— Alors pourquoi m'avez-vous fait venir dès aujourd'hui? Si sa vie n'était pas menacée, vous auriez attendu... au moins jusqu'à demain, selon le rendez-vous pris!

— Vous vous trompez complètement, madame Severin. Cette grosseur ne s'est pas formée du jour au lendemain, au contraire, elle a mis très longtemps à se former. Il importe peu que nous l'opérions maintenant ou dans quinze jours. L'état de Ralph va empirer pendant ce temps, mais théoriquement il restera le même. Pourquoi je vous ai fait venir aujourd'hui n'a qu'une seule raison : je voudrais vous épargner des émotions inutiles. J'aurais pu vous le dire demain matin. Alors vous auriez eu un week-end affreux. Chez nous, on n'opère le samedi et le dimanche que dans les cas d'urgence. Mais si vous nous donnez votre autorisation maintenant, notre neurologue le prend dès demain matin, et demain midi vous aurez une certitude.

— De quoi?

— S'il s'agit d'un kyste bénin, comme nous le supposons, ou de quelque chose de plus grave.

— Alors cela peut quand même être une tumeur. Une tumeur maligne? le cancer?

— Ça peut être toutes sortes de choses. Mais les radios le montrent nettement délimité. Il n'y a pas de métastases. Nous partons du principe qu'il s'agit d'un kyste.

— Quelle consolation!

— Chère madame Severin, je trouve que c'est une consolation. Nous, les médecins, nous luttons chaque jour contre la mort. Elle guette non seulement les gens âgés, mais elle emporte aussi des enfants. Nous ne nous faisons aucune illusion.

— Puis-je voir Ralph ?

— Naturellement. Vous-même allez le lui annoncer. Une mère sait trouver les mots justes.

— Je passerai la nuit à Munich.

— C'est très bien. Nous allons procéder à un examen histologique pendant l'opération.

— Mon pauvre petit !

— Cela ne veut rien dire, madame Severin. Souvent, les enfants qui traversent très tôt des épreuves pénibles, plus tard, deviennent des gens heureux et équilibrés et, au contraire, les enfants qui grandissent heureux et gâtés peuvent plus tard être totalement ratés.

— Et moi qui m'efforce tellement de protéger mes enfants de tout mal !

— C'est naturel ! Mais parfois cela ne sert à rien. Comme dans le cas de Ralph. Vous pouvez apprendre à votre fils à regarder d'abord à gauche puis à droite avant de traverser la chaussée. Mais quand survient un conducteur de camion ivre, tous les bons conseils ne servent à rien. Alors la protection maternelle s'avère inutile. Nous devons nous réjouir d'avoir pu cerner la maladie et qu'elle soit opérable. Croyez-moi, il y a des cas plus tragiques !

Ralph était couché dans son lit. Il portait le pyjama rayé vert et blanc que Julia avait mis dans sa valise ; il était un peu pâle, les traits un peu tirés, mais paraissait moins gravement malade qu'il ne l'était en réalité.

— Julia ! s'écria-t-il en lui tendant ses petits bras. Tu viens me chercher ?

Elle l'embrassa.

— Tricheur ! dit-elle. Tu sais très bien que tu dois rester !

— Qu'est-ce que j'ai ?

— Un kyste ! Les médecins croient que c'est un kyste.

— Qu'est-ce que c'est ?

— Tu te souviens ? Il y a quelques années... il y a exactement trois ans, quand ton père est mort, j'avais une vilaine verrue sur la joue. C'était un kyste. Je l'ai tant tripotée qu'elle a fini par disparaître.

— Et c'est ce que j'ai ?

— Oui. Seulement tu ne peux rien y faire toi-même. Il faut t'opérer. Demain matin.

Les autres garçons parlaient entre eux et faisaient comme si la conversation ne les intéressait pas. Mais ils écoutaient attentivement.

— De nouveau ? demanda Ralph.

— Oui, de nouveau. Il ne s'agissait pas d'une appendicite. Alors il faut enlever le kyste.

— Où se trouve-t-il ?

— Je t'en prie, Ralph, ne fais pas l'idiot. Qu'est-ce qu'on t'a examiné ?

— La tête.

— Alors ! C'est là que se trouve le kyste.

Il se passa les mains dans ses cheveux bouclés.

— Mais je ne sens rien !

— Bien sûr que non. Il est à l'intérieur. C'est à cause de lui que tu ne pouvais plus écrire aussi bien. C'est lui aussi qui provoque tes maux de ventre et tes migraines.

— A l'intérieur ? Dans la tête ? Ils veulent m'ouvrir le crâne ?

— N'en fais pas un drame ! On peut tout aussi bien ouvrir un crâne qu'un ventre. Et tu n'avais pas du tout peur alors !

— Julia, je t'en prie, emmène-moi à la maison !

Il s'accrocha au bras de Julia.

— Je ne peux pas, Ralph. Il faut que tu le supportes. Mme Vogel dit que ce n'est rien du tout. Je reste cette nuit à Munich. Robsy est venue avec moi.

— Je ne veux pas qu'on m'ouvre la tête !

— Je te comprends. Ce n'est sûrement pas un plaisir ! Mais après tu seras tout à fait bien portant.

— Et s'ils m'esquintent ?

— Non, c'est exclu !

Julia se tourna vers la doctoresse qui se tenait derrière elle et avait écouté avec un visage sans expression.

— Qui va l'opérer ?

— Le professeur Neumeier. Il l'a fait des centaines de fois. C'est quelqu'un qui ne commet jamais d'erreur.

206

— Tu vois ? Alors tu n'as rien à craindre.

— Mais je ne veux pas !

Elle lui prit la main et la serra.

— Ecoute, une telle verrue n'est absolument pas dangereuse ! — Elle se tourna vers la doctoresse :

— N'est-ce pas ?

Mme Vogel inclina la tête.

— Mais si on la laisse, elle peut grandir de plus en plus et presser sur ton cerveau, de sorte que tu ne pourras plus penser normalement. Tu veux courir ce risque ?

— Une verrue s'en va d'elle-même.

— Non, jamais. Pas si elle n'est pas vidée et désinfectée. Elle ne bouge pas d'elle-même. Alors il faut qu'on la sorte.

— Le cerveau, dit la doctoresse, ne sera pas touché. Ce kyste est très bien placé. Il faut seulement l'enlever.

— Mais comment ?

— Laisse donc faire le professeur Neumeier ! C'est une intervention parfaitement anodine, assura la doctoresse, et après tu pourras de nouveau bien écrire et jouer du piano...

— Et tu n'auras plus de nausées, ajouta Julia, ni de migraines.

A leur surprise, Ralph montra un faible sourire.

— Si vous en êtes tellement sûres !

— Oui, j'en suis certaine. Ça a été affreux pour toi de rester ici et d'être traîné d'un médecin à l'autre, bien que tu n'aies pas de véritables douleurs... juste un peu mal au ventre et à la tête. Mais si tu n'es pas raisonnable, les douleurs reviendront !

— Alors je n'aurais plus à aller à l'école !

— Ralph ! s'écria Julia.

— Ça va, Julia ! Calme-toi ! Naturellement, je me fais opérer. Je n'ai pas le choix !

— Tu as toujours été si courageux !

— Je le suis encore ! Quand m'opère-t-on ?

— Tu passes en premier demain matin ! dit la doctoresse. Alors le professeur Neumeier sera bien reposé, et toi, tu seras vite débarrassé.

— C'est mauvais pour ceux qui viendront après moi, non ?

— Petit malin !

— Et quand pourrais-je rentrer à la maison ?

— Au plus tard dans quinze jours. Ce n'est pas grand-chose, n'est-ce pas ?

— Je voudrais vous y voir ! Qu'on vous ouvre le crâne ! Comment fait-on ?

— Tu ne t'apercevras de rien, nous serons seulement obligés de te couper tes belles boucles et te raser la tête. Mais elles repousseront vite.

— Tu te sentiras renaître ! dit Julia. Enfin tout à fait bien portant !

— Mais voyons, puisque je n'ai jamais été malade ! dit Ralph avec un regard oblique et railleur. Avoue que pendant longtemps tu ne voulais pas me croire.

— Je ne suis pas médecin. Comment pouvais-je le savoir ? comment aurais-je pu m'imaginer plus intelligente que le docteur Opitz et le professeur Malatesta ?

Julia se tordit les mains.

— Ne le prenez pas tellement au tragique, madame Severin, dit la doctoresse, apaisante, il veut seulement savourer son triomphe ! N'est-ce pas, Ralph ? Mais ce n'est pas loyal à l'égard de ta mère.

— Je me reprocherai toute ma vie de n'avoir pas cru Ralph plutôt que ses médecins.

— A quoi servent les reproches ? Embrassez votre fils et dites-lui au revoir. Toutes ces discussions ne sont pas bonnes pour lui. D'ailleurs il aura dès ce soir une piqûre calmante...

Julia se pencha et embrassa son fils.

— A demain, Ralph ! Je reviens demain !

— Ne te fais pas de soucis, Julia ! Ça ira sûrement mal !

Julia se redressa et détourna la tête ; il ne devait pas voir que ses yeux étaient pleins de larmes.

— Demain il ne pourra pas encore parler, dit la doctoresse lorsqu'elles eurent quitté la chambre, mais je pourrai au moins vous communiquer le résultat histologique. Nous ferons analyser la grosseur immédiatement, dans la salle d'opération.

— Peut-on déterminer de cette manière si elle est bénigne ou non...

— Vous savez, un chirurgien ou un pathologiste

expérimenté peut le voir à l'œil nu. La biopsie n'est faite que pour confirmation. Où résiderez-vous à Munich ? Pouvez-vous me donner votre numéro de téléphone ?

— Je ne le sais pas encore. Je pensais chercher une pension, aussi près d'ici que possible.

— Alors j'ai une bonne adresse pour vous. La pension « Schwabinchen ». Le nom est plutôt ridicule, mais la maison est bien dirigée et elle se trouve sur la place de Cologne, en face de la clinique.

— Merci. Je vais y aller.

— Normalement, elle est occupée par des étudiants dont les parents peuvent payer. Vous savez, il y a la crise du logement à Munich. Mais en ce moment, ce sont les vacances. Alors vous allez sûrement trouver une chambre.

Julia accompagna la doctoresse dans son cabinet de consultations et signa une autorisation pour l'opération ; elle promit de téléphoner dès qu'elle aurait retenu sa chambre, et elle prit congé.

Le taxi qui avait amené Julia à Munich était vide. Julia eut peur, pensa à un rapt ou à un accident, mais se raisonna aussitôt. Elle regarda autour d'elle et vit Roberta arriver, donnant la main à Bogenhauser, le chauffeur de taxi.

— Enfin, Julia ! cria la petite. Nous avons mangé une glace... une part énorme !

— Tu en as de la chance ! dit Julia distraitement. Je vous remercie, monsieur Bogenhauser. Ce n'est pas la peine de m'attendre.

— Mais c'est le même prix.

— Je sais, mais je dois rester à Munich.

— Ralph va plus mal ? demanda-t-il avec sollicitude.

— Non. Mais il doit être opéré.

— Ah mon Dieu ! Qu'est-ce qu'il a ?

Julia sentit l'intérêt sincère de l'homme, mais ne voulut pas parler avec lui de la maladie de son fils.

— Je vais rester deux jours, dit-elle évasivement.

— S'il faut venir vous chercher, téléphonez-moi ! Vous avez mon numéro ? Il sortit une carte de la poche intérieure de son blouson de cuir.

— Non, pour rentrer nous prendrons le train. C'est plus compliqué, mais nous ne serons pas pressées.

Elle prit Roberta par la main.

— Bon, comme vous voulez. Mais si vous changez d'avis, vous me le faites savoir. — Il salua et monta dans son taxi, puis baissa encore une fois la vitre. — Ce sera toujours moins cher que de prendre un taxi à Munich.

Julia s'efforça de sourire.

— Merci, j'y songerai.

Julia obtint une chambre claire avec douche et W.-C. à la pension « Schwabinchen » et elle appela aussitôt la doctoresse. Puis elles sortirent pour faire des achats : savon, brosses à dents, pâte dentifrice et du linge de rechange.

Roberta était enchantée de rester à Munich ; c'était pour elle une aventure inespérée.

Elle bavardait sans arrêt, voulait aller au Zoo et à l'Isar et au cinéma, et ne s'aperçut qu'au bout d'un long moment que sa mère lui répondait distraitement et par monosyllabes.

Accrochée à la main de Julia, elle sautillait le long du large trottoir de la Leopoldstrasse, parcouru par un flot de flâneurs, dont certains se reposaient devant de petites tables près de la chaussée, mangeaient des glaces, buvaient du café ou de la bière, bavardaient et observaient les passants.

Julia était insensible au charme de cette scène. Et même Roberta se taisait.

C'est seulement lorsqu'elles arrivèrent au Siegestor qu'elle demanda timidement :

— Qu'est-ce qu'il a, Ralph ?

Elle posa la question à voix basse, mais Julia la comprit aussitôt.

— Les médecins ne sont pas encore tout à fait sûrs.

— Toujours pas ?

— Ils vont opérer et chercher.

— C'est grave ?

— Je suis inquiète.

— Il ne faut pas. Quand ils lui ont ouvert le ventre à Venise, il a été guéri très vite.

210

— Bien sûr, chérie. Tu as raison. — Julia serra la petite main de Roberta. — Mais pour une mère, c'est comme ça. On est inquiète, même quand il n'y a pas de raison.

Elle n'eut pas le courage de dire à Roberta que son frère allait être opéré à la tête.

Julia et sa fille mangèrent chez « Mario », un restaurant italien, qui leur rappela le Lido. En réalité, seule Roberta mangeait ; Julia buvait et la regardait manger.

Roberta avait demandé une pizza qui arriva, énorme, chaude et parfumée. Néanmoins, elle ne voulut pas la partager avec sa mère.

— C'est ma pizza ! déclara-t-elle avec fermeté. Tu peux t'en commander une !

Julia fut choquée par cet égoïsme enfantin, mais ne le fit pas voir.

— Jamais tu ne pourras en venir à bout toute seule !

— Tu verras bien !

Roberta s'y attaqua courageusement, mais au bout de quelque temps ses mouvements se ralentirent, elle coupa le bord, choisit tel ou tel morceau succulent, et lorsqu'elle renonça finalement, il en restait presque la moitié. — A présent, tu peux y aller ! dit-elle généreusement.

Naturellement, la pizza avait refroidi, mais Julia n'avait de toute manière aucun appétit. Elle avala péniblement quelques morceaux, parce qu'elle se dit qu'il ne serait pas raisonnable de ne rien manger du tout.

La nuit fut pour elle un cauchemar. Elle regretta de ne pas avoir demandé de somnifère à la doctoresse. Puis elle se dit que peu importait de passer une nuit blanche alors que son fils était en danger de mort.

Elle était certaine qu'elle n'aurait pas dormi dans un environnement étranger et avec la conscience que Ralph, à quelque cent mètres seulement, était préparé pour une opération à la tête.

Elle resta longtemps couchée, les yeux ouverts, à attendre que Roberta, serrée contre elle, soit enfin endormie. Alors elle se dégagea doucement et se leva. Elle enfila son imperméable, alla s'asseoir dans un fauteuil près de la fenêtre et regarda dehors. Elle n'avait vue que sur une arrière-cour assez négligée, sur des murs gris, nus, avec des fenêtres qui s'éteignirent l'une après l'autre, jusqu'à ce que l'obscurité se fasse. Mais cela lui était indifférent, car même la vue la plus intéressante n'aurait pu la distraire.

Elle savait que la nicotine ne ferait que l'énerver davantage, mais elle alluma quand même une cigarette.

Les craintes qui déjà l'avaient accablée pendant la journée devinrent, dans l'obscurité de la nuit, insupportables.

Elle avait de plus en plus la conviction que la doctoresse ne lui avait pas dit toute la vérité, que tout ce qu'elle lui avait exposé ne devait servir qu'à la tranquilliser. Elle regrettait profondément d'avoir donné son consentement pour l'opération, sans avoir consulté quelque autre sommité médicale.

Elle ne connaissait le docteur Vogel que par la recommandation du docteur Menotti et elle ne connaissait pas du tout le professeur Neumeier qui allait pratiquer l'intervention. Comment avait-elle pu leur faire confiance aussi aveuglément ? Elle savait par expérience que les médecins pouvaient se tromper. Pourquoi cela n'arriverait-il pas à l'hôpital pédiatrique de Schwabing ?

Elle décida d'appeler l'hôpital dès l'aube et de s'opposer à l'opération jusqu'à ce qu'un médecin de l'extérieur confirme les résultats de l'examen.

Elle ne rendit pas compte qu'elle s'était assoupie et elle sursauta, complètement effarée, quand elle entendit des coups sourds ; il lui fallut quelque temps avant de s'orienter et de comprendre que quelqu'un frappait avec force à la porte de la chambre.

— Qu'est-ce que c'est ? demanda-t-elle, engourdie.

— Un appel téléphonique pour vous ! Vite ! C'est important !

Julia se précipita dans le couloir : il n'y avait pas de téléphone dans les chambres de la pension. Elle suivit en courant la femme de chambre jusqu'au petit salon où se trouvaient quelques fauteuils aux tapisseries délavées.

— L'appareil est là-bas ! dit la femme de chambre.

Le téléphone se trouvait sur une petite table ronde, recouverte d'une nappe brodée au point de croix ; même si à cet instant Julia n'y prêta aucune attention, elle devait s'en souvenir longtemps par la suite.

Elle prit l'écouteur, posé près de l'appareil et dit :

— J'écoute !

Elle tenait de la main gauche son manteau, car elle n'avait pas pris le temps de le boutonner.

— Erika Vogel, annonça la doctoresse.

— Il est arrivé quelque chose ?

— Non, non ! Rassurez-vous ! Aucune raison de s'inquiéter !

La voix de la doctoresse semblait l'adjurer.

— Alors pourquoi m'appelez-vous ? Il doit y avoir une raison...

— Pour vous dire que l'opération a eu lieu. C'était bien un kyste dans le cervelet, comme nous nous y attendions. Parfaitement inoffensif. On l'a extirpé très facilement. Tout s'est très bien passé. Dans quelques semaines vous allez ramener chez vous un garçon bien portant.

— Puis-je le voir ?

— Pas aujourd'hui. Demain.

— A quelle heure ?

— A seize heures.

— C'est vrai que tout s'est passé sans aucun incident ?

— Pas la moindre complication. Maintenant vous devez m'excuser. A demain.

Julia voulut poser d'autres questions, voulut entendre d'autres réponses rassurantes, mais la doctoresse avait déjà raccroché.

La femme de chambre, qui était restée à proximité pour n'en pas perdre un mot, demanda :

— Puis-je vous apporter votre café ?

— Oui, merci. Quelle heure est-il ?

— Sept heures du matin. Ils ont appelé vite, non ?

— Oui, très vite.

Julia était tellement soulagée que les larmes remplirent ses yeux.

— Vous ne vous sentez pas bien ? demanda la fille, plus curieuse qu'inquiète.

213

— Merci. Ça va.

Julia courut à sa chambre.

Roberta ne s'était aperçue de rien : elle dormait encore paisiblement, un poing pressé contre la joue, et son souffle repoussait une mèche de ses fins cheveux blond cendré, qui retombait aussitôt dans son visage.

« Comme je l'aime, comme je les aime tous les deux ! » pensa Julia.

Elle ne put plus retenir ses larmes.

La journée se passa gaiement.

Julia se rendit avec Roberta au Jardin Zoologique de Hellabrunn. Elles observèrent les animaux sauvages et furent particulièrement impressionnées par les chimpanzés qui devaient ramasser les peaux de bananes avant de recevoir d'autre nourriture. Julia ne put s'empêcher de rire lorsque Roberta se réfugia auprès d'elle quand un bouc impertinent voulut lui prendre les sucreries qu'elle tenait à la main. Elles parcoururent pendant des heures les chemins asphaltés, d'un enclos à l'autre, et Julia fut sûre que cette nuit elle allait dormir, complètement épuisée.

Mais elle en fut incapable. Lorsque le soir tomba, ses peurs et ses angoisses se réveillèrent à nouveau. Elle savait qu'elle ne serait réellement rassurée que lorsqu'elle aurait vu Ralph et lui aurait parlé — et même alors pas tout à fait, car le doute qu'il ne s'agissait peut-être pas d'un kyste bénin lui resterait.

Elle appela la doctoresse le lendemain matin et ne put l'avoir au bout du fil qu'après une longue attente.

— Faites-nous donc un peu plus confiance ! répondit la doctoresse à sa question angoissée. Ralph va bien. Il a passé une très bonne nuit et il est déjà très éveillé. Voulez-vous venir à mon cabinet cet après-midi ? Je vous conduirai auprès de lui.

Julia fut calmée dans une certaine mesure, du moins suffisamment pour pouvoir présenter à Roberta un visage rasséréné. Elles se promenèrent dans la ville et, dans une zone piétonnière, admirèrent les musiciens, les acrobates et les magiciens qui s'exhibaient afin de gagner de quoi continuer leur voyage ; on n'avait pas ça à Eysing-les-Bains.

Mais Julia attendait fébrilement le moment où elle allait revoir Ralph. Dans l'après-midi, elle confia Roberta aux soins de la femme de chambre et se précipita à l'hôpital.

Le docteur Vogel la reçut en fronçant les sourcils.

— Vous avez une mine épouvantable ! gronda-t-elle.

— C'est étonnant ?

Julia savait qu'elle avait des cernes sous les yeux.

— Je vais vous donner un fortifiant !

— Tout ce dont j'ai besoin, c'est d'être sûre que Ralph est guéri !

— Mais je vous l'ai déjà dit plusieurs fois.

— Comment puis-je savoir si vous ne me cachez rien ?

— Pour vous épargner, pensez-vous ?

— Oui.

— A quoi cela servirait-il ? Si les symptômes de la maladie revenaient, nous ne pourrions plus rien vous raconter. Non, madame Severin, j'admets que dans le cas d'enfants incurables je cherche à les ménager. Mais à l'égard des parents je suis honnête par principe.

— Puis-je voir Ralph ?

— Vous ne voulez pas d'abord boire une gorgée ? fumer une cigarette ?

— Non.

— Alors venez. — Pendant qu'elles parcouraient le couloir, la doctoresse dit : — Je l'ai mis dans une pièce plus petite. Au pavillon huit.

— Pourquoi ?

— Pour le protéger. Après son opération si intéressante, il serait devenu le point de mire dans son ancienne chambre. Mais ce dont il a le plus besoin — c'est le repos. Vous non plus, vous ne devez pas le fatiguer... par des larmes ou par des démonstrations de sentiment.

— Je le sais.

La doctoresse jeta à Julia un regard en biais.

— Nous avons vécu ici des choses..., dit-elle vaguement sans terminer sa phrase.

Elles traversèrent le parc, dépassèrent des enfants convalescents qui profitaient du soleil d'automne, et arrivèrent à un bâtiment relativement moderne, où elles montèrent au troisième étage.

— Ralph vous paraîtra probablement un peu excité, dit la doctoresse, mais il n'a pas de fièvre, soyez tranquille. On prend sa température plusieurs fois par jour.

Elle ouvrit une porte au bout du couloir, à côté d'une fenêtre étroite offrant une vue sur le parc.

— Bonjour, Ralph ! dit-elle gaiement. Une visite pour toi !

— Qui ?

— Qui ! Ta mère, naturellement.

La chambre était petite. Il y avait deux lits, dont un était inoccupé. Ralph était couché dans l'autre, près de la fenêtre. Il était très pâle, sa tête était entourée de bandages, mais ses yeux verts brillaient et semblaient très éveillés.

— Ralph ! Mon grand chéri !

Julia eut du mal à étouffer dans sa voix l'émotion qu'elle éprouvait.

— Hé, Julia ! dit-il avec un faible sourire.

— Je suis si heureuse que tout soit terminé ! dit-elle en lui serrant la main, sèche et pas trop chaude.

— Et moi donc !

Il essaya de se redresser.

— Reste couché ! ordonna la doctoresse.

— Tu sais ce qu'ils m'ont fait ? demanda Ralph, et il ajouta, avant même que Julia ait pu répondre : — Ils m'ont ouvert le crâne ! Tu peux imaginer ça ?

Julia avala sa salive.

— A vrai dire... je n'en ai pas tellement envie !

— Mais c'est intéressant ! Je sais maintenant comment on fait. On marque d'abord l'endroit sur la tête où on veut opérer. Un carré. Et puis, on fait des trous aux quatre coins...

— Ralph ! s'écria Julia, épouvantée.

— Laissez-le donc raconter, dit la doctoresse.

— Les trous ne sont là que pour permettre à une scie électrique de pénétrer... Le foret est naturellement également électrique. Alors on découpe... rritsch,

216

rratch... un carré, et on l'enlève. Quand on m'enlèvera les bandages tu pourras voir où ! N'est-ce pas, Docteur ?

— Oui, Ralph !

— Je vais prendre un miroir et regarder moi-même !

— Je suis impatiente de voir ça, déclara Julia, la gorge serrée.

Elle avait tiré l'unique chaise près du lit. La doctoresse restait debout au pied du lit.

Il prit la main de sa mère.

— Ne t'en fais pas, Julia. Ce n'était qu'un tout petit carré, le professeur me l'a dit. Il savait d'avance exactement où se trouvait le kyste.

— Eh bien, j'en suis très heureuse.

— Plus tard, les cheveux repousseront à cet endroit, dit la doctoresse.

— As-tu envie de quelque chose ? demanda Julia.

— Mais je n'ai pas fini ! Tu veux sûrement savoir tout ce qu'ils m'ont fait ?

— Oh, sûrement, mentit Julia.

— Alors : ils ont d'abord enlevé le morceau du crâne. Une peau est apparue dessous, elle s'appelle « Dura »...

— Méninge, traduisit la doctoresse.

— « Dura », c'est en latin, expliqua Ralph, très important, c'est facile à retenir, n'est-ce pas ? Le professeur a donc ouvert la Dura, et le cerveau se trouve en dessous. Il est comme la cervelle de veau, blanc avec beaucoup de méandres, que le professeur a légèrement écartés et le sacré kyste était là ! Il nous en a donné du souci, non ?

— Oui, terriblement.

— Mais maintenant tout est fini ! Bientôt je pourrai écrire correctement et jouer du piano ! Ce kyste stupide était la cause de tout ! Et avec ça, il était tout petit, a dit le professeur — Il ajouta avec grand sérieux : — Mais le cerveau est terriblement sensible.

— Tu n'as plus mal du tout ? demanda Julia.

— Bien sûr que j'ai mal ! Qu'on te tripote un peu le cerveau et tu verras comment tu te sentiras !

— Ça va s'améliorer de jour en jour, consola la doctoresse.

— Maintenant que tu m'as tout raconté, je crois que ça suffit pour une première visite !

— Tu reviendras demain, dis, Julia ? demanda Ralph.

— Nous voulions rentrer. Nous n'avons rien emporté, pas de chemises de nuit, rien pour nous changer. Mais si tu veux...

— Mais non, pars ! Le docteur Vogel et le professeur viendront me voir, n'est-ce pas ?

— Bien sûr ! dit la doctoresse. Je reviendrai te voir souvent, et puis tu auras bientôt un petit camarade. Il va être opéré. Mais ne lui raconte pas tes histoires sinistres. Tu ne dois pas l'effrayer, mais lui donner du courage.

— Il s'appelle comment ?

— Peter.

— Quel âge ?

— Je ne me souviens plus.

Julia se pencha sur Ralph et l'embrassa.

— Porte-toi bien, chéri ! Je reviens dans deux ou trois jours... c'est promis !

— Bien ! dit Ralph. Tu vas tout de suite raconter à M. Bissinger ce qui m'est arrivé ? Que je n'y étais pour rien dans ma mauvaise écriture ?

— Je te le promets.

En quittant la chambre, Julia pensa qu'elle aurait dû être très heureuse et ne comprenait pas pourquoi elle ne l'était pas.

Quinze jours plus tard, Ralph put quitter la clinique. La cicatrisation se faisait bien, on lui avait enlevé les fils et son crâne se couvrait d'un léger duvet bouclé ; mais les cicatrices, rouges et en relief, étaient toujours visibles.

Leonore et Roberta, qui étaient venues aussi le chercher, le regardaient avec respect et l'assaillaient de questions.

Julia avait donné à Lizi Silbermann la valise de Ralph pour qu'elle la range dans le coffre de la voiture.

— Maintenant, c'est fini ! dit-elle avec énergie.

Ralph est tout à fait guéri. Il y a des sujets de conversation plus intéressants.

La doctoresse lui avait conseillé de faire le moins de cas possible de cette opération, car il était malsain pour un enfant d'être le centre de l'attention.

Mais c'était justement difficile à éviter. Quelques semaines plus tard, Ralph put retourner à l'école, et naturellement, il éveilla la curiosité avec son opération et son carré de cicatrices qui, bien que presque couvert par les cheveux, était encore visible.

M. Bissinger fut confus en apprenant combien il s'était trompé au sujet de l'écriture déficiente de Ralph et combien il l'avait souvent injustement grondé et puni. A présent, il ne trouvait pas le ton juste avec lui. Parfois, il était trop amical, pour se faire pardonner, ou bien trop brusque, quand il se rendait compte qu'il avait été trop amical. Ralph avait vite rattrapé sa classe, son écriture s'améliorait de jour en jour et redevint nette comme avant, et même plus élégante. Ses difficultés de langage avaient disparu. Il fut de nouveau excellent élève, et comme il était toujours très bien habillé, propre et poli, il était particulièrement aimé de tous les professeurs.

C'était justement la raison pour laquelle certains de ses camarades le boudaient. Ils le taquinaient à cause de son opération.

« Avoue que tu étais cinglé ! », disaient-ils, ou bien : « On t'a mis un ordinateur dans le cerveau ! » Certains l'appelaient « le superidiot ».

Ralph ne se préoccupait pas de ces taquineries ; il éprouvait pour ces malotrus un curieux mélange de mépris et de jalousie. Mais une fois, quand ils l'attaquèrent dans le préau, il eut peur. Il n'avait pas appris à se défendre, il n'était pas habitué à se battre, et l'odeur de sueur qu'ils exhalaient lui donnait la nausée. Ils l'avaient acculé dans un coin, lui donnaient des bourrades et l'injuriaient parce que, lors d'un exercice de calcul, il avait empêché, prétendait-on exprès, que ses voisins copient sur lui.

— Mais c'est faux ! se défendit Ralph. Moi, je m'en fiche, vous pouvez copier autant que vous voulez ! Klaus n'a pas osé... à cause de M. Bissinger !

Klaus repoussa les autres et s'approcha de lui.

— Répète ! Je n'ai pas osé ?

Il agitait son poing sous le nez de Ralph.

Un autre rit.

— C'est vrai, Monsieur le Professeur veille à ce que personne ne vole les bonnes notes de son chouchou !

— Je ne suis pas son chouchou ! cria Ralph.

— Si.

— Mais tu n'es pas le mien ! hurla Klaus le poussant contre le mur.

Un autre lui donna un coup de pied dans le jarret, le tira et Ralph tomba à terre.

Maintenant, il connaissait leurs intentions : ils ne voulaient pas le battre, mais le piétiner, et c'était pire.

Sa peur était si grande que la voix lui manquait.

— Pourquoi m'en voulez-vous ? dit-il péniblement.

Avant qu'ils ne trouvent une réponse à cette question naïve, et qui n'aurait sûrement été qu'un flot d'injures, le secours arriva. Deux mains fortes entrechoquèrent les têtes des assaillants avant de les tirer en arrière. Ils n'essayèrent même pas de lutter. Le sauveur était Peter Barnowsky, de trois ans leur aîné et beaucoup plus fort qu'eux. Ils se défendirent seulement par quelques méchantes paroles, pour garder la face, mais lorsque Peter fit mine de vouloir les poursuivre, ils s'enfuirent en courant.

Entre-temps, Ralph s'était relevé. Il avait terriblement honte de n'avoir pas été plus courageux. Les yeux baissés, il secouait la poussière de son pantalon.

— Les imbéciles ! dit Peter. Ils t'ont fait mal ? — Ralph secoua la tête en silence. — Il ne faut pas leur montrer que tu as la trouille !

Ralph releva la manche de son anorak et montra son poignet fragile.

— Je n'ai pas de force.

— Mais tu en as dans ta petite tête ? — Ralph fit un mouvement affirmatif. — Tu sais… dit Peter, je pourrais être ton ami.

Ralph le regarda pour la première fois.

— Tu voudrais ?

— Oui, dit Peter avec sérieux.

Il était grand pour son âge, avait de larges épaules et

220

des gros poings ; ses cheveux roux et lisses qui lui tombaient sur les épaules, lui donnaient un air dangereux.

— Quoi en échange ? demanda Ralph.

— Ton casse-croûte.

— Je te le donne.

— Et moi, je te donne le mien.

Ainsi se créa une amitié que Julia ignora longtemps. Avec beaucoup d'amour et de soin elle préparait chaque jour l'en-cas de 11 heures de Ralph, variait les sortes de pain et la garniture, lui donnait parfois un morceau de gâteau ou du pain au chocolat, et toujours un beau fruit. Quant à Peter, il avait d'habitude le même pain grossièrement coupé, mal beurré et garni de saucisson ou de lard. Ralph détestait ça, mais il l'avalait pour ne pas vexer Peter.

— C'est une vraie nourriture virile, déclarait Peter avec bienveillance, ça fera de toi un homme. Pas les trucs que ta mère te donne.

Ralph n'osait pas demander pourquoi, dans ce cas, il ne le mangeait pas lui-même ; il n'était que trop évident que les gâteries de Julia, qu'au début il inspectait avec méfiance, lui plaisaient davantage. Ralph aimait la compagnie de ce grand garçon, qui avait déjà quelque chose de très viril, et il ne comprenait pas comment Peter pouvait s'intéresser à lui. Il se créait rarement des amitiés dans les classes différentes, sauf entre voisins. Peter avait des idées très précises sur la vie, qui fascinaient Ralph, et le désir grandit en lui de le fréquenter en dehors des récréations. Mais beaucoup de temps s'écoula avant qu'il n'ose le lui proposer.

— Tu ne veux pas venir chez moi un après-midi ? demanda-t-il comme en passant et sans le regarder, s'attendant à ce que l'autre se moque de lui.

— Et ta mère ? demanda Peter avec un tact inattendu. Elle ne dira rien ?

— Elle fait tout ce que je veux.

— Eh bien, j'aurais aimé pouvoir dire la même chose de la mienne !

— Alors... à cet après-midi ?

— Quelle heure ?

— Il faut que je fasse d'abord mes devoirs...

— Bien sûr. Tu veux entrer au lycée ?

— Oui.

— Alors mettons trois heures. Tu auras terminé à cette heure-là.

Ralph parcourut en pensée ce qu'il avait à faire ; il lui faudrait se dépêcher. Tant pis. Il était content que Peter semble tenir autant que lui à cette rencontre de l'après-midi. Mais il mit en sourdine sa joie en songeant qu'il était peut-être simplement curieux de voir comment il vivait et espérait un bon goûter.

Plus de six mois s'étaient écoulés depuis l'opération de Ralph, la Pentecôte approchait, et bien que son état s'améliorât sans cesse et pouvait être considéré comme satisfaisant, Julia n'était pas encore débarrassée de ses craintes. Elle essayait de ne pas le faire remarquer, mais alors que ses sentiments pour Ralph étaient auparavant amour, tendresse et fierté, l'inquiétude s'y mêlait maintenant.

D'autre part, l'attitude de Ralph à son égard s'était modifiée et elle s'en rendait compte. Il était encore sage et tendre, se serrait contre elle avant de s'endormir, et l'appelait « ma chère Julia ». Mais la confiance inconditionnelle qu'il avait eue en elle avait disparu. Il s'était habitué à garder pour lui ses pensées et les faits de sa vie.

Elle fut donc surprise lorsqu'il lui annonça, pendant le déjeuner :

— Un ami viendra me voir cet après-midi.

Elle avala de travers, toussa.

— Qui est-ce ?

— Un ami !

Apparemment impassible, Ralph enfila un morceau de goulasch sur sa fourchette.

— J'ignorais que tu avais un ami.

— Je croyais t'en avoir parlé.

— Non, jamais. Qui est-ce ? Il est dans ta classe ?

Roberta suivait la conversation entre sa mère et son frère comme un match de tennis, tournant son petit visage tantôt vers l'un, tantôt vers l'autre.

— Non, il est un peu plus âgé.

— Et il s'appelle comment ?

222

— Peter.

— Et son nom de famille ? J'aimerais ne pas avoir à te tirer les vers du nez.

— Quelle importance, comment il s'appelle.

— Pour moi, si. Je veux savoir qui est ton ami.

— Barnowsky, dit-il à contrecœur.

Julia passa mentalement en revue tous les gens qu'elle connaissait à Eysing ; elle n'y vit pas le nom de Barnowsky.

— Que fait son père ?

— Il conduit un poids lourd.

Julia eut du mal à cacher son horreur ; une amitié entre le délicat, l'intelligent, le sensible Ralph et le fils d'un camionneur était absolument impensable. Mais elle décida de ne pas provoquer d'explication et de changer de sujet.

— On va manger tranquillement. J'espère que c'est bon ?

— Oh oui, Julia ! répondit vite Roberta. Les boulettes de pomme de terre sont formidables ?

— Et toi, Ralph, qu'en dis-tu ?

— C'est bon. Mais tu le sais très bien. Alors pourquoi le demandes-tu ?

Julia pâlit.

— Je crois que tout le monde aime que ses efforts soient reconnus.

— Je ne sais pas. Je sais quand j'ai bien fait quelque chose. Ça m'est égal ce que les autres en disent.

Roberta tendit la main et caressa le bras de Julia.

— Ne l'écoute pas ! Il a de nouveau sa tête des mauvais jours. Tu as très bien cuisiné, vraiment.

Julia perdit tout appétit ; le fait que les enfants mangeaient avec insouciance n'était qu'une piètre consolation.

— Il y a encore du pudding au chocolat avec une sauce à la vanille, dit-elle quand les assiettes furent vides.

Ralph glissa de sa chaise.

— Je mangerai le mien plus tard. Quand Peter sera là. A présent, je dois faire mes devoirs.

Julia le retint.

— Tu devrais d'abord me demander la permission de te lever.

— Je ne le savais pas.

— Maintenant tu le sais. Et je ne veux pas avoir dans ma maison des enfants que l'on ne connaît ni d'Eve ni d'Adam.

— Alors j'irai chez lui !

Ralph n'avait pas la moindre idée de l'endroit où Peter habitait ni s'il y serait bien accueilli ; mais il était certain que Julia céderait devant cette menace.

Il était, en effet, préférable d'avoir dans sa maison le bizarre ami de Ralph — elle désignait ainsi celui-ci, sans le connaître — que de ne pas savoir où se trouvait son fils.

Lorsque Peter arriva, ses pires craintes se confirmèrent. Elle trouva son visage grossier et brutal, les grosses mains — sales — et ses longs cheveux roux l'épouvantèrent.

Mais Peter était plus sensible qu'elle ne croyait. Il sentit immédiatement sa réticence, il fut incapable de la saluer et, pour cacher sa gêne, offrit un visage tellement sinistre, que Roberta fondit en larmes et se réfugia derrière sa mère.

— Mais Peter ne te fera aucun mal, dit Julia en la levant dans ses bras comme si c'était encore un bébé. Tu t'appelles bien Peter, n'est-ce pas ? C'est un ami de Ralph.

Ralph poussa Peter du coude, ce qui n'était pas dans ses habitude.

— Viens, laissons les femelles ! J'ai installé mon chemin de fer. Tu veux le voir ?

— Electrique ?

— Evidemment.

Ils disparurent dans la chambre d'enfants, et la porte claqua derrière eux.

Julia se sentit exclue ; elle serra Roberta contre elle.

— Il est affreux ! dit la petite fille. Affreux et odieux ! Je ne l'aime pas !

Cela fit du bien à Julia de voir que sa fille avait la même impression qu'elle, mais elle aurait trouvé déloyal d'en parler derrière le dos de Ralph. Elle remit Roberta par terre sans rien dire.

— On va manger une glace ? proposa la petite. Il fait si beau !

— Et les garçons ?

— Ils n'ont pas besoin de nous.

Effectivement, ils étaient accroupis par terre et tellement absorbés par leur jeu, qu'ils ne remarquèrent pas que Julia avait ouvert la porte. Ralph ne leva les yeux que lorsqu'elle l'appela par son nom.

— Allez-y en paix ! dit-il. Nous ne ferons pas de bêtises.

— Vous pouvez manger le pudding. Il est dans le réfrigérateur.

— Merci, Julia.

Dès lors, Peter vint plusieurs fois par semaine. Les garçons disparaissaient aussitôt dans la chambre d'enfants ou bien descendaient dans le jardin.

Julia, qui ne pouvait se défaire de ses réserves, veillait quand même à ce qu'il y ait toujours quelque chose de bon pour eux : pudding, glace ou gâteau ; elle faisait parfois des gaufres ou une salade de fruits.

Peter dévorait tout ce qu'on lui offrait.

Julia fit un jour une remarque à ce sujet et elle aurait aussitôt donné tout au monde pour ne pas l'avoir exprimée, car elle reconnut combien elle avait été blessante et avait manqué de tact d'avoir dit :

— Je me demande parfois si Peter ne t'aime pas uniquement parce qu'il trouve chez nous de bonnes choses à manger !

— Tu n'as qu'à ne plus rien lui offrir. On verra alors s'il vient encore.

— Mais je le fais volontiers, et ce n'était pas ma pensée.

— Mais tu l'as dit.

— Je me suis mal exprimée. — Tout en sachant qu'elle n'avait rien à y gagner, elle ne put abandonner le sujet qui lui tenait à cœur. — J'ai seulement l'impression que cette amitié est un peu... unilatérale.

Ralph lui jeta un de ses regards inquiétants.

— Tu ne sais pas ce qu'il fait pour moi.

— Non, vraiment pas.

225

— Justement. Tu n'en as aucune idée. Et quand on n'a aucune idée, on ferait mieux de se taire.

— Tu es impertinent !

— Je sais, rétorqua-t-il calmement. Tu préférerais que je pleure quand tu m'offenses ?

— Je regrette, Ralph, je ne le voulais vraiment pas ! Je sais, je n'aurais pas dû dire certaines choses. — A présent c'est elle qui éclate en sanglots. — Mais cette amitié me rend malheureuse ! Vous êtes si mal assortis.

— Ne le prends pas tellement au tragique, Julia, dit-il, et sa voix se radoucit. On ne peut choisir ses amis.

— Tu ne veux pas rompre avec lui, pour me faire plaisir ?

— Non, Julia. Je ne le peux pas et je ne le veux pas.

Julia n'avait pas l'intention de partir en vacances cette année avec ses enfants. Elle le fit quand même, pour une raison inavouée : détacher Ralph de Peter Barnowsky. Ils allèrent à la Baltique et leurs vacances furent réussies, malgré le temps instable.

Ralph ne parla pas de son ami, il ne lui envoya même pas une carte postale. Mais dès leur retour, Peter se présenta à nouveau et tout recommença comme avant.

Curieusement — Julia elle-même trouvait cela bizarre, quand elle y pensait —, elle s'habitua à ce garçon étranger. Elle était sensible à l'admiration évidente exprimée par ses petits yeux gris quand il la regardait. Peter lui offrit de descendre la boîte à ordures — ce que Ralph ne faisait jamais — et s'avéra très utile dans tous les travaux ménagers un peu rudes qui se présentaient. Julia ne voulait pas l'exploiter et elle finit par lui être reconnaissante. Elle fut plus détendue avec lui.

Elle dit aux garçons : « Lavez-vous les mains avant de manger », et c'est à Peter qu'elle songeait.

Peter lui obéit avec empressement. Il se brossa les mains, se coupa les ongles et se lava les cheveux. Il finit par devenir un membre de la petite famille.

Julia ne mit pas Roberta au Jardin d'Enfants. Elle lui paraissait trop délicate pour être laissée seule avec les autres. Agnes, qui y avait inscrit Christine, essaya de la persuader ; mais Julia résista.

Agnes fit une dernière tentative.

— Ton mari l'aurait sûrement voulu ! Il y tenait tellement pour Ralph.

— Pour Roberta, il ne l'aurait certainement pas voulu, déclara Julia. Une petite fille, c'est tout autre chose.

Elle ne se rendait pas compte que les désirs de son défunt mari lui étaient devenus absolument indifférents. Elle vivait sa propre petite vie, qui tournait autour de ses enfants et n'était coupée que par le bavardage avec ses amies et les soirées de Skat. Elle évitait les hommes avec une prudence exagérée.

Puis vint le jour où elle dut mener Roberta à l'école. Elle entreprit cette démarche pénible avec Agnes.

L'institutrice, jeune, blonde et adroite, tint une petite conférence dans laquelle elle déclara très bien savoir combien était difficile ce nouveau passage de la vie, tant pour les enfants que pour leurs mères. Roberta pleura à fendre le cœur, et Julia était également au bord des larmes. En revanche, Christine était parfaitement dans son élément et s'était déjà choisi une place au milieu du premier rang de la classe.

Lorsque Julia et Agnes rentrèrent à la maison sans leurs fillettes, qu'elles avaient dû laisser à l'école, Julia ne put prononcer un mot. Jusque-là, elle avait tellement été habituée à avoir la petite toute la journée auprès d'elle, que la solitude se dressa devant elle comme une montagne infranchissable.

— Réjouis-toi donc ! dit Agnes. A présent tu peux enfin vivre pour toi !

— En faisant quoi ?

— Il faut que tu réfléchisses. Quant à moi, je suis soulagée de ne plus avoir Christine dans mes jambes. — Après une brève hésitation, elle ajouta : — Il se peut que je me décide quand même à divorcer, tôt ou tard.

Les ennuis de son amie arrachèrent Julia à son propre chagrin. — Günther t'a demandé de divorcer ?

— Il ne peut pas. Il a créé son commerce à partir de

rien. Il serait alors obligé de me donner la moitié de tout ce qu'il possède.

— Et si tu y renonçais ?

— Et pourquoi donc ? Pour qu'il puisse vivre avec sa petite amie dans la joie et le confort ?

— Mais tel que c'est, ce n'est pas drôle pour toi.

— C'est l'enfer.

— Alors…

— J'attends, Julia, c'est tout ce que je peux faire. Cette institutrice n'est pas la première avec qui il me trompe. Elle ne sera probablement pas non plus la dernière. Mais moi seule suis son épouse légitime.

A la surprise de Julia, Roberta s'habitua très vite à l'école. Elle faisait ses devoirs avec application, et le matin était pressée de quitter la maison pour ne pas être en retard. Julia s'en étonna jusqu'à ce qu'elle comprît que Roberta avait une passion pour son institutrice, la jolie, la blonde, l'intelligente Mlle Annette Kupfer. Sans remarquer que cela faisait mal à Julia, elle avait ce nom à la bouche du matin au soir. « Mlle Kupfer dit… Mlle Kupfer pense… »

— Mlle Kupfer avait aujourd'hui une très, très jolie robe !

— Toi et ta Mlle Kupfer ! dit Ralph avec mépris.

— Je n'y peux rien si elle est tellement formidable !

— Tu es encore un bébé, dit Ralph avec condescendance.

Julia fit un effort pour dire :

— Laisse Robsy tranquille, Ralph ! C'est bien d'admirer son institutrice.

— Elle l'adore, et je trouve ça idiot.

— Si tu avais Mlle Kupfer pour institutrice, tu l'adorerais aussi !

— Moi ? Une femme ? Jamais !

— Tu sembles oublier, dit Julia, que moi aussi je suis une femme !

En souriant, il mit le bras autour de la taille de Julia et lui dit avec une certaine supériorité qu'il manifestait souvent ces derniers temps:

— Voyons, Julia, ma petite fille, toi c'est tout autre chose !

Depuis que les deux enfants allaient à l'école, Julia se sentait plus libre — plus libre et naturellement plus solitaire, car à présent il n'y avait plus à longueur de journée le babillage de la petite fille.

Le ménage était vite fait, et les causeries avec Agnes, aussi seule qu'elle, se prolongeaient. Avec une ardeur intarissable elles discutaient de Günther et du mariage. Julia participait ainsi à des péripéties — explications violentes, froid glacial, réconciliations qui ne conduisaient à rien, car les deux protagonistes tenaient, pour des raisons différentes, à préserver à tout prix un mariage qui, au fond, n'en était plus un.

Julia, chagrinée par la détresse de son amie, avait de plus en plus la conviction que sans homme elle était plus heureuse.

Lizi Silbermann avait ouvert une boutique, très bien située, à cinq minutes seulement du Casino, et Julia y faisait de temps à autre la vendeuse. Lizi la rémunérait au pourcentage sur ce qu'elle avait réussi à vendre, mais cela amusait Julia de rencontrer des gens.

Elle pouvait maintenant laisser les enfants livrés à eux-mêmes pendant des heures ; ils n'avaient plus peur de rester seuls dans l'appartement et ils savaient s'occuper, d'autant plus qu'ils n'étaient pas vraiment seuls, puisque le grand Peter Barnowsky venait les voir régulièrement.

Un jour, Lizi Silbermann avait des places pour une tournée théâtrale qui jouait au Casino « Le Hibou et La Chatte ». D'habitude, elle organisait ses sorties au théâtre de manière à ce que son ami Edgar puisse l'accompagner, mais cette fois la représentation avait lieu en fin de semaine, période qu'il passait toujours à Munich avec sa famille.

Lizi invita Julia à l'accompagner et Julia pensa que cela valait la peine de faire un essai pour savoir si les enfants accepteraient maintenant de rester seuls le soir.

Ils prirent la proposition avec indifférence.

— Mais nous pouvons regarder la télé ? voulut s'assurer Ralph.

— Oui, bien sûr. Jusqu'à dix heures.

— Pas après ?

— Je crois que vos yeux se fermeront d'eux-mêmes avant. Mais j'aimerais vous trouver au lit à mon retour.

— Et à quelle heure rentres-tu ?

— La représentation se termine vers dix heures... mais je pense que Tante Lizi et moi irons boire un verre après ; alors disons que je serai là vers onze heures.

— Je trouve ça bien tard, dit Roberta.

Julia chercha à surmonter sa propre petite angoisse.

Lorsqu'elle se fut faite belle — elle avait mis une robe très simple, droite, en soie brune, sans manches et avec un décolleté rond —, elle alla dans le living où les enfants étaient déjà installés devant la télévision.

Elle les embrassa et dit :

— Fermez l'appareil quand vous irez vous coucher... et n'oubliez pas de faire votre toilette !

— T'en fais pas, Julia ! répliqua Ralph avec un mouvement défensif de la main. Compte sur nous !

Elle savait qu'elle aurait dû partir alors, mais la situation était si inhabituelle, qu'elle ne savait pas comment faire sa sortie.

— Vous ne m'en voulez pas de vous laisser seuls ?

— Non, Julia, pas du tout !

— J'ai rendez-vous avec Tante Lizi.

— Alors vas-y, il est temps !

Julia enfila son manteau de castor et quitta l'appartement, le cœur lourd. Mais ce fut quand même une soirée fort agréable. La pièce était amusante, elle la fit sourire et parfois même éclater de rire. Pendant l'entracte elle fut saluée par beaucoup de spectateurs et on lui parla aimablement. Tous semblaient se réjouir de la voir ici et elle eut droit aux regards admiratifs des hommes et aux regards envieux des femmes.

Après la représentation elle alla avec Lizi et le couple Haprecht à la brasserie « St. Georg ». Ursula Haprecht était une camarade de classe de Lizi, et son mari, spirituel et galant, sut rendre la soirée agréable à ses compagnes.

Onze heures étaient dépassées depuis longtemps lorsqu'ils se séparèrent.

— C'était vraiment charmant, dit Julia, lorsque Lizi

la ramena chez elle, je te remercie de m'avoir emmenée.

— Je t'en prie. On a beau être émancipée, mais sortir en solo, c'est quand même pénible pour une femme. Pour moi, du moins.

— Les Haprecht me plaisent bien. J'aimerais les revoir.

Lizi éclata de rire.

— Ça m'étonnerait !

— Mais pourquoi ?

— Tu plais trop au mari. Elle s'est fait violence, la brave Ursula. Mais moi j'ai bien vu qu'elle était furieuse.

— Je n'ai pourtant pas flirté avec lui !

— Tu crois ça ! Il suffit que tu regardes un homme avec intérêt ou que tu ries à une de ses plaisanteries, et il est déjà tout feu tout flamme.

— Je ne suis pas une femme fatale !

— Probablement pas, mais tu as un effet fatal sur les hommes.

— A t'entendre, on dirait que j'ai voulu l'attirer !

— Non, je ne crois pas. Tu n'aurais jamais fait ça. Mais on pouvait voir nettement que Haprecht se disait : « Voilà une femme fascinante ! Et veuve par-dessus le marché ! Celle-là, elle me plairait ! »

— Depuis quand lis-tu dans les pensées ?

Lizi rit.

— Oh, uniquement dans des cas très simples ! — Elle posa la main sur le genou de Julia. — Comprenons-nous bien : je ne te fais aucun reproche.

Julia ne l'écoutait plus. A mesure qu'elles se rapprochaient du chemin des Acacias, elle pensait intensivement à ses enfants, et elle commençait à se reprocher de les avoir laissés seuls.

Lizi interpréta bien son silence.

— Ne te fais pas de soucis, dit-elle, tout est sûrement en ordre.

Elle avait raison.

Ralph et Roberta étaient couchés côte à côte dans les lits jumeaux et dormaient paisiblement.

Roberta ne se réveilla même pas quand Julia la porta

sur le divan, qui remplaçait depuis longtemps le petit lit à barreaux.

A partir de ce soir-là, la vie de Julia prit un autre tournant, peut-être décisif.

Comme elle avait fait l'expérience qu'elle pouvait bien laisser les enfants seuls, elle accepta enfin que les soirées de Skat aient lieu à tour de rôle chez elle, puis chez Agnes et ensuite chez Lizi. Elles avaient déplacé leurs rendez-vous hebdomadaires du vendredi au samedi, parce que Lizi devait ouvrir sa boutique le samedi matin.

Julia constata bientôt que le jeu de cartes dans un environnement différent où elle se sentait plus libre était un plaisir accru. Chez elle, elle n'avait jamais osé jurer à haute voix ou rire aux éclats et elle refrénait toujours l'ardeur de ses amies à cause des enfants. Chez Lizi ou chez Agnes, elle pouvait se laisser aller et cela avait un effet tellement libérateur que chez elle non plus, elle ne fit plus attention au bruit, se contentant de bien fermer la porte de la chambre à coucher.

Une fois, Roberta lui dit le lendemain matin, avec désapprobation :

— Vous en avez fait du raffut hier soir !

— Nous nous sommes bien amusées, répliqua Julia sur la défensive.

— Laisse donc à Julia ce plaisir, dit Ralph avec condescendance. — Il s'essuya la bouche, se leva, entoura les épaules de Julia de son bras et posa un baiser sur sa joue. — Allez, amuse-toi, ma petite fille !

Il était toujours sage, poli et tendre, sauf aux rares moments où il se sentait blessé et où il réagissait avec une froide insolence.

Julia était fière de lui. Une seule chose lui faisait de la peine : depuis son opération, elle ne pouvait lui faire reprendre ses leçons de piano. Lorsqu'elle le lui proposa, il avait dit seulement

— Je ne veux pas.

— Mais pourquoi, Ralph ? Tu es si doué.

— Pas envie.

— Ça me faisait tellement plaisir.

Ralph n'avait rien répondu, mais lui avait jeté un de ses regards impénétrables. Alors elle sut que ce n'était pas la peine d'insister.

Mais chaque fois qu'elle regardait le piano, maintenant inutile, cela lui faisait mal. Un de ses espoirs s'était évanoui.

MAINTENANT que les enfants avaient grandi, Julia sortait non seulement les soirs de Skat, mais elle accompagnait Lizi Silbermann à toutes les manifestations culturelles d'Eysing-les-Bains ; elle ne manquait plus une représentation théâtrale ni un concert. Parfois Agnes venait avec elles.

Elles se rendaient après au « St-Georg » ou bien, si elles avaient envie d'une bière, au « Duscl-Bräu ». Même sans avoir pris rendez-vous pendant l'entracte, elles rencontraient toujours des connaissances, on s'asseyait ensemble et on discutait de la soirée.

Lors de ces soirées, Julia était fascinante, mais inabordable, ce qui attirait encore plus les hommes. Il avait fallu quelque temps avant qu'ils ne comprennent que le caractère inaccessible de Julia n'était pas feint, mais sincère, et que les femmes l'admettent également. Alors on la traita avec encore plus de sympathie et de respect.

Ce furent des années heureuses pour Julia et plus tard, en y repensant, elles lui apparurent particulièrement agréables et harmonieuses.

Après sa quatrième année d'école, Ralph entra à l'unique lycée d'Eysing-les-Bains : le « Lycée mixte des Sœurs Scholl ».

Il avait maintenant dix ans, c'était un garçon grand, mais toujours délicat et fragile. Ses cheveux avaient repoussé encore plus bouclés, et ses longs cils soyeux au-dessus de ses yeux verts et obliques étaient épais et recourbés, ce qui lui donnait, quand il était rêveur, une expression presque féminine.

Il réussit avec facilité le passage de l'école au lycée. Il ne cherchait absolument pas à se mettre en avant, et, au contraire, était plutôt réservé, mais il fut distingué par ses nouveaux professeurs. Ici également, il retrouva ses ennemis naturels, des garçons plus bêtes, plus ordinaires et plus brutaux que lui.

Sepp Gerber, un gros garçon d'un an plus âgé que les autres, qui n'avait accédé au lycée que grâce à l'argent de son père dépensé en leçons particulières, s'employa plus que les autres à brimer Ralph.

Ralph ne se laissa pas provoquer, il arbora une expression réfléchie, renfermée, qui parfois irritait même Julia.

Il était évident qu'un jour Sepp allait lui tomber dessus, ce que les autres attendaient avec impatience ; la plupart se sentaient encore trop mal assurés dans leur nouvel environnement pour se lancer dans des batailles rangées, mais ils étaient contents que Sepp cherchât à humilier Ralph.

Sepp saisit l'occasion lorsque le professeur Sommer, leur principal, chargé de la surveillance pendant les récréations, fut appelé au téléphone et se fit remplacer par un élève des classes supérieures.

Aussitôt, Sepp s'approcha de Ralph de la démarche raide et menaçante d'un John Wayne et se dressa devant lui.

— Qu'est-ce que t'as dans ton sandwich ? demanda-t-il.

— Du jambon, répondit Ralph aussi négligemment qu'il le put.

— File-m'en un bout ! exigea Sepp.

— Non ! répondit Ralph et il ajouta, diplomate : Seulement si tu dis « s'il te plaît ».

Déjà un petit cercle s'était formé autour d'eux, mais l'élève chargé de la surveillance ne crut pas nécessaire d'intervenir.

— Il faut peut-être que je te prie, espèce de con ? cria Sepp.

Les autres rirent, approbateurs.

— Con toi-même ! répliqua Ralph.

— Répète !

— Pas la peine ! Une fois suffit !

Sepp le frappa et le sandwich de Ralph tomba dans la poussière.

Tous retenaient leur souffle en attendant la réaction de Ralph. Il savait que s'il se laissait faire, on le mépriserait. Ici, il n'y avait pas de Peter Barnowsky pour le protéger.

Tout en sachant qu'il ne pouvait vaincre dans ce combat inégal, Ralph envoya un coup de poing dans l'estomac de son agresseur. Sepp glapit et donna à Ralph un coup de poing sur le nez. Ralph frappa aveuglément, et bientôt les deux garçons roulèrent à terre, au corps à corps, encouragés par les spectateurs.

Puis tous les deux furent saisis par le col et remis sur pied : le professeur Sommer se dressait devant eux, grand et menaçant, le visage sévère.

— Gerber ! Severin ! Qu'est-ce qui vous prend ? On ne peut même pas vous laisser seuls cinq minutes ! Vous aurez chacun un blâme dans votre carnet de notes !

Il se tourna vers l'élève chargé de le remplacer.

— Vous ne deviez pas les laisser en venir là, Kant ! Kant sourit.

— C'est rien, monsieur le professeur, une petite bagarre détend l'atmosphère !

— Je devrais vous donner également un blâme !

Kant disparut rapidement de la vue du professeur. La cloche sonna la fin de la récréation.

Le professeur Sommer claqua des mains.

— Allez ! Allez ! en rangs ! — Il tira Sepp et Ralph de leur groupe. — Vous, allez d'abord au lavabo et essayez de retrouver figure humaine !

Ralph et Sepp montèrent en courant le large escalier.

— Je dois admettre, dit Sepp, que tu n'es pas un lâche !

Ralph ne fit aucun commentaire. Son nez était humide et il l'essuya du revers de la main. Lorsqu'il le regarda, il le vit rouge de sang.

Ralph essaya de tenir la bagarre secrète, en passant rapidement devant Julia et en se précipitant dans la salle de bains, où il enleva sa chemise maculée de sang qu'il fourra dans le sac à linge sale, pour la laver lui-même plus tard. Il réussit même à sortir, sans être vu, une chemise propre du tiroir de la commode dans la chambre à coucher et à l'enfiler. Julia était occupée à la cuisine. Mais dès le premier regard attentif — ils étaient à table — elle eut peur.

— Ralph, mon chéri, qu'est-ce qui t'arrive ?

— Rien, déclara Ralph, la bouche pleine et sans la regarder.

— Mais ton nez ! Il est enflé !

Ralph fit l'étonné.

— Vraiment ?

— Regarde-le, Robsy ! Tu ne trouves pas que son nez est enflé ?

Robsy se pencha en avant et examina son frère avec attention.

— Si, Julia ! Il a même du sang séché dans les narines !

— On ne peut donc jamais manger tranquillement, protesta Ralph, pour gagner du temps.

Julia poussa un soupir.

— Tu as raison, parlons d'autre chose.

Roberta en profita pour parler des exploits de l'incomparable Mlle Kupfer. Mais elle n'obtint de Julia que des « Ah » et des « Oh » distraits, alors que Ralph mangeait en silence.

Lorsque les assiettes furent vides, les enfants desservirent. Seule Roberta avait de l'appétit pour le pudding. Julia avait déjà fait bouillir de l'eau qu'elle versa sur du café soluble. Ralph voulut s'en aller.

— Viens un peu ici ! ordonna Julia, en allumant une cigarette.

— Je dois faire mes devoirs, déclara Ralph, le visage renfrogné.

— Tu as tout le temps. Maintenant viens et raconte ! Qu'est-il arrivé à ton nez ?

— Je me suis cogné.

— Cogné ? répéta-t-elle, incrédule.

— Ça peut arriver, non ?

— Je ne vois pas comment.

— Je voulais contourner un coin, j'ai mal pris mon virage et je me suis cogné contre le mur.

Julia lui jeta un regard inquisiteur.

— Ralph, avoue que ce sont des histoires !

— Si tu le sais mieux que moi, pourquoi poses-tu des questions ?

— Il y a eu une bagarre, n'est-ce pas ?

— Oui, dit-il enfin. Si ça peut te faire plaisir !

— Sûrement pas ! — Julia tira sur sa cigarette, mais cela ne la calma point. — Je veux savoir pourquoi, où et quand !

— A la première récré. Un type m'a arraché mon sandwich, et ça a tout déclenché.

— Dans le préau du lycée ? Vous n'êtes donc pas surveillés ?

— Si. Mais Sommer...

— Le professeur Sommer ?

— Oui, oui, oui ! Il s'est absenté un moment et Kant...

— Qui est Kant ?

— Un des grands. Il devait le remplacer, mais ça lui était égal.

— Incroyable !

— C'est pourtant comme ça. Je ne mens pas !

— Qui t'a provoqué ?

— Tu ne le sauras jamais.

— C'est ce qu'on verra. — Julia écrasa sa cigarette. — Demain j'irai voir le professeur Sommer.

Ralph bondit.

— Tu ne le feras pas !

— Et comment !

— Tu veux me rendre complètement ridicule ?

— Mais pourquoi ?

— Les autres diront : « La petite maman chérie de Ralph vient protéger son petit chouchou ! »

— Absurde ! D'abord, personne n'en saura rien. — Elle songea à quelque chose. — Dis donc, tu ne m'as pas apporté dernièrement une liste des heures où les professeurs reçoivent ? Où est-elle ? Ah, oui, sur le bureau. Va la chercher, s'il te plaît.

Ralph alla avec une lenteur voulue dans le bureau de son père, où Julia avait l'habitude de ranger les

238

factures, quittances et autres papiers importants ; il se maudissait d'avoir montré la liste à Julia au lieu de la détruire.

Julia étudia la feuille jusqu'à ce qu'elle tombe sur le nom « Sommer ». — Ça y est ! Le 24 octobre entre dix et onze heures. C'est donc vendredi en huit. J'irai le voir.

Elle passa les doigts écartés dans les boucles de Ralph.

— C'est un compromis, mon grand chéri ! Entendu ? Comme ça, personne ne remarquera que c'est à cause de la bagarre.

— Vaut mieux que tu laisses tomber.

— Mais non ! Ne prends pas cet air-là ! Je ne suis sûrement pas la seule mère qui vient se renseigner sur les progrès de son enfant.

— Mais tout est en ordre. Tu peux voir mes cahiers.

— Rien n'est en ordre si vous vous battez dans le préau.

— Et comment veux-tu l'empêcher ?

— Tu verras bien.

Ralph prit son cartable dans l'entrée et alla dans la chambre d'enfants, où il n'y avait plus de lit depuis longtemps ; c'était devenu une salle de jeux et d'études.

Il jeta son cartable sur son pupitre, puis songea à quelque chose et retourna dans le living-room. Julia était toujours assise pensivement devant sa tasse de café et avait allumé une nouvelle cigarette.

— Quand Peter viendra, dit-il, renvoie-le.

— Tu ne l'aimes plus ?

— Si. Mais j'ai beaucoup à faire.

— Il vient rarement.

— Nous n'avons plus rien à nous dire.

— Autrefois, vous jouiez ensemble.

— Oui, autrefois !

Julia ne put réprimer une petite méchanceté.

— Tu te crois très supérieur depuis que tu vas au lycée ?

— Penses-tu ! — Il allait lui répondre avec brusquerie, mais se ravisa et ajouta : — J'ai à travailler au moins jusqu'à cinq heures. S'il veut attendre...

— C'est bien gentil de ta part, dit Julia, cette fois sans ironie.

Il lui aurait été désagréable d'avoir à renvoyer Peter. Elle avait compris entre-temps que ce grand garçon empoté était très timide. Elle ne voulait pas le vexer.

Lorsqu'il vint, elle le reçut avec un sourire amical.

— C'est gentil d'être venu, Peter ! Ralph a encore du travail...

Ce ne fut pas la dernière visite de Peter. Mais comme Ralph avait de moins en moins de temps et d'intérêt pour lui, ses visites étaient davantage pour Julia, qui avait toujours quelque gâterie pour lui et aussi quelque travail, parce que cela lui donnait de l'assurance.

Il disparut complètement de leur vie lorsqu'à quinze ans il dragua sa première fille. Un jour Julia le rencontra dans la rue, et il fut très embarrassé. Mais le sourire aimable de Julia l'incita quand même à la saluer. Elle voulut lui parler, mais il avait déjà disparu.

Le vendredi matin, Julia était un peu nerveuse. Elle se disait qu'il n'y avait aucune raison, mais elle ne pouvait se défaire d'une certaine anxiété. Une conversation avec un professeur était tout aussi pénible qu'un entretien avec un supérieur ; on se sent en état d'infériorité.

Julia, qui d'habitude portait pantalon et pull-over, ou jupe et chemisier, choisit un tailleur en gabardine marron et un chemisier crème — Ralph appelait cet ensemble « ton pudding au chocolat avec sauce à la vanille » — et elle sourit en y songeant. Des trotteurs, un sac à main assorti et même des gants crème complétaient sa tenue. Elle renonça exprès à tout maquillage ; elle ne voulait pas impressionner le professeur Sommer en tant que femme.

Elle était prête beaucoup trop tôt. Comme elle avait décidé de pénétrer dans le préau seulement après la fin de la récréation, elle eut le temps de faire un saut chez Agnes, de prendre avec elle une tasse de café et de fumer une cigarette.

C'était une journée d'octobre inhabituellement tiède. Elle se rendit d'un pas mesuré — en traversant le parc thermal — au « Lycée des Sœurs Scholl », qu'elle atteignit exactement à dix heures trente. En montant le large escalier, elle eut une impression bizarre. Il n'y avait pas beaucoup plus de dix ans qu'elle y venait en tant qu'élève.

Les couloirs sentaient exactement comme autrefois : la cire, la craie et le désinfectant.

Deux autres mères se tenaient déjà devant la salle des professeurs ; elles répondirent brièvement au salut de Julia, et reprirent leur conversation au sujet des mauvaises notes de leurs enfants ; Julia était heureuse de n'avoir pas à se plaindre dans ce domaine.

Lorsqu'elle fut enfin admise, il était déjà onze heures moins dix, et comme elle savait qu'il ne lui restait que peu de temps, elle aborda sans détour le sujet : la bagarre dans le préau.

Le professeur Sommer la pria de s'asseoir.

— Voyons, madame Severin, dit-il, il s'agissait d'une simple querelle entre écoliers. Il n'y a vraiment pas de sujet d'inquiétude.

C'était un homme grand, osseux, la trentaine, avec des cheveux clairs, comme décolorés par le soleil, qui contrastaient avec ses yeux noirs ; son pantalon et les manches de sa veste étaient un peu courts, comme s'il avait grandi subitement ; probablement ses bras et ses jambes étaient-ils trop longs et il n'avait pas trouvé exactement sa taille.

— Vous trouvez donc normal que les gamins se battent jusqu'au sang ? répliqua-t-elle, indignée.

— Cela n'arrive pas tous les jours.

— Il ne manquerait plus que ça ! Je souhaite que cela n'arrive plus. Sinon je porterai plainte. Vous avez manqué à votre devoir de surveillant.

Le professeur Sommer massait nerveusement ses doigts osseux.

— Des bagarres entre garçons peuvent toujours avoir lieu. Si ce n'est pas dans le préau, alors c'est sur le chemin de l'école. Je ne sais pas si ce serait mieux.

Julia retint son souffle.

— Vous voulez dire que c'est inévitable ? Que l'on ne peut rien y faire ?

— Non. Rien. Ralph doit apprendre à se défendre. D'ailleurs, c'est ce qu'il a fait. J'ai l'impression qu'il n'y est pas allé de main morte, lui non plus. — Le professeur Sommer se leva et se mit à tourner dans la grande pièce autour de la longue table entourée de chaises, et Julia le suivait des yeux. — D'autre part, je suis très content de Ralph... oui, vraiment très content. C'est un garçon désireux de s'instruire... ce que l'on ne peut pas dire de beaucoup d'autres. Ses résultats et sa conduite sont satisfaisants. Cela ne le rend pas très populaire parmi ses camarades...

La cloche sonna et l'interrompit.

— Dommage, dit-il, j'aurais aimé m'entretenir avec vous plus en détail...

Julia se leva.

— Vous ne m'avez pas convaincue.

— C'était impossible en si peu de temps. — Il la regarda de haut en bas. — Il faut que nous parlions plus en détail.

Cela horrifia Julia d'avoir à revenir.

— Toute cette atmosphère ici... dit-elle vaguement.

— Oui, je sais. Nous pourrions nous rencontrer ailleurs.

— Vraiment ? s'écria-t-elle, ravie. Vous prendriez le temps ?

— Mes élèves m'importent beaucoup, surtout Ralph.

Elle réfléchit.

— Et si vous veniez me voir ? Un dimanche après-midi ? Mais j'imagine que vous avez mieux à faire...

— Non, dimanche après-midi me convient parfaitement.

La porte de la salle des professeurs s'ouvrait sans cesse et la pièce commençait à se remplir d'autres enseignants.

— Trois heures et demie ? dit Julia en tendant la main au professeur.

Il la prit délicatement dans la sienne.

— Je n'oublierai pas !

Lorsque Ralph rentra de l'école, Julia était enthousiasmée :

— Ton professeur est un homme charmant ! Il a des

idées un peu insolites, mais je vais les lui faire abandonner. Il vient dimanche pour le café.

— Je ne serai pas là.

— Voyons, Ralph ! dit-elle, consternée. Je croyais que tu aimais bien M. Sommer ? Il a parlé de toi si gentiment.

— Je n'ai rien contre lui, dit Ralph en haussant les épaules, mais ça ne veut pas dire que j'aie envie de le voir traîner chez moi.

— Il n'en est pas question. Je veux lui parler de toi. Ce matin, nous n'avons pas eu assez de temps.

— Je déteste que tu parles de moi !

— Mais il faut que tu sois présent, Ralph ! Alors tu pourras expliquer comment tu vois les choses. Je ne veux pas parler de toi derrière ton dos.

— Je me fous de tout ça.

— Alors qu'est-ce que je dois faire ?

— Lui téléphoner et te décommander.

— Je ne peux pas. Ce serait impoli et d'ailleurs...

— Qu'est-ce que tu lui veux, à ce type ?

— Rien. Il ne s'agit que de toi.

— A d'autres !

Il disparut dans la salle d'études et claqua la porte derrière lui.

Plus tard, elle dut l'appeler longtemps pour qu'il vienne déjeuner.

La protestation de Ralph rendit Julia pensive. Jusque-là, elle n'avait vu en M. Sommer que le professeur de son fils. Elle ne connaissait même pas son prénom et ne voulait pas le demander à Ralph... En même temps, elle commençait à regretter de l'avoir invité. Elle l'avait fait sur une impulsion et uniquement pour Ralph. Mais il y avait un danger qu'il l'ait mal interprété. Ou bien se faisait-elle des idées ? Elle décida qu'il était plus simple de le recevoir, plutôt que de le décommander.

— Nous avons une visite dimanche, dit-elle à Roberta lorsqu'elle fut seule avec elle.

— Qui ça ?

— Le professeur de Ralph.

— Alors tu dois aussi inviter Mlle Kupfer ! exigea Roberta aussitôt.

— Oui, je le ferai un jour.

— Ce dimanche.

— Non, Robsy. Je dois parler avec M. Sommer au sujet de Ralph.

— Tu peux le faire en présence de Mlle Kupfer.

— Ralph n'aimerait pas ça.

— Et il aime que son professeur vienne ?

— Non.

— Alors ça ne fait aucune différence.

Julia réfléchit. L'idée d'inviter aussi Mlle Kupfer n'était peut-être pas si mauvaise. Cela enlèverait à la visite du professeur Sommer tout caractère d'intimité. Rester seule dans l'appartement avec un parfait étranger, alors que Roberta se retirerait peut-être, elle aussi, dans son coin pour bouder, ne lui souriait pas du tout.

— Bon, dit-elle. Je vais essayer. Je vais téléphoner à Mlle Kupfer.

Roberta se jeta dans ses bras.

— Oh, Julia ! Tu es un ange !

Ralph mit sa menace à exécution ; le dimanche, il réunit toutes ses économies et quitta l'appartement pour aller au cinéma. On donnait justement un film de la série des James Bond, avec un titre alléchant.

— Ne t'inquiète pas si je rentre plus tard, dit-il, je ne reviendrai que lorsque les clowns seront partis.

Julia ne chercha pas à le retenir. Comme il faisait sa mauvaise tête, il serait plus facile de parler de lui avec son professeur en son absence.

Roberta l'aida avec empressement à mettre la table pour le café, et elle courut dans le jardin pour y cueillir une rose tardive pour son institutrice.

Mlle Annette Kupfer et le professeur Sommer arrivèrent presque en même temps. L'institutrice était encore en train d'enlever son manteau dans l'entrée, que l'on sonna à la porte. Mlle Kupfer trahit par un éclat de ses yeux clairs son plaisir de rencontrer un beau jeune homme chez Julia, ce qui était inattendu. Elle s'occupa peu de Roberta qui tournait autour d'elle.

Le café et la tarte aux prunes faite par Julia furent appréciés comme il se devait, et pendant que l'on buvait et mangeait, la conversation tourna autour de questions générales. Mlle Kupfer se donna beaucoup de mal pour paraître animée et spirituelle, et Julia, qui ne voulait pas la concurrencer, resta réservée.

Plus tard, Roberta alla chercher le plateau dans la cuisine et desservit la table.

— C'est bien, complimenta Annette Kupfer.

— Oh, je le faisais bien avant d'aller à l'école, n'est-ce pas, Julia ?

— Oui, c'est vrai, dit sa mère qui s'était levée pour prendre des verres et une bouteille de cognac dans l'armoire.

— Moi, j'ai toujours détesté aider dans le ménage, avoua Annette Kupfer.

— Bon, maintenant tu portes le plateau dans la cuisine et tu vas dans la chambre d'enfants, Robsy, proposa Julia.

— Oh, dit Roberta, déçue, je ne peux pas rester ?

Julia hésita. Ce n'était pas son habitude d'exclure les enfants, et elle jeta un regard interrogateur à Mlle Kupfer.

— Il vaut mieux que tu fasses ce que te dis ta mère, décida celle-ci.

— Je peux faire la vaisselle ? demanda Roberta, voulant se montrer sous son meilleur jour.

— Nous la ferons ensemble plus tard, dit Julia. Va jouer ou lire, ou bien descends chez Tante Agnes.

— J'aime mieux lire.

Julia servit le cognac, et M. Sommer offrit des cigarettes et du feu. Mlle Kupfer souffla la fumée par le nez.

— Au sujet de Roberta, je puis seulement dire qu'elle est très gentille, appliquée et qu'elle fait beaucoup d'efforts... même si elle n'est pas particulièrement douée, mais vous devez le savoir.

— Non, dit Julia, étonnée et aussi un peu vexée.

— Ce ne sont pas les dons d'un enfant qui sont le plus déterminants, expliqua M. Sommer avec emphase, mais ce qu'il en fait. Par exemple, une de mes camarades de classe n'était vraiment pas douée. Elle avait un quotient intellectuel le plus bas que l'on puisse imaginer chez une lycéenne. Elle a combattu ce manque avec une application et une volonté admirables et elle est aujourd'hui — personne n'aurait jamais pu le supposer — doctoresse, alors que le meilleur élève de la classe, qui avait toutes les facilités, a tâté de diverses études et n'est finalement arrivé à rien. Ralph, en revanche, dispose des deux : il est doué et appliqué.

Ces paroles furent un baume pour Julia.

— Néanmoins, je me fais du souci pour lui, avoua-t-elle. Il est si délicat et tellement sensible et il a déjà subi bien des épreuves.

Elle raconta la maladie de Ralph, d'abord si mystérieuse, l'opération qui l'avait guéri.

— Raison de plus pour le traiter maintenant comme un garçon absolument normal, dit le professeur.

— Et le laisser se faire battre par ses camarades de classe, grossiers et mal élevés ?

— Chère madame Severin, dit M. Sommer avec patience, pourquoi ne voulez-vous pas comprendre qu'il n'a pas été battu, mais entraîné dans une bagarre ?

— Où est la différence ?

Ce fut le mot d'ordre pour Mlle Kupfer. Elle put ainsi, en cherchant l'approbation de M. Sommer, faire étalage de tout ce qu'elle avait appris à l'Institut Pédagogique, et des expériences qu'elle avait accumulées depuis qu'elle était institutrice.

M. Sommer l'écouta aimablement et avec attention.

— Vous pourriez aider Ralph, dit-il alors, en lui faisant faire du sport.

— J'avais l'intention de jouer au tennis avec les enfants. Au printemps...

— Une bonne idée, mais ne la remettez pas trop. Vous pourriez déjà commencer sur des courts couverts. Il faudrait peut-être aussi l'inscrire dans un club sportif... le sport à l'école est loin d'être suffisant.

Annette Kupfer s'intéressa aussi vivement à ce sujet.

Julia aurait préféré parler de ses enfants, mais elle ne voulut pas priver la jeune institutrice du plaisir de s'exprimer, et elle fit comme si elle était intéressée.

Ses visiteurs prirent congé simultanément, et Julia eut l'impression qu'ils allaient rester ensemble. Elle se dit qu'elle devait se réjouir d'avoir contribué à faire naître une amitié, peut-être même un amour, et, qui sait ? une union, car tous deux étaient célibataires et semblaient se plaire. Elle s'efforça de sourire, mais ressentit de la mélancolie.

Elle s'imagina mise au rancart.

— C'est idiot! se réprimanda-t-elle. Je ne voulais pas du tout impressionner cet homme, seulement lui parler de Ralph!

— Aujourd'hui, Mlle Kupfer n'était pas extraordinaire, dit Roberta, à l'école elle me paraît toujours formidable, mais à côté de toi elle perd beaucoup.

Ce fut un baume pour Julia, cependant elle nia avec énergie :

— Ton imagination, c'est tout. Elle est charmante.

— Mais elle ne s'est pas du tout intéressée à moi, seulement à ce stupide professeur!

— Il n'est pas stupide, au contraire, c'est un homme très sympathique.

— Je sais ce que je veux dire.

— Pour une jeune femme, un homme est toujours plus intéressant qu'une enfant, aussi adorable soit-elle.

— Mais pas pour toi!

— Non, pour moi tu es... vous êtes tous les deux les êtres les plus intéressants au monde et vous le serez toujours. Parce que je suis votre mère.

Elles étaient encore occupées à la cuisine quand Ralph rentra.

— Alors, qu'avez-vous dit de moi? demanda-t-il, renfrogné.

Julia sentit que sa mauvaise humeur apparente cachait l'insécurité et peut-être même la peur.

— T'inquiète pas! répondit Roberta vivement. Ils n'ont fait que flirter!

Le visage de Ralph s'assombrit davantage.

— Elle veut dire Mlle Kupfer et ton professeur! précisa Julia.

— Vraiment? demanda Ralph, incrédule mais quand même soulagé.

— Parole! confirma Roberta.

— C'est vrai, Julia?

— Peut-être pas exactement...

— Voyons, Julia! s'écria Roberta. Ça crevait les yeux!

— Je trouve que tu exagères, Robsy... on ne peut pas appeler ça flirter.

— Eh bien, c'était un après-midi bien réjouissant ! dit Ralph avec satisfaction. Vous m'avez laissé un morceau de tarte, j'espère ?

Deux jours plus tard, Julia reçut une lettre du professeur Sommer — Dieter Sommer était-il mentionné au dos de l'enveloppe. Il s'appelait donc Dieter. Un peu trop de « er » dans le nom, pensa-t-elle. Il n'avait pas mis son titre universitaire, un bon point pour lui.

Elle décacheta l'enveloppe sans trace d'impatience ; elle était sûre que la lettre n'était qu'un remerciement pour un agréable dimanche après-midi.

Mais elle se trompait. Dieter Sommer exprimait, formulé de manière prudente mais en même temps insistante, le désir de la revoir bientôt. Julia remarqua qu'il avait très soigneusement composé son texte, qui se terminait par une fleur de rhétorique : « avec mon profond respect, vôtre ». Son écriture était agréable et intelligente.

Julia se sentit flattée, naturellement, et cela lui fit plaisir. Mais un soupçon de méfiance subsistait. Dans la conversation, il s'était avéré que Sommer était nouveau à Eysing-les-Bains et qu'il n'y connaissait presque personne. Julia n'excluait pas qu'il ait d'abord tenté sa chance auprès d'Annette Kupfer, que cela n'avait pas marché, et qu'il se rabattait maintenant sur elle.

Mais elle dut admettre qu'elle s'était trompée, car la lettre avait été écrite et mise à la poste le dimanche même. L'intérêt de Mlle Kupfer était donc unilatéral et il l'avait préféré elle, Julia.

Julia relut la lettre plus d'une fois. A présent qu'il était évident que Dieter Sommer s'intéressait à elle, elle eut peur. Elle s'avoua qu'il lui plaisait ; néanmoins, elle ne souhaitait aucun attachement.

Elle tarda donc à répondre, parce qu'elle ne savait pas ce qu'elle devait écrire.

Le soir, elle montra la lettre à Ralph. Le garçon la lut.

— Il est cinglé, fut son commentaire.

— Que faut-il que je lui réponde ?

— Tu dois le savoir toi-même.

Julia aurait aimé en parler avec ses amies, mais elle savait qu'elles ne pouvaient l'aider. Toutes deux lui conseilleraient de le « mettre sous la loupe », c'est-à-dire de « faire plus ample connaissance ». Mais c'est justement ce qu'elle ne voulait pas.

Elle était déjà sur le point de lui signifier un refus poli et froid quand il téléphona. Elle fut soulagée qu'il ne mentionne pas sa lettre. Il s'enquit seulement d'elle, dit que cet automne était particulièrement beau, ce à quoi elle ne put qu'acquiescer, et déclara ensuite, de but en blanc :

— J'ai des places pour un concert de piano au Casino. Me feriez-vous le plaisir de m'y accompagner, madame Severin ?

Ahurie, elle ne répondit pas tout de suite, et il ajouta :

— Peut-être n'aimez-vous pas la musique ?

— Oh si, beaucoup !

— Alors...

— Je regrette, monsieur Sommer, mais je dois vous décevoir ! J'ai moi-même des billets pour cette même soirée.

— Vous pouvez les rendre.

— Non, j'y vais avec une amie.

— Ah. Alors nous pouvons nous rencontrer pendant l'entracte.

— Bien sûr.

Julia en déduisit que Dieter Sommer était un jeune homme très têtu.

Elle ne parla pas aux enfants du rendez-vous, et n'éveilla en eux aucun soupçon, car ils étaient maintenant habitués à la voir se faire belle lorsqu'elle sortait le soir.

Elle lava ses cheveux bouclés, coupés courts, ombra ses paupières, se mit du mascara, du rouge à lèvres et même un peu de rouge sur les joues pour souligner la forme de son visage.

Elle ne portait aucun bijou. Elle possédait des bijoux anciens, très précieux, venant de sa mère, mais elle ne les avait plus portés depuis la mort de son mari.

Sa petite robe de soie marron mettait en valeur sa silhouette mince, juvénile. Depuis que Ralph était guéri, elle avait repris un peu de poids, ses épaules s'étaient un peu arrondies, mais elle était loin d'être grassouillette. Elle aimait cette robe parce qu'elle était simple et en même temps raffinée, et soulignait le brun chaud de ses cheveux et de ses yeux. Elle avait acheté à la boutique de Lizi un manteau pour aller avec, en soie brune moirée, qu'elle portait ce soir pour la première fois.

Lorsqu'elle vint dire au revoir aux enfants, déjà installés devant la télévision, Ralph se retourna et s'écria spontanément :

— Tu es fantastique !

— Oui, très, très mignonne, approuva Roberta.

— Le pianiste va sûrement se tromper de notes quand il te verra.

Julia regretta de les laisser seuls.

— Au fond, j'aurais pu t'emmener, Ralph, mais je crains que Robsy...

— T'en fais pas, Julia, « Les Révoltés du Bounty », c'est bien plus intéressant !

Elle aurait aimé recevoir une autre réponse, car même si Ralph avait cessé de jouer au piano, elle était toujours persuadée qu'il était très doué pour la musique. Mais elle n'en fit rien.

— Je tâcherai de rentrer de bonne heure, dit-elle seulement.

— Pourquoi ne dis-tu pas comme d'habitude : « Ne vous faites pas de souci si je rentre tard » ? dit Ralph, railleur.

— Parce que j'ai vraiment l'intention de rentrer tôt.

— Mais non, amuse-toi bien, va !

— Oui, amuse-toi bien, dit Roberta, faisant écho à son frère.

Comme Julia avait mauvaise conscience, elle se sentit affectée.

— Un concert de piano n'est pas un tel amusement ! Presque deux heures de musique classique, c'est plutôt fatigant.

Elle attendait des protestations, mais les enfants s'étaient déjà tournés vers le petit écran.

Elle devait raconter à Lizi Silbermann que Dieter Sommer allait la guetter pendant l'entracte, ce qu'elle fit pendant qu'elles étaient au vestiaire.

— Bon, alors on va se séparer pendant ce temps, dit Lizi.

— Mais pourquoi ?

— Parce qu'il préférera être seul avec toi.

— Mais pas moi avec lui. Pour moi, il n'est rien d'autre que le professeur de Ralph.

— Tu veux dire que tu as fait sa connaissance en tant que professeur de Ralph...

— Et je le considérerai toujours seulement comme le professeur de Ralph !

Elle le découvrit à cet instant ; il se tenait sur les marches qui conduisaient à la salle des concerts. Leurs regards se rencontrèrent, et ses yeux à lui s'éclairèrent. Il descendit les marches et vint vers elle à grands pas.

— Le voilà ! dit Julia doucement, en se retenant pour ne pas pousser son amie du coude.

Julia tendit la main à Dieter Sommer.

— Bonsoir, monsieur Sommer...

— Comme vous êtes belle ! dit-il.

En souriant, elle chercha à le dégriser.

— Je me suis donné beaucoup de mal avec mon « make-up » ! dit-elle et, se tournant vers Lizi : — Le professeur docteur Sommer, dont je t'ai parlé... mon amie, Mme Lizi Silbermann.

Ils se serrèrent la main, et il fut embarrassé par le regard visiblement curieux de Lizi.

— Nous avons tout le temps de fumer une cigarette, proposa-t-il.

— Bonne idée, approuva Lizi, allons au bar.

— La vendeuse de programmes est là-bas, dit Julia, et elle voulut y aller.

— J'y vais ! dit Dieter Sommer aussitôt.

— Il est mordu, dis donc ! constata Lizi.

— Mais non, c'est simplement un homme bien élevé.

— Je ne pense pas qu'il soit aussi empressé à l'égard de toutes les mères d'élèves.

Dieter Sommer revenait avec les programmes.

— Voulez-vous que nous échangions nos places, monsieur Sommer ? demanda Lizi. Je suppose que vous aimeriez être assis près de Mme Severin.

— Il n'en est pas question, Lizi ! protesta Julia. Nous sommes venues ensemble et nous resterons ensemble.

— Alors, il n'y a rien à faire ! — Lizi haussa les épaules en souriant. — Je vous aurais volontiers fait ce plaisir, monsieur Sommer !

Et c'est ainsi que Julia et Lizi s'assirent au douzième rang, alors que Dieter occupait une place au neuvième.

A l'entracte, elles le retrouvèrent tout de suite, car il les attendait à la sortie de leur rang.

— Un grand pianiste, n'est-ce pas ?

— Un toucher merveilleux ! assura Lizi. Chopin lui-même n'aurait pas mieux exécuté cet impromptu.

— Sûrement, dit Julia malgré elle, car son toucher était très faible.

Les deux autres la regardèrent.

— Pardonnez-moi, dit-elle aussitôt, je ne voulais pas me mettre en avant.

— Mais pas du tout ! répliqua Dieter Sommer. Vous avez seulement émis un point de vue intéressant.

— Non, non, Lizi a raison de me regarder d'un œil critique. J'ai fait étalage de mon savoir, quand en réalité je l'ai lu quelque part.

— Mais n'avons-nous pas puisé dans les livres tout notre savoir ? Qui de nous a la capacité ou seulement la possibilité de mener ses propres recherches ?

— Ne m'en veuillez pas, mais votre entretien plane trop haut pour moi ! se plaignit Lizi. Allons plutôt voir si nous trouvons une place au bar.

Le petit bar était assiégé, et Dieter Sommer perdit la moitié de l'entracte à se procurer des boissons pour ces dames.

— Vous me permettrez de vous raccompagner chez vous, madame Severin ? demanda-t-il sagement.

— Nous avions l'intention d'aller au « St-Georg »..., dit Lizi.

— ... et après, mon amie me ramènera en voiture ! termina Julia.

— Mais vous pouvez nous accompagner, reprit Lizi.

Plus tard, dans la brasserie, elles rencontrèrent,

comme d'habitude, de nombreuses connaissances. Julia présenta Dieter Sommer et il fut accueilli cordialement : un nouveau visage, un jeune célibataire séduisant, était toujours le bienvenu.

Ils s'assirent à la table du docteur Opitz et de sa jeune femme, et la conversation très animée tourna d'abord autour du concert et du jeune pianiste ; puis autour des enfants et de l'éducation, comme c'était naturel en présence d'un pédiatre et d'un professeur de lycée. Le docteur Opitz n'avait pas encore digéré son diagnostic erroné, et il présenta comme excuse toutes sortes d'arguments. Julia et sa femme lui donnèrent pleinement raison, alors que Lizi, uniquement pour donner du piment à la conversation, le contredit, et Dieter Sommer parla des névroses chez les jeunes.

Ils allaient se quitter, lorsque Mme Opitz dit à Julia :

— Il faut que vous veniez bientôt nous voir... avec M. Sommer, n'est-ce pas ?

Julia avait très bien compris qu'elle devait cette invitation uniquement au jeune professeur — non que Mme Opitz ait jeté sur lui son dévolu, mais on hésitait toujours à inviter une femme seule, car cela entraînait l'obligation de lui trouver un cavalier.

— Puis-je vous déposer quelque part, monsieur Sommer ? demanda Lizi.

— Non, merci, je préfère marcher. Vous ne voulez pas que je vous raccompagne quand même, madame Severin ? Le soir est si beau et un peu d'air frais nous ferait du bien.

Julia voulut refuser, mais Lizi intervint.

— Vous avez raison ! Allez-y, tous les deux ! Le chemin des Acacias est à deux pas.

Et c'est ainsi que Julia se trouva seule avec Dieter Sommer. Ils traversèrent, côte à côte, le parc thermal éclairé seulement ici et là par des lanternes en forme de boules. Un léger vent du sud bruissait dans les arbres et jetait des feuilles mortes sur leur chemin.

— C'était une belle soirée ! dit Julia.

— Je vous ai si peu vue, se plaignit-il.

Elle chercha à dissimuler son embarras par un petit rire.

— Vous semblez bien exigeant.

— Oui, je le suis, Julia... vous permettez que je vous appelle ainsi ?

— Nous nous connaissons à peine !

— C'est vrai, depuis très peu de temps. Mais si vous comptez que depuis votre visite au lycée j'ai pensé à vous nuit et jour... Je vous en prie, Julia ! Il m'est si difficile de m'adresser à vous selon la formule officielle.

— Si vous y tenez...

Ses hauts talons la firent trébucher et il saisit l'occasion pour lui prendre le bras ; Julia s'étonna de trouver cela très agréable.

— Je suis exigeant, répéta-t-il, et c'est exactement ce que ma mère me reproche. Avant de vous rencontrer, Julia, aucune femme ne m'avait complètement conquis.

— Il y a des tas de filles charmantes, dit-elle faiblement, et elle dut s'avouer que l'admiration de Dieter Sommer ne la laissait pas indifférente.

— J'ai dû passer à côté. Les étudiantes... bof ! Les unes ne sont pas très soignées, les autres trop maquillées, parfois les deux à la fois... et tellement sans gêne ! Je déteste les mauvaises manières chez les femmes. Mes collègues sont ou bien sèches et froides, ou alors ont un grain et sont à la recherche d'un mari.

— Et naturellement vous ne voulez pas vous marier ?

— Mais si, Julia !

Il s'arrêta avec elle sous un lampadaire et la regarda en face.

— Quand vous aurez trouvé l'oiseau rare ! dit-elle, cherchant à se défendre par la raillerie.

— C'est vous, l'oiseau rare, Julia ! Mes sentiments pour vous sont très forts. Ne dites rien pour l'instant. J'ai bien réfléchi et je suis arrivé à ce résultat. Vous ne pouvez pas prendre une décision tout de suite. Je ne le demande pas.

Il voulut l'embrasser.

Elle détourna la tête, de sorte que les lèvres de Dieter ne firent qu'effleurer sa joue.

— Comme vous allez vite, Dieter !

— Vous m'avez appelé par mon prénom ! dit-il, ravi.

— Oui. Mais ça ne change rien. Vous me plaisez beaucoup, Dieter. Sans aucun doute, vous êtes digne d'être aimé. Mais je n'ai pas l'intention de me lier d'une façon ou d'une autre.

— Pourquoi pas, Julia ? — Il la secoua légèrement par les épaules, comme pour lui faire reprendre ses esprits. — Donnez-moi une seule raison valable ! Vos enfants ? Naturellement, ils vont d'abord me rejeter, mais après, ils s'habitueront à moi. Je suis pédagogue.

— Non, ce n'est pas cela ! dit Julia, car elle avait compris qu'il n'accepterait pas ses hésitations à cause de ses enfants.

— Alors quoi ? Ne me dites pas que vous ne pouvez oublier votre mari. Cela fait déjà six ans qu'il est mort...

— Mais je ne l'oublierai jamais ! s'écria-t-elle, se dégageant de son étreinte.

— Ce n'est pas normal, dit-il en la regardant attentivement.

— Je suis peut-être folle, ne vous gênez pas pour le dire ! Mais nous avons été si heureux...

— Comment pourrait-il en être autrement avec vous !

— ... que je ne puis l'oublier ! Peut-être n'aurions-nous pas été toujours aussi heureux, peut-être l'ennui et la lassitude se seraient-ils glissés entre nous s'il ne m'avait pas quitté si tôt. Je suis très réaliste et je vois ce qui se passe autour de moi. Mais peut-être également aurions-nous été heureux ensemble jusqu'à un âge avancé. Je n'en sais rien. Personne ne peut le savoir. Il m'a été enlevé en plein bonheur. C'est tout ce que je sais.

— Tout ce que vous venez de dire prouve seulement que vous avez du talent pour le bonheur.

— Du talent ?

— Oui, dit-il avec gravité, beaucoup de gens ne peuvent être heureux parce qu'ils gardent toujours un peu d'insatisfaction, et d'autres ne s'aperçoivent qu'ils ont été heureux qu'après coup. Vous, vous l'avez toujours su, n'est-ce pas ?

— Oui, dit Julia, et elle reprit la marche.

Il la suivit, et passa son bras sous le sien.

— Vous avez du talent pour le bonheur, répéta-t-il,

pourquoi ne voulez-vous pas exploiter ce don ? Vous pourriez être de nouveau heureuse.

— Mais je le suis.

— Aussi heureuse que du vivant de votre mari ?

Il était difficile de répondre à cette question, et elle préféra se taire.

— Vous êtes encore si jeune, Julia, dit-il. Vous ne pouvez quand même pas rester jusqu'à la fin de votre vie une veuve éplorée ! La vie est pleine de gaieté et de joie, mais également de problèmes et de complications... Vous ne pouvez échapper à tout cela.

— Je trouve ma vie très remplie.

— Sans partenaire ? Non, Julia, vous vous faites des illusions. Vous êtes entrée dans un cocon.

— Et même si c'était vrai ! s'écria-t-elle, cherchant à dégager son bras, mais il la retint fermement. — Je me sens très bien dans mon cocon, et je ne vous permettrai pas de le détruire brutalement !

— Mais Julia, mon amour, je n'en ai pas l'intention ! Je veux l'ouvrir tout doucement pour vous aider à en sortir.

— Vous appelez ça doucement ? Nous nous rencontrons aujourd'hui pour la troisième fois, et déjà vous me reprochez de tout faire mal et vous voulez m'imposer un nouveau genre de vie !

Il se tut pendant quelques secondes, puis il dit d'une voix changée :

— Pardonnez-moi ! Vous avez raison. Je m'y suis pris trop brutalement. Mais je vois si clairement... notre vie commune... nous nous réveillons ensemble le matin et nous endormons le soir... comment vous êtes assise en face de moi à table... nous nous promenons la main dans la main... pour moi, tout cela est accessible !

— Peut-être, dit-elle, plus doucement, mais je vous en prie, respectez mon point de vue ! Je ne puis imaginer la vie commune avec un autre que Robert.

— Je ne vous harcèlerai plus, Julia, je vous le promets. Chez moi, tout cela a été littéralement comme un coup de foudre. Il faut davantage de temps pour que vos sentiments à mon égard mûrissent.

Elle fut sur le point d'en rester là, car elle ne voulait

pas le perdre. Puis elle se rendit compte que ce ne serait pas honnête.

— Non, Dieter, dit-elle, ce n'est pas une affaire de temps. Je ne veux pas vous leurrer. Jamais nous ne serons l'un à l'autre.

— Jamais ? !

— Vous m'avez très bien comprise.

— Mais pourquoi, Julia ? Pourquoi ?

— J'ai essayé de vous expliquer. Que vous ne le compreniez pas prouve seulement que nous émettons sur des longueurs d'ondes différentes, et c'est justement ce qui nous empêchera toujours de nous rejoindre.

— Vous me blessez, Julia, vous me blessez exprès !

Elle marcha aussi vite qu'elle le pouvait, alors qu'il essayait de la retenir ; il ne put empêcher qu'ils atteignent la lisière du parc thermal et se retrouvent dans la rue.

— Je ne veux pas vous donner de faux espoirs, c'est tout, répliqua-t-elle.

Il ne renonça pas.

— Julia, il est fort possible que vous ayez actuellement une existence agréable. Vous tenez à vos enfants, naturellement, et vos enfants tiennent à vous. Mais cela ne restera pas ainsi éternellement. Ils vont se détacher de vous un jour, d'abord Ralph, puis Robsy, et vous resterez seule.

— Comment pouvez-vous le savoir ? Ce n'est pas vrai !

— Ainsi va le monde, Julia.

— Quel slogan idiot ! — Ses talons frappaient l'asphalte. — Il y a des familles... si vous voulez, je puis vous les compter... où les enfants, même devenus adultes, gardent des relations intimes avec leurs parents.

— Oui, ça existe. On se voit tous les quinze jours et on va même en vacances ensemble. Mais ce n'est pas la même chose qu'une véritable association.

Elle resta longtemps sans répondre, puis elle dit :

— Je ne sais pas comment j'en suis arrivée à me disputer avec vous. C'est ridicule. Vous prétendez vous mêler de ma vie. De quel droit ?

257

— Parce que je vous aime, Julia !

— Mais je ne peux répondre à votre sentiment. Aucune discussion n'y changera quoi que ce soit.

— Il ne me reste donc aucun espoir ?

De nouveau, Julia fut tentée d'éluder la question et de se réserver une petite porte de sortie. Mais elle dit :

— Aucun !

Ils firent le reste du chemin en silence ; en se quittant, il n'essaya pas de l'embrasser. Souriante, la tête haute, elle lui tendit la main.

Mais plus tard, dans son lit, elle pleura. Pour la première fois, la présence de ses enfants la gênait, parce qu'elle devait étouffer ses sanglots pour ne pas les réveiller.

Elle finit par se lever et se réfugier dans le living, où elle se jeta sur le divan et laissa libre cours à ses larmes. Elle savait qu'elle n'aurait pu agir autrement : elle ne pouvait envisager la lutte avec ses enfants qu'elle aimait tant. Mais son cœur éclatait de douleur.

Elle ne s'était pas aperçue que Ralph l'avait suivie et la contemplait, très ému, car il ne l'avait jamais vue ainsi, pas même au moment de la mort de son père.

— Julia, qu'est-ce qui t'arrive ? demanda-t-il enfin, très impressionné.

Elle eut peur, chercha à se ressaisir, s'essuya les yeux du revers de la main.

— Rien, dit-elle dans un sanglot, rien du tout.

— Mais on ne pleure pas comme ça quand il n'y a rien ! Tu as mal quelque part ?

— Non, vraiment, non.

Les sanglots qu'elle s'efforçait de retenir devinrent une douleur.

Ralph ne bougea pas ; ses yeux verts étaient assombris par le souci.

— Quelqu'un m'a énervée, dit-elle, parce qu'il attendait une explication.

— Qui ? Je vais le rosser ! — Il se rendit compte qu'il s'était vanté et ajouta : — S'il est beaucoup plus fort que moi, je me vengerai autrement !

— Voyons, Ralph, on n'obtient jamais rien de cette façon.

— Je ne veux pas qu'on t'énerve !

— Ah, Ralph, mon grand chéri !

Elle l'attira passionnément sans se rendre compte qu'elle l'étreignait comme elle aurait étreint un homme.

Elle était certaine d'avoir perdu Dieter Sommer à jamais.

Mais le jeune professeur téléphona peu de jours après.

Julia avait fait les courses avec les enfants. Elle leur avait acheté de jolies tenues de tennis et des raquettes... Elle avait aéré ses vêtements de tennis et sorti sa raquette du débarras. Comme les vêtements des enfants et l'abonnement à un court de tennis avaient été dispendieux, elle ne put pas renouveler sa tenue. D'ailleurs, elle n'avait pas l'intention de faire des effets de toilette sur le court, mais de faire du sport avec Ralph et Roberta.

Les enfants étaient très excités et auraient aimé se servir de leurs raquettes et de leurs balles, ici, dans le living ; il avait fallu beaucoup de raisonnements pour les en dissuader.

Le téléphone sonna juste au moment où Julia était allée à la cuisine pour préparer le dîner. Elle se précipita dans le bureau et arriva juste à temps pour enlever l'écouteur à Ralph.

Elle s'annonça.

— J'espère que je ne vous dérange pas, dit une voix masculine au bout du fil.

Elle reconnut la voix de Dieter Sommer et fut tellement soulagée, qu'elle en eut le vertige. Malgré cela, elle dit :

— Si, un peu.

— Voulez-vous que je rappelle plus tard ?

Ralph était resté près d'elle et l'observait. Elle lui indiqua de la main de s'éloigner. Mais il ne bougea pas et la contempla avec son regard insondable.

— Ce ne serait pas mieux, dit-elle.

— Julia... il faut que je vous revoie !

— Mais je vous ai dit...

— ... et j'ai tout pris en considération. Aucun espoir, je sais. Je vous promets de ne plus insister. Il faut que vous vous sentiez complètement libre en ma compagnie. Mais je dois vous revoir !

— Pour quoi faire ?

— Ma présence vous est-elle donc si désagréable ?

— Non, ce n'est pas ça... naturellement non.

— C'est tout simplement comme ça, Julia. J'ai essayé de vous oublier. Mais je ne peux pas. Vous ne m'aimez pas, je l'ai accepté. Mais il doit exister une possibilité de... mettons... de relations amicales et qui n'engagent à rien.

— Amicales et qui n'engagent à rien ? répéta Julia.

— A présent, vous vous moquez de moi.

— Non, pas du tout. Au contraire ! ça sonne bien. La seule question : est-ce que cela existe réellement ?

— Nous pouvons essayer. S'il vous plaît, Julia !

— Un essai ne peut sûrement pas faire de mal, dit Julia, intentionnellement hésitante, mais je vous préviens !

— Pas besoin. J'ai appris la leçon. Alors quand ?

— J'ai reçu une invitation de Mme Opitz, se souvint Julia. A l'origine, elle ne voulait pas l'accepter et s'excuser par téléphone. — Pour dimanche prochain, à dix-sept heures. Un cocktail. Très nouveau à Eysing.

— Bon, je viens vous chercher.

— Non, je ne veux pas.

— Mais c'est très facile...

— Non !

Après une petite pause, il dit avec résignation :

— Bien, bien, je ne vois pas pourquoi, mais je m'incline devant votre volonté.

Lorsqu'elle eut terminé, elle se tourna vers Ralph.

— Attendais-tu un appel ? demanda-t-elle avec une amabilité dont la fausseté lui fit honte.

Elle était furieuse, mais elle ne voulait pas le lui laisser voir.

— Non.

— Alors pourquoi as-tu couru au téléphone ?

— Parce que tu étais à la cuisine.

— Ça n'aurait pas été plus normal de m'appeler ?

— Pourquoi ?

— Parce que nous avons toujours procédé ainsi et parce que je souhaite qu'il en soit ainsi.

Ralph lui tourna le dos en silence et s'apprêta à s'en aller.

Elle le saisit par l'épaule et le retint.

— Pourquoi es-tu si pressé, tout d'un coup ? Elle le tourna vers elle. Il regardait obstinément à terre.

— Personne ne t'a encore dit qu'il est très mal élevé d'écouter les conversations téléphoniques ? Allez, réponds !

— Si, admit-il.

— Alors pourquoi l'as-tu fait ?

— Parce que tu as des secrets !

— Quels secrets ? Tu as tout entendu. Je veux essayer des relations amicales et qui n'engagent à rien. Est-ce déjà trop ? Est-ce plus que tu ne me permets ?

— Oh, zut, fais ce que tu veux !

Il s'arracha à elle et courut hors de la pièce.

Elle lui courut après et le rattrapa dans le living. Roberta, qui était en train de défaire les paquets, demanda avec étonnement :

— Qu'est-ce qui vous arrive ? Vous vous êtes disputés ?

— Nous avons eu une petite explication, et c'est très bien que tu apprennes de quoi il s'agit. Non, Ralph, je ne fais jamais ce que je veux, dans toutes mes décisions je tiens compte de vous. Je ne me remarierai pas, parce que vous ne le voulez pas, et je n'aurai aucune liaison, parce que ça vous dérange... ou bien ça ne vous dérange peut-être pas ?

— Ça dépend de l'homme, dit Roberta avec hésitation.

— Ah, vraiment ? Alors quel est le type parfait ?

Les deux enfants se taisaient.

— Allez, parlez ! dit Julia, irritée.

— Je déteste les tripotages, laissa échapper Ralph, je les déteste ! Et si tu faisais ça... — Des larmes montèrent à ses yeux verts et, furieux contre lui-même, il jura : — Oh, zut !

— Mais ce n'est pas mon genre, Ralph, c'est justement ce que je cherche à vous faire comprendre... — Elle le prit dans ses bras et embrassa ses joues couvertes de larmes. — Alors, tout est clair, mon grand chéri ?

— Mais qu'est-ce que toute cette comédie? demanda Roberta, je n'y comprends rien.

— Elle a parlé au téléphone avec un type!

— Voyons, Ralph, s'écria Roberta, tu as toujours dit que tu n'étais pas jaloux!

— Je ne le suis pas! Seulement je ne sais pas à quoi ça sert.

— Ça m'amuse. Je n'ai pas à vous donner d'autres explications.

— Ne te fais donc pas des idées, Ralph! dit Roberta. Elle n'aime que nous. N'est-ce pas, Julia, tu ne peux aimer que nous?

— Bien sûr. C'est même ce que j'essaye de vous expliquer. Mais ce n'est pas une raison pour me tenir prisonnière!

— Prisonnière! laisse-moi rigoler! dit Ralph. Tu vas au théâtre, tu as tes soirées de Skat, tu es à la boutique, à...

— ... et il m'arrive même de parler au téléphone avec un être du sexe masculin et même de sortir avec lui! C'est clair?

— Oui, Julia, dit Roberta.

— Si on ne peut faire autrement, grogna Ralph.

— Oui, c'est comme ça! — Elle caressa tendrement ses boucles. — Bon, maintenant on va manger bien tranquillement, allons.

Julia avait l'impression d'avoir été très dure et d'avoir obtenu un succès. Mais plus tard, en y repensant, elle comprit combien le combat avait été pénible et combien la victoire était modeste.

Dans les mois qui suivirent, Julia et Dieter Sommer se revirent souvent. Elle était consciente qu'il souffrait de la réserve qu'elle lui avait imposée. Elle aussi, du moins au début, elle ressentait péniblement le factice de la situation. Mais elle s'y habitua peu à peu, et plus tard elle la trouva même plaisante.

Dieter était toujours là quand elle en avait besoin, il l'accompagnait au théâtre, au concert et à telle ou telle conférence, tenait avec elle de longues conversations intelligentes, lui prêtait des livres et ne lui demandait rien en échange. Elle remarqua bientôt qu'il était heureux de pouvoir être avec elle, et comme elle se faisait rare, il savourait chaque fois cette légère ivresse.

Il lui écrivait des lettres d'amour merveilleuse, qu'elle conservait précieusement, mais auxquelles elle ne répondait jamais.

La société de Eysing les considérait comme un couple et les invitait ensemble — un couple étrange, d'ailleurs, car ils n'avaient pas l'air très intimes.

Les amies également les observaient, chuchotaient à leur sujet, mais se gardaient de parler directement à Julia de ses relations avec Dieter Sommer.

Un samedi soir — elles jouaient au Skat dans l'élégant petit appartement de Lizi au-dessus de sa boutique —, Agnes ne put se retenir davantage.

— Vraiment très sympathique, ce jeune professeur, dit-elle.

Julia, qui était en train de donner les cartes, ne réagit pas.

— Oui, tout à fait charmant, renchérit Lizi, comme si elles s'étaient donné le mot.

— On parle ou on joue ? demanda Julia en prenant ses cartes.

— Il faut bien qu'on en parle un jour ! déclara Agnes en allumant une cigarette. Je sais, tu vas nous répliquer que tu ne te mêles pas de nos affaires. — Elle inhala profondément la fumée, en rejetant la tête en arrière. — D'ailleurs, cela ne servirait à rien parce que pour nous, c'est fini. Mais, toi, on pourrait t'aider !

— Si seulement tu le permettais ! ajouta Lizi.

— Je vous remercie, rétorqua Julia, c'est vraiment gentil de vous faire du souci pour moi. Dès que j'aurai besoin d'aide, j'appellerai au secours. — Elle disposa ses cartes. — On joue ?

— Tu sembles avoir de bonnes cartes ? dit Lizi.

— Hm, ça dépend !

En réalité, elle n'avait que des éléments de suites, mais si elle pouvait tirer un roi de pique ou un valet de pique, elle pourrait compléter.

— C'est une honte de mener le pauvre garçon par le bout du nez ! éclata Agnes.

— Et c'est ce que je fais ?

— Alors comment appelles-tu le fait de tenir tout le temps à distance un homme amoureux fou de toi ?

Julia but une gorgée de vin chaud servi par Lizi, alluma une cigarette.

— Le fait qu'il soit amoureux n'est pas encore une raison pour moi de répondre à ses sentiments.

— Alors ne le vois pas !

— Et qui peut me le défendre ? Toi, peut-être ? Julia était en colère.

— Ce n'est simplement pas convenable de faire languir quelqu'un ! Qu'en dis-tu, Lizi ?

— Je n'ai rien d'un apôtre de la morale, mais cela m'intéresserait de savoir ce que tu en penses toi-même, Julia.

— Je lui ai dit clairement dès le début que je ne l'aimais pas et ne l'aimerais jamais. Il l'a accepté, c'est tout.

— Mais qu'est-ce que tu lui reproches ? demanda Agnes.

— Rien.

— Alors pourquoi ne veux-tu pas au moins être gentille avec lui ?

— Mais je le suis, puisque je le rencontre.

— Et ça lui suffit ?

— Il est heureux d'être avec moi.

— Qui le dit ?

— Lui-même.

— Si tu le crois, c'est que tu connais mal les hommes.

— Peut-être. Vous semblez les connaître beaucoup mieux.

— Un jour, il te détestera !

— Et pourquoi donc ? Quand il en aura assez, il n'aura qu'à ne plus venir, et je ne lui courrai sûrement pas après.

Agnes poussa un profond soupir.

— Tu sais ce que je pense quelquefois ?

— Tu vas sûrement nous le dire !

— C'est malheureux que ton mari t'ait laissé des revenus confortables. Si tu avais des soucis d'argent, si tu étais obligée de travailler, tu serais depuis longtemps descendue de tes grands chevaux.

— Alors j'essaye de me tenir à la hauteur aussi longtemps que possible ! répliqua Julia avec un sourire dans lequel il n'y avait pas trace d'amabilité.

— Je veux seulement dire que tu serais probablement plus heureuse si...

— Tu n'as pas à te défendre, Agnes, je sais très bien ce que tu penses. Tu es irritée de voir que je peux retenir un homme sans coucher avec lui. Autrement, pourquoi prendriez-vous tellement le parti de Dieter Sommer ? En quoi vous intéresse-t-il ? Vous ne le connaissez qu'à travers moi...

— Il ne s'agit pas de lui... bien que je trouve que tu le traites honteusement... mais de toi ! Tu es séduisante, d'accord, mais tu ne le resteras pas éternellement. Tu as déjà dépassé la trentaine. Sois réaliste, pour une fois ! Qu'arrivera-t-il quand les hommes ne te trouveront plus à leur goût ?

— Ça ne changera rien à ma vie. Justement parce que je ne dépends pas d'eux.

— C'est ce que tu dis maintenant ! Mais quand tu te trouveras un jour toute seule...

— Je suis déjà seule à présent. Je n'ai que mes enfants.

— Justement. Il n'est pas encore trop tard, tu es encore belle. Pardonne ma franchise... mais je trouve que tu devrais te remarier. Qu'en penses-tu, Lizi ?

— Julia doit savoir ce qu'elle fait.

— Très juste ! dit Julia. Peut-être ai-je parfois des doutes, mais il y a une chose dont je suis certaine : je ne vais sûrement pas me marier pour avoir un homme qui reste avec moi, même quand il ne me trouvera plus attirante !

— Aïe ! fit Lizi. Un coup bas !

— Je ne voulais pas du tout faire allusion au mariage d'Agnes. Il faut que tu me croies, Agnes ! Je t'en prie ! Je voulais seulement détruire ton argument.

— C'est bon, dit Agnes, sans pouvoir cacher qu'elle était vexée, on ne peut comparer mon mari à Dieter Sommer ! Dieter est un intellectuel, un raffiné, alors que...

— Vraiment, Agnes, interrompit Julia, j'ai presque l'impression que tu as toi-même des visées sur lui ! Et il ne mérite pas du tout que tu le défendes avec tant de passion. — Elle les regarda à tour de rôle. — Savez-vous qu'il m'a proposé d'abandonner nos soirées de Skat pour être avec lui ?

— Réellement ? demanda Lizi.

— Puisque je vous le dis.

— Si tu l'aimais, tu le ferais ! décida Agnes.

— Non, pas même alors. Etre avec vous et même jouer au Skat ne sont pas une compensation de l'amour, mais quelque chose de tout autre.

— Bravo, Julia ! Bien répondu ! Mais je trouve que nous pourrions enfin jouer.

Le jeu reprit. Agnes posa un sept de pique sur la table, Lizi son huit de pique. Julia eut donc l'occasion de se débarrasser de son neuf de trèfle, la seule carte qui l'inquiétait. Elle étala ses suites à cœur et à carreau sur la table.

Lizi et Agnès réfléchirent un moment avant de passer.

— Félicitations, Julia ! dit alors Lizi. Voilà ce que tu as gagné ! — Elle calcula. — Pourquoi n'as-tu pas joué un « Grand » ? demanda-t-elle à Agnes.

— Taisez-vous ! dit Julia. Le jeu est terminé. Cela ne sert à rien de discuter après coup… — elle ajouta, en regardant Agnes — pas plus que de donner des conseils qu'on ne vous a pas demandés. D'ailleurs, il en est de même pour ceux qu'on a demandés. On vit comme on le doit, même si les autres le désapprouvent. — Elle écrasa sa cigarette. — A toi de donner, Lizi.

Le jeu continua.

A partir du moment où le premier emballement de Roberta pour sa jeune institutrice se fut calmé, son travail à l'école laissa à désirer. Julia dut la faire travailler l'après-midi. Mais cela ne représentait pas une contrainte pour elle, au contraire, cela la rendait heureuse et lui procurait le sentiment d'éduquer elle-même sa fille. Elle aurait aimé ne pas l'envoyer à l'école, mais la faire étudier elle-même.

Quant au tennis, elle se chargea elle-même de l'entraînement de ses enfants. Elle s'occupait de Ralph les premières quarante minutes, le reste de l'heure, de

Roberta. Elle avait été une très bonne joueuse de tennis et elle retrouva vite son ancienne forme. Il lui arrivait parfois de souhaiter avoir un partenaire d'une force égale à la sienne. Mais elle s'efforça patiemment à jouer avec ses enfants, les loua et les encouragea sans désemparer, même si elle trouvait leurs progrès infiniment lents. Mais en été, quand elle joua avec eux à ciel ouvert, elle fut agréablement surprise de voir les spectateurs impressionnés par le savoir-faire des deux petits débutants. L'hiver suivant, ils s'entraînèrent de nouveau sur courts couverts, et en été elle put elle-même être fière de ses enfants, qui couraient sur leurs longues jambes bronzées à travers le court et renvoyaient la balle.

En même temps que le tennis, ils avaient commencé à faire du ski. Dès qu'il y eut assez de neige, ils montèrent dans les montagnes avec le bus. Julia envisagea d'acheter une voiture, mais renonça après mûre réflexion. Les distances dans Eysing-les-Bains étaient courtes, et pendant la saison de ski les parkings dans les villages de montagne étaient toujours complets, les routes souvent verglacées, de sorte que le bus était plus pratique, même s'il obligeait à être à l'heure. Quand le temps était particulièrement beau, ils passaient le week-end en montagne.

Julia n'était pas toujours seule avec Ralph et Roberta. Ils rencontraient souvent des connaissances et d'autres enfants qui se joignaient à eux. Un grand cercle se formait souvent le soir, et au tennis il y avait souvent un double. Il était évident que les relations entre Julia et ses enfants étaient plus étroites que chez les autres parents et enfants. Ralph et Roberta avaient aussi des amis, forcément, car ils n'étaient pas coupés du monde. Mais aucune véritable amitié ne se forma : ils étaient trop proches de leur mère.

Julia faisait tout pour eux, et elle ne pouvait imaginer qu'il puisse leur manquer quelque chose. Elle savait que Dieter Sommer souffrait de ne pas partager sa vie de famille. Mais elle ne pouvait rien y changer. Il arrivait qu'il les rencontre par hasard — par hasard comme il l'assurait lui-même, ce que Julia ne croyait pas — en été à la piscine, en hiver sur la piste, et immédiatement la gaieté spontanée de Ralph et de Roberta tombait nettement de quelques degrés. Ils devenaient aussitôt guindés et marquaient leur désapprobation dès que quelqu'un — homme ou femme — s'intéressait de trop près à Julia.

A part cette tension qui, pour Julia, n'était pas dépourvue d'un certain charme, même si elle se reprochait de manquer de cœur, les années s'écoulaient harmonieusement. Elle avait le sport et le jeu avec ses enfants, elle avait l'adoration de Dieter Sommer et des entretiens intéressants avec lui, elle avait les soirées de Skat avec ses amies et elle pouvait, quand elle en avait envie, aller à la boutique de Lizi, car celle-ci lui était toujours reconnaissante de son aide.

Lorsque Roberta eut dix ans, elle réussit, de justesse, son passage au lycée. Désormais, Julia dut travailler davantage avec elle. Cela l'obligeait à rafraîchir ses connaissances et cela lui donnait le sentiment d'être utile.

Elle était satisfaite de son existence.

Ralph avait à présent treize ans, c'était un beau garçon, souple et bien portant, mais pas spécialement robuste. Il apprenait avec facilité, lisait beaucoup, avait toujours une attitude très critique à l'égard de ses professeurs et de ses camarades, et restait un solitaire.

Le sport, que Julia et Roberta pratiquaient avec un plaisir presque passionné, ne représentait pas grand-chose pour lui, même s'il ne le faisait pas voir. Il le pratiquait uniquement pour ne pas décevoir sa mère. Les livres, surtout les récits de voyages, comptaient bien davantage pour lui, et même résoudre des problèmes mathématiques lui apportait plus de plaisir que descendre une pente à ski ou courir après une balle de tennis.

Julia ignorait tout de cet état d'esprit. Il restait toujours très poli et très correct, comme lorsqu'il était enfant, mais il avait appris à cacher ses sentiments et ses pensées véritables, car il présumait que personne ne le comprendrait.

Un matin, Julia découvrit une tache blanche suspecte sur son drap de lit. Elle mit des secondes avant de

268

comprendre ce que cela signifiait. Puis, bien que seule dans l'appartement, elle se sentit rougir violemment.

Cette découverte lui fut désagréable, et elle aurait préféré l'ignorer. Mais elle s'efforça de regarder la réalité en face. Elle savait qu'elle le devait, pour Ralph. Il avait donc atteint sa puberté.

Julia se demanda si elle devait lui en parler. Mais elle ne savait pas ce qu'elle pourrait lui dire. Il était sûrement au courant de tout. Actuellement, on parlait de ces choses beaucoup plus librement que du temps de sa propre adolescence, lorsque les premières initiations sexuelles dans la revue « Bravo » étaient considérées comme un scandale.

L'idée que son cher petit garçon était en train de devenir un homme lui était déjà suffisamment pénible. Mais lui en parler — mettre les choses au point, comme aurait dit son mari — était plus qu'elle ne pouvait supporter. Elle savait qu'elle rougirait et se mettrait à bégayer — non, elle ne le pouvait pas.

C'était une des rares situations où elle aurait souhaité avoir un homme à ses côtés. Elle se demanda si elle allait en parler avec Dieter Sommer. Il se déclarerait prêt très certainement, mais entre lui et Ralph il n'y aurait aucun rapport de confiance.

Son père à elle aurait peut-être été la personne adéquate. Après la mort du mari de Julia, leurs relations étaient devenues un peu moins tendues. Elle avait même passé une fois les fêtes de Noël avec lui et sa nouvelle famille, et s'il n'y avait pas eu de heurts de part et d'autre on ne souhaita pas renouveler une telle réunion. Toujours était-il qu'elle tenait son père au courant des succès scolaires de ses enfants et lui envoyait des photos. Ses réponses étaient toujours affectueuses, mais elles contenaient une nuance d'inquiétude et de mise en garde qui agaçait Julia. Elle mettait alors du temps avant de se décider à lui écrire de nouveau.

Néanmoins, elle parlait souvent à ses enfants de leur grand-père, et il était devenu pour eux un personnage légendaire. Et c'est justement à cause de cela qu'il ne convenait pas pour un entretien franc et compréhensif, d'homme à homme.

Le docteur Opitz ? Oui, il aurait pu. Mais si un médecin parlait avec Ralph de la vie sexuelle, il y avait le risque que les faits les plus naturels soient désormais pour lui liés à la maladie.

Mieux valait ne rien faire que commettre une erreur. Julia était convaincue que Ralph avait confiance en elle et qu'il viendrait lui-même lui poser des questions s'il avait des problèmes.

Pendant qu'elle changeait les draps — sur les trois lits, car elle ne voulait pas que Ralph se sache découvert —, elle comprit soudain que quelque chose de décisif s'était produit et qu'elle devait modifier sa vie commune avec ses enfants. Elle y pensa intensément et finit par établir un plan.

Après le dîner, elle annonça aux enfants :

— Ecoutez, j'ai une idée ! Robsy, laisse la télé, je veux vous parler.

— Qu'est-ce qu'il y a ? demanda Ralph en la regardant par-dessous ses paupières baissées. Les longs cils soyeux formaient un rideau derrière lequel il cachait ses sentiments.

— Rien. Simplement, j'ai une idée.

C'était là une introduction qui ne promettait rien de bon aux enfants, car ils sentaient nettement que la gaieté de Julia était factice.

— Alors vas-y, on t'écoute !

Roberta revint lentement vers la table et releva de son front une mèche de ses cheveux blond cendré qu'elle portait maintenant longs.

Julia les enveloppa tous les deux du regard.

— Comme je vous aime ! dit-elle impulsivement.

— C'est ça ta nouvelle idée ? demandèrent-ils en éclatant de rire parce qu'ils avaient prononcé la phrase en même temps.

Ils croisèrent leurs petits doigts, dirent ensemble « Goethe », puis ils firent un vœu.

— Alors, qu'avez-vous souhaité ? demanda Julia.

— Voyons, Julia ! protesta Roberta. Tu sais très bien que si on dévoile un vœu, il ne sera pas exaucé.

— Peut-être une chambre personnelle ? suggéra Julia.

— Comment ça ? demanda Roberta bêtement.

— Eh bien, chacun a envie d'avoir une chambre pour soi seul.

Elle adressa à Ralph un regard scrutateur.

Son visage resta impénétrable.

— Ça a quelque chose à voir avec ton idée ?

— Oui. Le bureau de votre père est resté exactement tel qu'il était de son vivant. On ne s'en sert pas... sauf de la table et du téléphone. On pourrait en faire autre chose.

— Quoi ?

— Une chambre pour toi, Ralph... une chambre pour y travailler et pour y dormir, et aussi pour y recevoir tes amis.

— Chic alors ! s'écria Roberta. Alors je dormirai dans le lit de Ralph !

— Non, toi aussi tu déménages. Pour toi, on va arranger la chambre d'enfants, puisqu'elle ne servira plus à rien. Et la chambre à coucher deviendra une espèce de boudoir pour moi. Savez-vous ce qu'est un boudoir ? Une pièce où la maîtresse de maison peut se retirer pour bouder.

— Mais tu ne boudes jamais !

Julia rit.

— Je n'ai pas l'intention de le faire à l'avenir non plus. Mais ce serait agréable pour moi d'avoir une pièce où je puisse me mettre à l'aise si j'ai mal à la tête... ou si le programme de la télé ne m'intéresse pas...

— ... et où tu peux recevoir tes amis, ajouta Ralph avec une fausse nonchalance.

— Ai-je jamais reçu des amis ? demanda Julia avec irritation.

— Jusqu'ici, tu n'avais pas de chambre personnelle.

— Je n'en ai pas davantage l'intention à l'avenir. Je te prie de ne rien insinuer. — Elle alluma une cigarette. — Je veux faire quelque chose pour vous, ne le comprenez-vous pas ?

— Ne prends donc pas tout de travers, dit Roberta. Ralph a simplement posé une question.

— Si c'était une question, elle était idiote.

— Je suis probablement idiot, dit Ralph.

— Non, tu ne l'es pas et tu le sais. Mais tu as parfois une façon de faire l'imbécile qui me tape sur les nerfs.

Julia se leva et se versa un verre de sherry.

— Alors allons-nous réaménager l'appartement ou non? Ce n'était qu'une proposition. Je ne veux pas vous y obliger.

— Et où vas-tu mettre tous les livres? demanda Ralph, à moitié convaincu.

— Tu veux parler de la littérature professionnelle de ton père? La vendre à un antiquaire ou comme vieux papier. La plupart de ces livres sont sûrement déjà dépassés. — Elle s'arrêta et le regarda attentivement. — A moins que tu n'aies l'intention de devenir juriste...

— Je n'y ai jamais songé.

— Et si tu y penses maintenant...

— Non, je ne crois pas que ce soit quelque chose pour moi.

— Est-ce que je pourrai arranger ma chambre comme je veux? demanda Roberta. Ou bien va-t-on simplement pousser mon lit dans la chambre d'enfants?

— Non, tu pourras choisir tes meubles.

— Une vraie chambre de jeune? moderne? — Roberta rayonnait. — Julia, ce sera magnifique! Avec des posters sur les murs et...

— Ça va coûter cher, Julia, fit remarquer Ralph.

— Nous n'avons pas besoin de tout transformer du jour au lendemain, nous pouvons le faire petit à petit. — Elle vit la déception se peindre sur le visage des enfants. — Ou bien je prends une hypothèque sur la maison, dit-elle rapidement, ça peut aussi se faire.

— Ce n'est pas dangereux? demanda Ralph.

— Pourquoi dangereux?

— On peut t'enlever la maison un jour.

— Non, sûrement pas. Je vais établir un plan précis avec le directeur de banque Lubbe et lui demander de calculer comment je peux régler les intérêts et purger l'hypothèque. Ça reviendrait à peu près au même que si nous achetions les meubles petit à petit. Seulement, nous aurons des dettes et cela durera plus longtemps pour nous en acquitter.

Les enfants se questionnèrent du regard.

— En tout cas, dit Julia, décider ensemble a l'avantage de nous empêcher de nous disputer ultérieurement.

272

— Mais nous ne nous disputons jamais ! dit Ralph.
Julia rit.

— Parce que je fais tout ce que vous voulez !

— Dis que nous te tyrannisons !

— Un peu. Mais sans blague. Si nous devons nous
installer peu à peu, ça risque de se compliquer. Qui de
nous trois serait le premier ?

— Toi, naturellement, Julia ! dit Ralph, généreusement.

— Et Roberta aurait d'abord son vieux lit dans la
chambre d'enfants ? Quant à toi, tu dormirais sur un
des lits jumeaux dans le bureau ?

C'était une idée qui ne disait rien aux enfants ; ils se
turent.

— Puis un nouveau lit pour Roberta, ensuite une
armoire pour Ralph, et plus tard une pour Robsy ?
Non, non, je prends une hypothèque et nous faisons
tout en grand ! Nous mettons l'appartement sens dessus
dessous !

— Ça va être formidable !

— J'aimerais quelque chose dans le style de la
marine anglaise... Acajou et plaques de métal... rêva
Ralph. Ça irait ?

A présent qu'elle avait réussi à gagner les enfants à
son idée de transformation de l'appartement, Julia se
sentit lasse et vidée. Une étape de sa vie qu'elle avait
beaucoup aimée était irrévocablement achevée.

Elle se leva, brancha la télévision et éteignit les
lampes. Dans la demi-obscurité et pendant que les
enfants regardaient le petit écran, elle n'avait plus
besoin de feindre.

Lorsque Ralph eut quatorze ans, il fit au tennis la
connaissance d'un garçon qui ne faisait pas partie des
enfants des amis de sa mère.

C'était Markus von Kosel, plus âgé que Ralph d'un
an, et d'une bonne tête plus grand, avec un teint clair,
mince et un peu dégingandé. Il faisait régulièrement
une heure d'entraînement sur un court voisin.

Pendant un certain temps, les deux garçons s'observèrent discrètement. Un jour, après son entraînement,
Markus s'approcha de Ralph et lui demanda s'il voulait

échanger quelques balles avec lui. La leçon ne durait que quarante-cinq minutes, alors que le court était loué pour une heure.

— Si tu n'es pas crevé, répondit Ralph.

Markus s'essuya le visage et la nuque avec une serviette-éponge corail.

— Alors je ne te l'aurais pas proposé.

Ralph prit sa raquette et suivit Markus dans le court voisin. Ils mirent quelque temps à trouver leur rythme, mais ensuite les balles volèrent, par-dessus le filet, longues et élégantes.

Plus tard, en s'habillant, ils échangèrent quelques mots sans importance, ne révélant rien sur eux-mêmes.

Julia n'apprécia pas cette connaissance, et elle souffrit de ne pas trouver de prétexte raisonnable pour y mettre fin. Elle dut admettre qu'il était bon pour Ralph de jouer un quart d'heure de plus, au lieu de rester à regarder jouer les autres.

Néanmoins, sur le trajet de retour, elle demanda d'un ton qu'elle pensait neutre, mais qui était plutôt tranchant :

— Qui est ce garçon ?

— Il s'appelle Markus, dit Ralph en haussant les épaules.

— Et après ?

— Il me l'a dit, mais je n'ai pas bien compris.

— Toujours est-il que tu sembles doué d'un rare talent pour nouer des amitiés éclair.

Il n'était justement pas doué pour cela, aussi renonça-t-il à répondre, et la gratifia seulement d'un regard impénétrable.

Julia sentit combien sa remarque était injuste.

— Oh, pardonne-moi, chéri, dit-elle très vite, c'était une remarque stupide. Je regrette.

— Ça va, Julia, dit-il avec indulgence, car il avait compris qu'elle était jalouse.

La fois suivante, Markus le salua en agitant sa raquette et lorsque sa leçon fut terminée, Ralph le rejoignit sans être invité.

Désormais, le dernier quart d'heure après l'entraînement leur appartint. Julia ne se permit pas d'autre remarque.

Lorsque le printemps arriva, Ralph raconta sur le chemin de !a maison :

— Imaginez, Markus a un court de tennis chez lui... c'est-à-dire, son père en a un. Je dois aller chez lui un jour.

— Pour l'instant, il n'est pas question de tennis à ciel ouvert, dit Julia.

— Tu m'emmèneras ? demanda Roberta. Son père doit être très riche.

— Ils ont une propriété.

— Fantastique ! dit Roberta.

— Markus aimerait me montrer tout ça, dit Ralph.

— En attendant, je ne connais même pas son nom de famille ! dit Julia.

— Il s'appelle Markus von Kosel.

— Ouh, un noble ! s'écria Roberta.

— Je peux aller chez lui ? insista Ralph.

Julia se fit violence.

— Naturellement. Mais avant, j'aimerais le connaître. J'espère que tu comprends.

— Mais tu le connais !

— Par des saluts au tennis ? Ce n'est pas assez.

— Tu sais, Julia, dit Ralph, tu devrais commencer à ne plus me traiter comme un bébé.

— Parce que je veux savoir qui tu fréquentes ?

— Pendant les dernières vacances d'été, deux gars de ma classe sont allés partout avec une Eurocarte.

— Oui, ce sont là des enfants qui finissent par se droguer ou pire !

Ralph sourit.

— Je trouve Markus génial !

— Je ne t'ai pas demandé ton avis ! riposta Julia. Tu n'as pas la moindre connaissance des êtres humains.

— Bon, dit Ralph, si tu y tiens tellement... je vais demander à Markus de venir te « rendre ses devoirs ». Ça s'appelle comme ça dans le milieu distingué auquel tu appartiens ?

— Tu es insolent !

— Bon, je cède. Qu'exiges-tu ?

— Il n'a pas besoin de me « rendre ses devoirs », mais tout simplement de venir nous voir.

— Et si ses parents pensent exactement comme toi ?

— Je peux aussi contacter sa mère. Oui, je pense que ce serait le mieux.

— Faut-il absolument que tu en fasses un tel plat ? — A présent, Ralph était furieux. — D'autres garçons se fréquentent et voyagent ensemble, sans que leurs parents s'en soucient.

— Ce que font les autres ne m'intéresse pas. Tu n'as plus de père, je suis donc doublement responsable de toi.

— Ah, sois donc franche : tu ne veux pas que j'aie un ami.

Il y avait tant de vérité dans cette affirmation, que Julia ne put le contredire.

— Pourquoi vous disputez-vous sans arrêt ? demanda Roberta.

— Je crois que le vent du sud souffle ! dit Julia. — Il faisait en effet étonnamment tiède pour un jour de mars. — Venez, je vous offre une glace.

Ceci mit les enfants immédiatement d'accord.

— Je n'ai rien contre Markus, dit Julia plus tard, alors qu'ils étaient assis, les enfants devant leurs glaces et Julia devant une tasse de café, — ni contre une amitié entre vous. J'ai seulement l'impression qu'il vient d'un autre monde. Tout ça... propriété, court de tennis... je crains qu'après tu ne te sentes plus bien chez nous.

— Penses-tu ! Comme si je ne savais pas qu'on ne peut être mieux que chez nous, à la maison !

Le lendemain matin, les enfants étant à l'école, Julia chercha le numéro des Kosel dans l'annuaire téléphonique, ne le trouva pas et dut demander les renseignements. Il s'avéra qu'ils habitaient à Haidholtzen, un village à environ un quart d'heure d'Eysing.

Pour Julia, c'était rassurant. Cette amitié ne pourrait pas être trop étroite, déjà à cause de la distance.

Elle se demanda longuement si elle allait téléphoner ; elle était intimidée et dut faire un effort de volonté.

Ce fut exactement comme elle se l'imaginait. Une voix de femme répondit : « Un instant, s'il vous plaît, je vais prévenir Madame. » Une pause prolongée, puis le déclic dans l'appareil, qui apprit à Julia que la domestique qui avait répondu devait d'abord demander si cela convenait à Madame de parler avec elle.

Puis une voix, enrouée par le tabac et, comme il sembla à Julia, très jeune, dit :

— Ina von Kosel.

Julia se présenta.

— Mon fils et votre Markus ont fait connaissance.

Ina von Kosel ne dit pas « Oui, je sais ». Elle se taisait.

— Au tennis, précisa Julia.

Toujours aucune réaction.

— Markus a invité mon fils à lui rendre visite, et je voulais seulement m'assurer que c'était bien avec votre accord.

— Markus peut inviter qui il veut, dit Ina von Kosel d'un ton qui parut à Julia — oui, comment dire ? — indifférent.

— J'en suis heureuse.

— Qui il veut et quand il veut, ajouta Ina von Kosel.

— J'aurais aimé que Markus vienne d'abord chez nous, dit Julia. Me feriez-vous le plaisir de venir dimanche prochain ?

— Moi ? !

— Oui, vous, madame von Kosel... avec Markus et, s'il veut bien, avec votre mari.

Il y eut une seconde de silence sur la ligne ; de toute évidence, Ina von Kosel avait besoin d'un temps de réflexion.

— Je regrette, finit-elle par dire, j'ai consulté mon agenda. Dimanche prochain mon mari et moi serons à Munich. Mais Markus peut naturellement venir. A quelle heure ?

— Vers trois heures. Je ne connais pas l'horaire des autobus.

— Je le ferai déposer en voiture.

Des politesses échangées, et la conversation était terminée.

Julia était soulagée. Chez ces gens peu ordinaires, pensa-t-elle, Ralph ne se sentira sûrement pas à l'aise.

Le dimanche après-midi, Ralph chassa Roberta de sa chambre, dont les fenêtres donnaient sur la rue. Mais elle refusa d'être privée du plaisir d'assister à l'arrivée de Markus, et elle grimpa sur un tabouret dans la salle de bains.

Il arriva dans une limousine, vieille d'au moins dix ans. Le chauffeur n'était pas en livrée comme on pouvait s'y attendre, mais en jeans et pull à col roulé. Roberta fut déçue. Il n'ouvrit pas la portière pour Markus, mais le laissa descendre seul de voiture et repartit aussitôt.

Néanmoins, Roberta fut très impressionnée par cette entrée en scène avec limousine démodée et chauffeur.

Lorsque la sonnette mit fin à la tension de l'attente, Julia dit : « Va ouvrir, Ralph ! Va recevoir ton ami. »

Elle-même s'adossa dans le fauteuil de cuir du living, s'efforçant, sans y parvenir, à se décontracter. Ralph introduisit Markus, suivi de Roberta qui, très excitée, marchait sur la pointe des pieds.

Markus s'inclina très poliment devant Julia et lui présenta une orchidée brun doré.

— De notre serre ! dit-il.

Julia fut surprise.

— Oh, que c'est joli ! dit-elle. Veux-tu la mettre dans un vase, Roberta ?

Markus connaissait les bonnes réponses à toutes les questions. Il avait été interne au Bondensee. Au printemps de l'année précédente, il avait été très malade, une congestion pulmonaire, et avait dû aller en clinique. Ensuite son père l'avait fait revenir à la maison pour sa convalescence. Il travaillait maintenant avec un précepteur, pour rattraper sa classe.

L'appartement de Julia, très joli, mais quand même petit-bourgeois, était un cadre inhabituel pour Markus, mais il ne se montra ni prétentieux ni gêné. Il mangea et but avec bon appétit, sans être vorace, contempla, de ses yeux gris et froids, Julia et Roberta avec bienveillance, mais sans admiration, et se retira, dès que Ralph en donna le signal, dans la chambre de celui-ci.

Lorsque Julia leur servit un en-cas vers cinq heures — sandwichs, œufs durs, concombre —, elle les trouva étendus sur le tapis. Ils écoutaient un disque de musique « rock », en bouquinant.

— Ça te plaît chez nous ? demanda Julia.

Markus se leva immédiatement.

— C'est une très belle pièce.

— Ralph a tout choisi lui-même.

La pièce ressemblait à une cabine de capitaine sur un vieux voilier ; même le plafond avait été abaissé et incliné, afin de renforcer l'impression.

— Viens voir ma chambre, Markus ! dit Roberta, qui était entrée derrière Julia. Viens voir ce que je me suis choisi !

— Ça n'intéresse pas du tout Markus ! intervint Ralph, qui avait à peine levé les yeux à l'entrée de sa mère.

— Pourquoi pas ? dit Markus. Montre-la-moi !

L'orgueil de Roberta était une chambre de jeune fille telle qu'on la trouve dans les catalogues de meubles : un divan recouvert de rouge, qui formait une niche dans une armoire en bois clair, un petit bureau et une glace imitant le « Jugendstil ».

— Très joli, dit Markus.

— Et je peux voir le jardin de ma fenêtre ! En ce moment, il n'y a rien… mais en été…

Markus repoussa le rideau :

— … c'est sûrement charmant, j'imagine.

Julia trouva cette présentation de son appartement ridicule. Elle était agacée que ses enfants s'efforcent aussi visiblement d'impressionner Markus. Il n'était après tout, malgré la limousine avec chauffeur et la propriété paternelle, qu'un garçon comme les autres, en pantalon de velours côtelé marron et en pull-over.

— Faut-il aussi que je te montre ma chambre ? demanda-t-elle.

— Si vous voulez, répondit Markus avec une indifférence polie.

— Je ne sais pas si elle trouvera grâce à tes yeux !

— Julia ! dit Ralph d'un ton tranchant.

— Oui ? dit-elle avec une feinte innocence.

— Markus n'est pas venu pour inspecter notre appartement, mais parce que tu voulais le connaître !

Julia rougit, car le reproche de Ralph était justifié.

— Comment le connaître si vous restez enfermés dans ta chambre ?

Roberta sautillait sur place.

— Nous pourrions jouer au Monopoly... ou au Rami !

Markus consulta sa montre.

— La prochaine fois ! On vient me chercher à six heures.

— Quel dommage ! dit Julia. Alors, mangez au moins ce que je vous ai préparé.

— Puis-je venir aussi ? demanda Roberta.

— Naturellement ! dit Markus. On s'assoit par terre et on pique-nique !

On ne pouvait rien reprocher à Markus von Kosel. Il était intelligent, soigné, avait de bonnes manières, et une étincelle d'humour s'allumait de temps à autre dans ses yeux gris.

Cependant, Julia se sentait mal à l'aise en sa présence, et plus encore en songeant que Ralph voulait aller chez lui. Elle se gronda d'être d'une jalousie maladive, mais cela ne servit à rien : le malaise persista.

— Il est gentil, n'est-ce pas ? demanda Ralph après le départ de Markus.

— Très ! mentit Julia.

— Qu'as-tu contre lui ?

— Rien.

— Tu ne sembles pas tellement enthousiasmée.

— As-tu jamais été enthousiasmé par un de mes amis ?

Ralph rit.

— Il n'y a aucune comparaison !

— Quand veux-tu aller chez lui ?

— Après-demain. Sauf si tu veux encore connaître son père, sa mère et la galerie des ancêtres !

— Ne me parle pas comme ça !

— Tu admettras quand même que tu es un peu cinglée ! C'est grotesque de toujours vouloir examiner à la loupe ceux que je fréquente. Pourquoi ne me laisses-tu pas faire mes propres expériences ?

— Tu es encore très jeune, Ralph !

— Ce n'est pas une raison pour me couver !

Julia se creusa la cervelle pour trouver quelque chose à dire contre Markus. Lorsque Ralph quitta la maison aussitôt après le déjeuner, car le bus pour Haidholtzen partait à deux heures, elle aurait aimé prétendre être malade pour le retenir. Mais elle reconnut que cela aurait été déloyal et elle se ressaisit.

La propriété des von Kosel était située au nord de Eysing-les-Bains, où le pays était plat et où on ne pouvait voir les montagnes que lorsque soufflait le föhn. Elle n'était pas aussi grandiose que les domaines connus de Ralph d'après les films, mais quand même encore assez impressionnante. Il ne savait pas jusqu'où elle s'étendait.

— Tout ça en fait partie, dit Markus avec un geste vague de la main au-delà des champs et des prés.

La maison domaniale ne cadrait pas très bien avec le paysage. Elle avait l'air d'une villa du XIXe siècle, étroite et haute, comme s'il n'y avait pas assez de place pour elle. Mais un parc l'entourait, avec des pelouses, des buissons et des arbres. Il y avait une grande serre dans laquelle on pouvait se tenir debout et où régnait le parfum enivrant des plantes exotiques, une piscine couverte chauffée qui, raconta Markus, n'avait été construite qu'après la Seconde Guerre mondiale, et un tennis avec deux courts.

La chambre de Markus était plus grande que celle de Ralph, plus grande et plus claire, mais pas aussi bien installée. Les meubles avaient l'air de provenir d'autres pièces — ce qui était certainement le cas — et étaient entassés au hasard.

Mais il y avait, ce que Ralph n'avait jamais vu, un nombreux personnel, des femmes et des hommes qui servaient la famille, soignaient la maison et le jardin, et travaillaient aux champs lors des moissons et des semailles.

C'était un monde nouveau et Ralph observa tout avec curiosité. Il se sentait étranger ici et il trouva que Markus également semblait étranger dans la propriété paternelle.

Les deux garçons parcoururent la maison, le parc et un petit bois qui faisait partie du domaine, puis traînèrent dans les champs.

— Plus tard, je ferai une école d'agriculture pour ensuite reprendre l'exploitation, expliqua Markus.

— Au moins, tu sais ce que tu veux faire.

— Je ne veux pas du tout, mais j'y serai bien obligé. En tant que fils unique.

— Qu'aimerais-tu faire ?

— Des voyages d'exploration... comme Sven Hedin...

— Oui, ça me plairait aussi.

Ralph avait enfin trouvé l'âme sœur, il avait trouvé avec qui partager ses rêves. Julia écoutait volontiers quand il lui parlait des livres qu'il avait lus, ou des pays qui pour lui étaient encore pleins de mystère, mais avec une complaisance souriante et son intérêt était beaucoup plus grand pour lui-même que pour ce qu'il racontait.

Quand ses études le permettaient, Ralph allait voir Markus à Haidholtzen. Lors des vacances de Pâques et de la Pentecôte, il y alla presque chaque jour.

Julia n'aimait pas cela du tout.

— Je comprends que Markus soit ton ami, dit-elle, mais ce n'est pas une raison pour que vous soyez sans cesse collés ensemble.

Il ne répondit pas.

— Pourquoi ne te défends-tu pas, au moins ? demanda-t-elle, irritée.

— Je ne savais pas que j'étais accusé.

— Tu me comprends parfaitement ! Pourquoi faut-il que tu y ailles tout le temps ? Pourquoi ne l'amènes-tu pas ici ?

De nouveau, Ralph se tut. Il n'aurait pas pu expliquer à Julia pourquoi il préférait être à la campagne avec Markus que chez lui. Le fait était que là-bas personne ne les dérangeait, personne ne s'occupait d'eux.

M. von Kosel était un grand bel homme morose, entièrement absorbé par l'organisation de son exploitation agricole. Markus lui avait présenté Ralph une fois, mais depuis ils préféraient l'éviter. Sa femme, Ina von Kosel, était très jeune, très jolie, très « poupée », les cheveux teints en blond clair, les ongles laqués rouge foncé et toujours maquillée comme si elle était sur le point d'aller à une soirée.

La mère de Markus avait quitté son mari depuis des

années pour reprendre sa carrière de cantatrice, interrompue par son mariage.

Ralph apprit peu à peu l'origine de la grande solitude de Markus. Il devait probablement rappeler sa mère à son père et à sa belle-mère, dont tous deux ne voulaient pas se souvenir.

— Est-ce que tu vois parfois ta mère ? demanda Ralph.

— Presque jamais.

— Pourquoi ?

— Ça ne se fait pas. Elle est la plupart du temps en voyage, et quand elle vient chanter à Munich, je n'y suis pas. Mais elle m'écrit souvent, et à Noël, et parfois au cours de l'année, elle m'envoie des cadeaux.

— Tu dois lui manquer terriblement.

— Pourquoi ?

— Parce qu'une mère ne peut vivre loin de ses enfants.

— Oui, c'est ce qu'elle m'écrit. Mais son art compte pour elle plus que moi. Sinon, elle aurait pu m'emmener.

— Je pense que ton père ne l'aurait pas permis.

— Non, ils ont conclu qu'il était mieux pour moi de grandir ici. Je veux dire : je suis ici au moins pendant les vacances.

Ralph trouva cette décision discutable. Il ne dit rien, car il était persuadé que Markus en souffrait. Il ne voulait pas le blesser.

Mais il comprit que l'amour de Julia, qu'il trouvait tout naturel et les derniers temps plutôt étouffant, était quelque chose de spécial.

Le soir de cette conversation, il lui rapporta une orchidée qu'il avait, avec l'accord de Markus, chipée dans la serre.

Un après-midi, Markus attendait son ami à l'arrêt du bus.

— Ecoute, j'ai trouvé quelque chose, dit-il, tu vas t'étonner !

— Montre !

— Pas ici. Courons !

— Qu'est-ce que c'est ?

— Tu verras bien !

Ils se mirent à courir et arrivèrent, à bout de souffle, à la propriété ; le parc les reçut, vert et ombrageux. Sur les pelouses, l'arrosage automatique fonctionnait.

— Alors ? demanda Ralph.

Markus regarda autour de lui ; il n'y avait personne alentour.

— Trop dangereux, dit-il. Allons dans la serre !

Il y faisait tiède et étouffant.

Markus tira une grande enveloppe, légèrement jaunie, de sa chemise.

— Je l'ai trouvée dans la bibliothèque, dit-il, derrière la deuxième rangée de livres.

Ralph ne put cacher sa déception ; il ne savait pas ce qu'il attendait — peut-être une arme — de toute manière autre chose qu'une vieille enveloppe.

— Que des papiers ? dit-il. Alors pourquoi tout ce mystère ?

— Tu vas voir ! D'un mouvement de la main, Markus balaya la terre et les morceaux de poterie d'une des tables, ouvrit l'enveloppe et en sortit des photographies, qu'il posa l'une après l'autre devant Ralph ; c'étaient des photos de jeunes filles, de très jeunes filles, encore impubères, dans des attitudes osées.

— C'est à ton père ? demanda Ralph à voix basse.

— Ça te surprend, non ?

Markus mit le bras autour des épaules de Ralph.

— Comment peut-on en arriver là ?

— Je ne sais pas !

Soudain, Ralph sentit monter en lui une excitation inhabituelle.

— Tu dois… les remettre… à leur place, dit-il d'une voix dont il n'était plus maître.

— Oui, naturellement ! — Markus leva les yeux des photographies pour regarder son ami en face. — Tu ne l'as encore jamais fait ?

— Que veux-tu dire ?

— Tu sais très bien.

— Non, jamais !

Ralph sentit la sueur lui couler dans le dos.

— Tu veux ?

Ralph acquiesça de la tête ; il savait qu'il n'avait pas

le choix. Markus le prit par la main et l'entraîna tout au fond de la serre ; là, sur une pile de vieux sacs de jute, dans une chaleur subtropicale, le parfum des giroflées et des lauriers-roses, Ralph vécut sa première expérience amoureuse. C'était terrible, et c'était merveilleux.

Plus tard, détendus, ils étaient couchés côte à côte.

— Tu dois retourner à l'internat ? demanda Ralph.

— Je ne peux y échapper.

— Ça va être affreux pour moi.

— Persuade ta mère de t'y envoyer aussi.

— Elle ne se séparerait pas de moi.

— Alors sois désagréable.

— Je ne peux pas !

— A l'internat, il y a aussi des filles.

— Je ne veux pas de fille !

— Bien sûr que non ! — Markus l'embrassa. — J'ai dit ça comme ça.

Dès lors, les deux garçons eurent souvent des rapports érotiques. Ralph n'avait pas mauvaise conscience, car il aimait son ami et se sentait irrésistiblement attiré par lui. Pourtant, il se rendait compte que cet amour offensait un tabou. Il avait le cœur lourd de porter un secret qui, tel un mur infranchissable, le séparait de Julia. Il était déjà habitué à garder pour lui bien des choses, mais il s'agissait de pensées qu'il aurait pu formuler et que Julia, même si elle ne les avait pas comprises, pouvait connaître. Maintenant il avait l'impression d'être devenu pour elle un étranger ; il n'était plus le garçon qu'elle aimait.

Un soir, il fit une tentative pour se confier à elle. Ils regardaient ensemble un film tardif à la télévision — Roberta avait été envoyée au lit. Il faisait sombre dans la pièce, seule une petite lampe était allumée, et le petit écran scintillait.

Lorsque vint un moment ennuyeux — le héros courait dans les rues nocturnes et on pouvait supposer que ses poursuivants n'allaient pas le rattraper et le tuer, car le film devait durer encore quarante minutes — Ralph dit, comme spontanément, en réalité après une longue lutte intérieure :

— Dans notre école il y a des garçons... — Il hésita. — ... qui s'aiment ! finit-il par sortir.

Julia réfléchit.

— Tu veux dire qu'ils se livrent à des jeux sexuels ? demanda-t-elle, contente que l'obscurité cache sa rougeur.

— Ils disent qu'ils s'aiment, insista Ralph.

Julia était choquée. Elle dit, néanmoins, parce qu'elle se voulait raisonnable :

— Tu ne devrais pas, il me semble, mal les juger, Ralph... A un certain âge... quand les garçons n'ont pas encore eu de contact réel avec les filles, cela peut arriver. Ce n'est qu'une phase de leur développement, ça leur passera.

— Et sinon ?

— Pourquoi cela te préoccupe-t-il ?

— Je veux seulement savoir ce que tu en penses.

— Je viens de te le dire... Je ne le prends pas au sérieux.

— Et si moi j'en faisais autant ?

Julia rit.

— Pas toi, voyons, Ralph ! Je te connais, tu es un garçon comme il faut...

— Qu'est-ce que ça a à voir ?

— Eh bien, on peut quand même dire que ce n'est pas tellement comme il faut, quand deux garçons se cachent derrière un buisson. Tu ne trouves pas ?

Ralph se taisait.

Elle lui prit la main.

— N'y pense plus, Ralph. Je comprends que cette découverte ait pu te bouleverser. Mais il se passe des choses dans la vie... tu lis quelquefois le journal... à côté desquelles ces gamineries ne signifient rien du tout.

Ralph aurait voulu crier qu'il n'avait pas parlé d'autres garçons, mais de Markus et de lui-même. Il aurait osé, car il n'était pas un lâche, si sa raison et son amour pour Markus ne l'avaient retenu. Son aveu risquait de provoquer une rupture de sa liaison. Julia possédait ce pouvoir, et il la savait capable d'employer des mesures extrêmes pour le protéger.

Elle alluma une cigarette et la flamme de son briquet

éclaira son profil. Elle était si jolie, si bonne et si innocente ! Ralph se sentait plus âgé et beaucoup plus expérimenté qu'elle.

— Comme je t'aime, Julia ! dit-il en serrant la main de sa mère.

— Et moi donc !

Mais il savait qu'il ne pourrait jamais se confier à elle.

Les relations entre Julia et Ralph s'étaient déjà beaucoup modifiées bien avant cette conversation. Ralph ne jouait presque plus au tennis avec elle : il jouait avec Markus à Haidholtzen. Elle passait maintenant la plupart de ses après-midi seule avec Roberta.

La petite fille avait entre-temps changé son opinion au sujet de Markus.

— Ce crétin ! disait-elle. Pourquoi ne vient-il pas voir Ralph ici ? Pourquoi le fait-il tout le temps venir à Haidholtzen ?

— Ça doit être plus beau que la ville, disait Julia, même si elle pensait comme Roberta.

— J'ai parfois l'impression que Ralph ne nous aime plus.

— Penses-tu ! Il est toujours charmant avec nous.

En réalité, Roberta était ravie d'être seule avec sa mère, dont l'attention, malgré tout son amour, allait toujours en premier lieu à Ralph — ce que la petite sentait. Et c'était pour cela qu'elle ramenait sans cesse la conversation à Ralph, dès que les pensées de Julia divaguaient ou que son intérêt faiblissait, et cela la réveillait immanquablement.

C'était d'ailleurs vrai qu'il était « charmant » comme Julia l'avait dit. Il était poli, aimable, restait calme quand il arrivait à Julia de s'énerver, lui apportait des fleurs et trouvait des mots flatteurs pour sa petite sœur.

Julia était fière de son fils et fut donc profondément ulcérée lorsque Agnes lui dit un jour :

— Ralph... je me demande... Hans et Georg étaient si différents à son âge !

— Tu ne peux pas comparer Ralph avec eux !

— Pourquoi pas ? Des garçons sont des garçons.

— « Sunt pueri pueri puerlia tractant ! »

287

— Qu'est-ce que ça veut dire ? demanda Agnes, perplexe.

— Exactement ce que tu viens de dire : des garçons sont des garçons et ils mènent des jeux de garçons. C'est un proverbe latin. Je l'ai appris à l'école.

— C'est donc que les Romains le savaient déjà ! Je trouve seulement qu'à un certain âge... entre treize et quinze ans... un garçon doit être un peu rude. C'est un stade du développement. Ralph me fait peur.

— Je suis très contente de lui, seulement...

Julia hésitait. Elle pensa subitement qu'il n'était peut-être pas très adroit de confier ses inquiétudes à son amie.

— Quoi ? insista Agnes. A moi, tu peux tout raconter.

— Je n'aime pas qu'il aille tout le temps dans cette propriété.

— Pourquoi ? Je le comprends très bien. Un domaine à la campagne exerce toujours un immense attrait sur tout garçon normal... Les étables, les chevaux... et il était grand temps qu'il ait enfin un ami véritable.

— Je n'ai rien à reprocher à Markus, mais je trouve qu'il pourrait aussi venir chez nous.

— Voyons, Julia ! Que peux-tu leur offrir comme aventure ?

— Comme aventure ? rien, évidemment, admit Julia.

— Tu vois bien !

Julia prit la résolution de conserver cette attitude à laquelle elle s'était contrainte. Elle laissa Ralph aller à Haidholtzen autant qu'il le voulait, parce que tel était son désir. Elle accepta qu'il ne passe pas la soirée avec elle et Roberta parce qu'il devait rattraper son travail scolaire. Lorsqu'il avait du temps pour elle, elle ne laissait pas transparaître qu'elle se sentait négligée — ou plutôt elle le croyait.

Les vacances étaient proches, et elle rapporta une pile de prospectus de l'agence de voyages.

Un dimanche après-midi pluvieux (ils avaient, tout comme autrefois, mangé ensemble un gâteau fait par

288

Julia et bu du café — seule Roberta buvait encore du cacao —), elle leur montra les prospectus.

— J'ai une bonne nouvelle ! annonça-t-elle. Nous pouvons enfin nous permettre de partir en voyage !

— Au Lido ? demanda immédiatement Roberta.

— Non, j'aime mieux pas.

Les souvenirs du Lido di Venezia étaient encore trop douloureux pour Julia.

— Alors où ?

— C'est justement à quoi nous devons réfléchir ensemble. Comme d'habitude, je ferai ce que vous proposerez... si cela peut se réaliser !

Elle se leva, alla se verser un verre de sherry et revint à la table.

— Je n'ai pas envie de partir, dit Ralph.

— Non ? demanda Julia.

Elle chercha à paraître impassible, mais ne put empêcher ses doigts de trembler lorsqu'elle alluma sa cigarette.

— Qu'est-ce qui te prend, Ralph ? s'écria Roberta. Pas partir ? Pense à la mer...

— Je n'ai pas la moindre envie de traîner dans le sable.

— Ce n'est pas obligatoire, dit Julia, il y a d'autres buts de voyage. Traverser l'Ecosse par exemple... avec une calèche ou une péniche...

— C'est fantastique ! s'exclama Roberta.

— Je préfère ne pas vous accompagner, répéta Ralph ; il savait qu'il faisait mal à Julia, et c'était aussi douloureux pour lui que pour elle.

— Mais pourquoi pas ? demandèrent Julia et Roberta presque simultanément.

— Les Kosel m'ont invité. Je me reposerai mieux à la campagne.

— Toutes les vacances ? demanda Julia, consternée.

Elle avait tant espéré avoir Ralph pour elle seule, même seulement quinze jours.

Ralph comprit qu'il devait être prudent.

— Juste le temps que vous serez parties, expliqua-t-il.

— Je ne te comprends vraiment plus, dit Julia, tu es tout le temps là-bas de toute manière.

— Mais ce serait tout autre chose d'y habiter... je pourrais être dans les champs dès le matin.

— Je ne sais pas, Ralph, dit Julia, c'est tellement inattendu. Il faut que j'y réfléchisse.

— En tout cas, tu sais maintenant que je n'ai pas envie de partir.

— Tu me l'as dit assez clairement. — Julia secoua la cendre de sa cigarette. — Il semble que tu ne te plaises plus chez nous.

— Comment peux-tu dire ça !

— Je n'invente rien ! Tu es toujours ailleurs et tu ne veux pas venir avec nous en vacances.

Ralph prit son courage à deux mains, car il savait qu'une occasion plus favorable pour une explication ne se présenterait pas de sitôt.

— Naturellement, je me plais ici, et je vous aime, la question ne se pose pas. Mais ici, c'est le règne des femmes.

Julia ne rougit pas, au contraire, elle sentit le sang quitter son visage. Roberta regardait son frère la bouche ouverte.

— Tu fais ton possible, Julia, dit Ralph, je sais. Mais je ne suis plus un enfant, et ça finit par me paraître contre nature d'être tellement gâté.

Julia chercha à se dominer.

— Bon, je te promets de ne plus te gâter à l'avenir. Je ne cuisinerai que des plats que tu n'aimes pas, plus de gourmandises, tu fais ton lit tout seul, et, qu'à cela ne tienne, tu laveras toi-même tes chaussettes.

— Il ne s'agit pas de cela, et tu ne tiendrais pas le coup de toute façon.

— Alors de quoi s'agit-il ?

— Je voudrais aller dans un internat.

Julia n'en crut pas ses oreilles.

— Tu veux nous quitter... complètement ?

— Il y a tant de vacances dans l'année !

— Tu es dingue ! s'écria Roberta.

— Tu veux probablement aller dans l'internat que fréquente Markus ? Lequel est-ce ?

— Rabenstein. Ce n'est pas tellement loin d'ici. C'est du côté du lac Chiem.

— J'ai entendu parler de Rabenstein, dit Julia. C'est

une institution d'enseignement privée, à la campagne, n'est-ce pas ? Tout doit être payé par les parents, le logement, la nourriture et même les professeurs et les éducateurs. Non, Ralph, ce serait mentir de dire que je le regrette, mais nous ne pouvons pas nous le permettre.

— Tu as bien l'argent pour un voyage.

— C'est une dépense unique. — Julia écrasa sa cigarette et finit son verre. — Ne m'en veuillez pas si je me retire à présent.

Elle se leva, le visage de pierre, alla dans sa chambre et ferma la porte à clé pour la première fois : elle voulait être seule et sûre de ne pas être dérangée.

Naturellement, elle ne réfléchit pas, mais éclata en sanglots amers.

Lorsque Julia eut épuisé ses larmes, le crépuscule était déjà descendu ; une pâle lumière grise estompait le contour des objets.

Elle alluma la lampe et la pièce, qui avait autrefois servi de chambre à coucher pour elle et les enfants, fut aussitôt complètement changée. Avec les rayonnages de livres, le divan avec des coussins multicolores, la petite table ronde et les fauteuils gracieux, les meubles clairs et la petite table à ouvrage en bois de rose qui formait un contraste charmant, la pièce prit un aspect accueillant et confortable.

Julia se leva et alla regarder par la fenêtre dans le jardin, où les buissons et les arbres bougeaient, tels des fantômes, dans la lumière du soir ; puis elle tira les rideaux.

Jamais encore, même après la mort de son mari, Julia ne s'était sentie aussi seule. Elle éprouva le besoin de parler avec quelqu'un — ni avec Agnes ni avec Lizi, car elles ne comprendraient pas son chagrin et trouveraient le désir de Ralph parfaitement naturel. Parmi tous ses amis et connaissances il ne restait que Dieter Sommer à qui elle puisse se confier.

Lors de la transformation de l'appartement, Julia avait fait mettre le téléphone dans sa chambre. Elle n'eut donc qu'à composer le numéro de Dieter Sommer.

Il fut surpris de l'entendre, car jusque-là les week-ends étaient strictement réservés à ses enfants. Mais il fut heureux, comme toujours quand elle se manifestait.

— Pourrais-je te voir ? demanda-t-elle.

— Quand ?

— Je pensais... après le dîner. Vers huit heures.

Il avait rendez-vous à cette heure avec un collègue pour jouer aux échecs, mais il n'hésita pas une seconde : il décommanderait son rendez-vous.

— Chez Hurler ! dit-elle encore avant de raccrocher.

« Chez Hurler » était une petite auberge non loin de la gare, où Julia et Dieter se rencontraient parfois, quand ils voulaient parler tranquillement. Le café n'était fréquenté par aucun des notables d'Eysing, seulement par des gens simples, ouvriers, camionneurs, transporteurs. On y trouvait de la très bonne bière, et on était assis dans des sortes de niches.

Dieter devait être là depuis un bon moment, car il avait presque vidé son pot de bière.

— Suis-je en retard ? demanda-t-elle en arrivant.

— Non, non, la rassura-t-il, l'aidant à enlever son manteau, c'est moi qui suis arrivé en avance. Tu me connais. Je suis toujours impatient de te voir.

Elle avait préparé le souper des enfants, mais n'avait rien mangé elle-même ; elle avait employé le temps à se rafraîchir les yeux avec de la glace. Néanmoins, elle ne pouvait dissimuler qu'elle avait du chagrin. Ses yeux étaient légèrement rougis, ses paupières un peu enflées, et les coins de ses lèvres tremblaient.

Mais il n'en dit mot.

— De la bière ? demanda-t-il.

Elle inclina la tête affirmativement.

Il fit signe à la serveuse, une grosse personne avenante avec les cheveux noués en chignon, et commanda.

— Tu veux manger quelque chose ?

— Non, merci.

Il prit ses deux mains dans les siennes, dans un geste rassurant.

— Merveilleux, de te voir ! Et un dimanche soir en plus ! Ce n'est encore jamais arrivé, n'est-ce pas ?

— Je ne crois pas. — Elle détourna la tête. — Ne me regarde pas.

— N'ai-je pas le droit de me réjouir à ta vue ?

— Je dois avoir l'air plutôt... minable.

— Blessée peut-être. Mais ça te rend encore plus belle.

La serveuse posa un bock de Pilsener devant Julia. Il aurait bien voulu se commander un Pils frais, mais il y renonça car il avait remarqué combien il était difficile à Julia de parler et il voulait éviter toute interruption. Elle but une gorgée, chercha les cigarettes dans son sac. Il lui donna du feu et alluma également une cigarette.

— Les enfants sont sûrement devant la télévision, dit-il avec précaution.

— Oui.

— Autant que je sache, ce soir on donne un vieux film avec Humphrey Bogart.

— « Sabrina », oui.

Il avait le sentiment qu'il valait mieux se taire et attendre : il ne dit donc rien.

— C'est... au sujet de Ralph, finit-elle par dire.

— C'est ce que j'avais pensé. Il n'est plus aussi bon à l'école... mais il n'y a aucune raison de t'inquiéter : il est encore parmi les meilleurs. Il lui manque l'ardeur. C'est normal à son âge.

— Il a à peine le temps de faire ses devoirs, dit-elle amèrement et elle parla de l'amitié entre Ralph et Markus.

— Et c'est cela qui te tourmente tellement ? demanda-t-il. Crois-tu que ça cache quelque chose d'autre ?

— Mais non ! Comment peux-tu dire ça ! Pas Ralph... c'est un garçon tellement pur.

— Mais alors ?

— Il refuse de partir en vacances avec nous !

Compatissant, il écouta toute l'histoire.

— Je comprends que ce soit un coup dur pour toi, dit-il, mais c'était à prévoir. Je t'en prie, ne te mets pas dans tous tes états et écoute-moi ! Ralph n'est pas une exception. Chez tous les enfants vient un moment où ils ne veulent plus accompagner leurs parents, mais entreprendre des randonnées avec des camarades, camper, dormir sous la tente... rester entre jeunes. Les intérêts des jeunes et des adultes divergent à un certain moment. Tu aurais davantage lieu de t'inquiéter s'il restait accroché à tes jupes.

— Mais je ne le vois déjà presque pas durant l'année, se plaignit-elle, il pourrait au moins passer avec moi quinze jours de vacances.

— Je te comprends très bien, Julia. Tu l'aimes. Mais pour lui le temps est venu de se détacher de toi.

— Tu es un homme, dit-elle, tu ne peux pas comprendre.

Le sourire de Dieter Sommer était triste et un peu moqueur.

— Tu crois qu'étant un homme je ne peux pas aimer ?

Elle comprit qu'elle l'avait blessé, lui qui, depuis des années, l'aimait inconditionnellement.

— Ce n'est pas ce que j'ai voulu dire ! Je voulais seulement dire que les relations entre une mère et son fils...

— ... sont des relations comme toutes les autres ! interrompit-il. Tu es attachée à tes enfants d'une façon particulièrement forte, je n'en doute pas. Mais même un père, qui est étroitement lié à son fils, souffrirait si son garçon avait brusquement plus d'intérêt pour ceux de son âge, s'il cherchait un autre mentor ou s'attachait à une fille... sans parler des relations personnelles et difficiles entre un père et sa fille, où chaque prétendant est d'abord délibérément évincé.

Elle écrasa sa cigarette.

— Que faut-il que je fasse, alors ?

— Laisse-le aller chez les Kosel.

— Il n'y a pas d'autre solution ?

— Tu n'as pas le choix. Quelle satisfaction aurais-tu s'il t'accompagnait contre son gré, de mauvaise humeur et grognon ?

Elle voyait bien qu'il avait raison, mais elle était déçue, car elle avait espéré de sa part un conseil différent.

— Il y a longtemps que je voulais te parler de Ralph, dit-il.

— A propos de ses études ?

294

Elle leva les yeux vers lui.

— Non, en général. — Il hésitait, sachant qu'elle n'aimerait pas entendre ce qu'il avait à lui dire. — Je crois que le mieux pour lui serait que tu le mettes dans un internat.

— Toi aussi ?

Elle le dit si fort que la serveuse, qui passait devant la niche avec un plateau, la regarda avec surprise.

Il saisit l'occasion pour commander deux bocks de bière.

— Comment « moi aussi » ? Qui d'autre ? demanda-t-il.

— Le docteur Opitz. Quand Ralph venait juste d'entrer au lycée.

Elle n'eut pas le courage de lui avouer que Ralph voulait lui-même quitter la maison.

— A cette époque il était trop jeune. Mais à présent il a juste l'âge requis.

— A quoi penses-tu ? Je ne pourrais jamais payer un internat.

— J'avais pensé à un internat de l'Etat, à Marquartstein. Non seulement le personnel enseignant est rétribué par l'Etat, mais il y a encore d'autres aides de l'Etat. Naturellement, les élèves sont triés sur le volet. Mais les capacités de Ralph correspondent parfaitement au niveau.

— Combien cela coûterait-il ?

— Je ne sais pas exactement. Sûrement pas plus que six cents marks par mois.

— C'est trop. Il faut aussi compter ses vêtements, tous les petits extras, les retours à la maison...

— Tu devrais calculer ce que le gamin te coûte ici.

— Certainement moitié moins.

La serveuse apporta la bière.

— S'il était ailleurs, tu pourrais peut-être travailler à mi-temps, dit Dieter Sommer avec précaution.

— Tu parles sérieusement ?

— Oui, pourquoi pas ? Ton aide à la boutique de Lizi n'est qu'un jeu, Tu es jeune, adroite, tu es belle... si tu cherches un peu, tu trouveras sûrement un emploi où tu gagneras vraiment quelque chose.

— Et il faut que je dépense cet argent pour l'internat de Ralph ?

— Oui, dit-il, bien qu'il vît le baromètre tourner à la tempête.

Elle se leva d'un bond.

— Tu dois être fou pour me proposer une chose pareille !

— Ce serait le mieux pour Ralph, crois-moi. Ta maison est trop... trop féminine pour un garçon.

Qu'il répète exactement les paroles de Ralph la rendit encore plus furieuse.

— Tu ne penses pas un instant à ce qui serait le mieux pour moi ! protesta-t-elle. Je dois me séparer de mon fils unique... le livrer maintenant qu'il n'est encore qu'un enfant ! Je dois volontairement détruire mon foyer, soumettre Ralph à des influences étrangères, séparer le frère et la sœur et de surcroît me placer derrière un comptoir !

— Pas obligatoirement un comptoir ! Tu pourrais...

— Ah, tu ne me comprends pas du tout ! — Elle arracha son manteau de la patère et saisit son sac à main. — Tu veux simplement te débarrasser de lui !

Elle se précipita dehors.

Comme il avait à payer les consommations, il dut courir pour la rattraper. Et comme il l'aimait et ne voulait pas la dresser contre lui, il reprit tout ce qu'il avait dit.

— Tu m'as mal compris, Julia ! assura-t-il. Ce n'était qu'une suggestion ! Comment puis-je savoir ce qui est bon pour Ralph ?

— Non, tu ne le sais vraiment pas !

Il était déjà content qu'elle lui ait parlé.

Après les vacances d'été, Markus retourna à Rabenstein.

Ralph savait que ce serait pénible pour lui, mais à quel point ce serait pénible, ça il ne pouvait l'imaginer. Ils s'écrivirent mais les lettres ne remplacent pas l'amour. Ils ne pouvaient pas, non plus, écrire ce qu'ils ressentaient réellement, car ils craignaient toujours qu'une lettre ne tombe dans des mains étrangères. Ralph souffrait, et il ne pouvait le montrer à personne.

Julia ne l'aurait peut-être pas compris s'il lui avait dit la vérité, mais elle ne l'en aurait certainement pas aimé moins. Mais il y avait une barrière qu'il ne pouvait franchir. L'idée de mêler sa mère à des histoires de sexe lui était odieuse. Elle était pour lui le symbole de la pureté, ce qui lui rendait impossible l'aveu de sa passion. Ç'aurait d'ailleurs été pareil s'il s'était agi d'une fille.

Elle ne se doutait pas de ce qui le tourmentait, elle était contente que la séparation ait pris fin — elle n'avait pu apprécier pleinement la croisière dans les Fjords scandinaves entreprise avec Roberta, car elle pensait tout le temps à lui —, contente aussi que Markus soit parti et que Ralph soit de nouveau presque tout le temps à la maison. Pourtant, il se retirait la plupart du temps dans sa chambre, soi-disant pour travailler. Il écoutait de la musique « Pop » avec des écouteurs, ce qui l'isolait de son environnement, mais au moins il était là.

Lorsqu'il émergeait de sa tanière, comme elle appelait sa chambre en plaisantant, il était poli, aimable et maître de lui. Il admirait la beauté de Julia, louait sa cuisine et était patient avec sa petite sœur. On ne pouvait rien lui reprocher. Le fait qu'il ne soit pas gai, elle l'attribuait au stress de l'école, qu'il invoquait volontiers lui-même. En réalité, toutes ses pensées, toute sa nostalgie, allaient à Markus.

Les vacances de Noël vinrent, et elles furent une déception. Ralph aurait aimé passer tout ce temps avec Markus, mais ce n'était pas possible ; il y avait des réceptions au domaine, auxquelles Ralph n'était pas convié, les Kosel allèrent à Munich avec leur fils, se rendirent au théâtre et à l'opéra, et Ralph resta seul chez lui.

Il aurait souhaité que Markus intercède en sa faveur, mais il n'en fit rien. Il avait changé — exagérément, selon Ralph —, était soucieux de ne pas se compromettre avec lui. En outre, lorsqu'ils étaient ensemble dans la propriété, ils n'étaient plus aussi libres que pendant l'été. Tout le personnel, tellement occupé en été, avait maintenant beaucoup de loisirs : les garçons se sentaient observés.

Un samedi soir, alors que Julia était chez Lizi Silbermann à jouer au Skat, Ralph invita Markus à passer la nuit chez lui.

— Comment veux-tu que j'explique ça à mes parents ? demanda Markus.

— Invente quelque chose ! J'ai passé deux semaines chez toi cet été !

— Oui, mais il y avait des raisons... les vacances à la campagne, etc. Je ne trouve aucun argument assez convaincant.

— C'est parce que tu ne veux pas !

Markus le regarda froidement :

— Tu sais, Ralph, tu me sembles parfois drôlement gosse !

Ce ne fut pas la fin de leur amitié, ils se réconcilièrent. Mais Ralph dut admettre douloureusement que l'été de leur amour avait vécu.

Tout comme les autres garçons, Ralph aimait traîner au marché en revenant de l'école. En hiver, il ne s'y passait pas grand-chose. Il n'y avait que des éventaires devant lesquels des hommes transis, avec des bonnets de laine et des écharpes, des tabliers blancs douteux attachés autour du ventre, des gants sans doigts, vendaient des saucisses chaudes et des hamburgers. Mais l'odeur était attrayante et de temps à autre on ne pouvait résister à la tentation de dépenser son argent de poche, tout en sachant qu'un déjeuner attendait à la maison.

Au printemps, le marché s'animait. Des paysans et des paysannes des alentours vendaient de la volaille, des œufs, des légumes et des fruits. Cette année, un nouveau stand y apparut. Sous un grand parasol rouge, un jeune homme mince proposait des fleurs. Sa marchandise était fraîche tous les jours, et les ménagères se pressaient autour de lui et lui achetaient volontiers un bouquet.

Aucun garçon, à part Ralph, ne s'intéressait à ce fleuriste. Lui, il pouvait l'observer pendant des heures. Les mains fines du fleuriste faisaient des bouquets si habilement, avec tant de grâce, pourrait-on dire, et, bien que ses yeux profondément enfoncés aient un regard plutôt triste, il avait pour chaque femme un mot gentil et un sourire aimable.

Quelque chose dans cet homme fascinait Ralph. Il ne savait pas lui-même ce que c'était, mais il lui semblait auréolé de mystère. Avec son grand tablier vert, sa chemise ouverte et son mouchoir rouge autour du cou, il paraissait véritablement être un jardinier, mais en même temps quelque chose d'autre.

Peu à peu, Ralph apprit par d'autres, car il n'osait pas montrer clairement son intérêt, que cet homme avait loué un terrain en dehors d'Eysing, où il cultivait lui-même ses fleurs.

Comme il disposait de peu de temps pour flâner sur le chemin de retour, Ralph prit l'habitude d'aller au marché le samedi matin, car il n'avait pas d'école, pour acheter quelques fleurs. Cela lui donnait l'occasion de rester longtemps à observer M. Bernauer.

Naturellement, M. Bernauer s'en aperçut.

— Pourquoi me regardes-tu ainsi ? demanda-t-il un jour, comme Ralph était par hasard son seul client.

— Vous faites ça si adroitement, répondit Ralph.

M. Bernauer lui adressa son sourire mélancolique.

— C'est mon métier, dit-il.

— Vous avez toujours été horticulteur ?

Au lieu de répondre, M. Bernauer demanda à son tour :

— Es-tu toujours aussi curieux ?

Ce fut le premier contact qui fut suivi de nombreux et brefs entretiens.

Une fois, M. Bernauer demanda :

— Tu achètes des fleurs pour ta petite amie ?

— Pour ma mère.

— Ce doit être une femme fascinante.

— Pourquoi ?

— Parce que tu lui offres des fleurs.

— Elle l'est. Vous aimeriez la connaître ?

Le fleuriste secoua la tête en silence.

Une autre fois, il dit :

— Tu sembles disposer de beaucoup d'argent de poche.

— Normalement.

— Tu dépenses beaucoup pour les fleurs.

— Ça fait toujours tant plaisir à Julia.

M. Bernauer leva les sourcils :

— Julia ?

— Ma mère.

— Ah bon. Tu pourrais les avoir meilleur marché.

— Comment ?

— Viens à deux heures, quand je pars. Il reste souvent de jolies fleurs, tu pourrais les avoir pour rien. Je ne peux plus les vendre le lundi.

Cette idée ravit Ralph. Il allait maintenant toujours au marché à deux heures, le samedi. A Julia, qui s'étonna de ce changement dans ses habitudes, il expliqua franchement : « Avant la fermeture je peux avoir des fleurs meilleur marché. »

Elle fut fière de son esprit pratique. Les fleurs qu'il lui offrait étaient pour elle une consolation et un signe qu'il l'aimait et qu'il n'y avait pas de malentendu entre eux.

Ralph ne l'accompagnait que très rarement au tennis ; il prétendait avoir beaucoup de travail à faire à la maison.

Markus n'était pas revenu pour les vacances de Pâques ; ses parents étaient allés le chercher et l'avaient emmené à Munich, d'où ils partirent en avion pour Nassau, faire une croisière dans les Caraïbes.

Ralph ne sembla pas en souffrir, et Julia fut heureuse de voir que cette amitié avait perdu pour lui son importance.

Depuis que Ralph venait au marché quand les stands et les boutiques se fermaient, ses relations avec M. Bernauer s'étaient modifiées. A présent, ils n'étaient plus obligés d'attendre qu'il n'y ait plus de clients pour échanger des paroles hâtives : ils pouvaient maintenant converser.

Pour Ralph, M. Bernauer choisissait en toute tranquillité les plus belles fleurs — toujours celles qui ne poussaient pas dans le jardin derrière la maison, mais qui étaient plus rares — et Ralph l'aidait à trier celles qui pouvaient aller pour le cimetière, à défaire son stand, à installer les planches, le parasol et les seaux dans une petite camionnette.

Il aimait être avec M. Bernauer. Cette heure brève du samedi après-midi était devenue pour lui le point culminant d'une semaine sans charme. Le fleuriste ne se livrait pas, mais il incita Ralph à se confier. Ralph lui parla de Julia et de Roberta, de son père mort si tôt et même de Markus.

Lorsque M. Bernauer apprit sa préférence pour les récits de voyage, il dit :

— Tu devrais essayer la littérature.

— Que voulez-vous dire ?

M. Bernauer sourit.

— Les mots ne sont pas seulement faits pour décrire les réalités, mais aussi pour rendre les rêves vivants.

Ralph dut réfléchir à ces paroles.

— Nous avons tous des rêves, n'est-ce pas ? continua M. Bernauer. Mais seuls les poètes et les écrivains savent les réaliser.

— Je n'y ai jamais pensé.

— Alors commence.

— Avec quoi ?

— Si tu commençais par « Sous la Roue » de Hermann Hesse ? Tu peux le trouver à la bibliothèque.

— Je crois que nous l'avons à la maison.

— T'en as de la chance ! — M. Bernauer lui donna une tape dans le dos et grimpa sur le siège de la camionnette. — Salut !

Cet après-midi-là, Ralph fouilla dans la bibliothèque de sa mère et trouva le livre recommandé par M. Bernauer. Il se retira dans sa chambre et lut jusqu'à en avoir mal aux yeux. Il n'avait pas de difficultés à l'école comme le héros du livre, mais il était assez sensible pour se mettre à sa place. Un monde nouveau s'ouvrait devant lui.

Il lut ensuite « Les Buddenbrooks », puis « Narcisse et Bouche d'Or », « Le Loup des Steppes » et « La Mort à Venise ». Peu à peu, il lut tous les livres de la bibliothèque.

Julia se réjouit de ce nouvel intérêt. Comme elle avait lu trois fois ou davantage les livres qu'elle aimait, elle pouvait lui en parler. Elle attirait son attention sur des détails qu'il avait négligés. Il faisait part de ses commentaires au fleuriste — les faisant parfois passer pour siens — de sorte qu'il s'établit entre eux un échange de pensées, que Julia ignorait, comme elle ignorait qu'il y avait un tiers entre eux.

Bientôt, les rencontres avec M. Bernauer au marché ne suffirent plus à Ralph.

Il commença par poser des questions :

— Où habitez-vous ?

— A Höhenmoos. Tu connais ?

Ralph dit que non ; ce jour-là, il n'osa pas en demander davantage. Une autre fois, il demanda :

— Que faites-vous le dimanche ?

— Je m'occupe de mes fleurs.

— Uniquement ?

— Je lis aussi et j'écoute la radio.

— Vous n'êtes pas marié ?

— Pourquoi veux-tu le savoir ?

— Comme ça.

— Tu es drôlement curieux.

Ralph sourit.

— Vous l'avez déjà dit.

— Vraiment ?

— Ce n'est d'ailleurs pas du tout vrai. Dans l'ensemble... — Ralph fit un effort pour dire : — Je ne m'intéresse qu'à vous !

— Sérieusement ?

Ils se regardèrent dans les yeux, et Ralph éprouva la certitude enivrante, qui parcourut tous ses membres et qui l'électrisa, que l'autre le comprenait.

— Alors viens donc me voir.

— Quand ?

— Dimanche après-midi ?

Ralph ne voulut pas avouer qu'il aurait des difficultés à se libérer le dimanche.

Mais M. Bernauer s'en aperçut. — Si tu ne peux pas...

— Si. Je viendrai.

Julia s'étonna que Ralph soit brusquement devenu si gai, comme transfiguré. Elle s'interdit donc toute objection lorsqu'il déclara qu'il allait en excursion avec des amis. Elle lui demanda seulement si elle devait lui préparer un panier de pique-nique. Il refusa d'abord, puis réfléchit et accepta. Comme Bernauer était célibataire, les boulettes de viande, la salade de pommes de terre, la tarte aux cerises et la limonade de Julia lui feraient sûrement plaisir.

Comme compensation pour le voyage de l'année précédente auquel il n'avait pas pris part, Ralph avait reçu une bicyclette de course avec huit changements de vitesse. Le dimanche, il fixa le panier pique-nique sur son porte-bagages et se mit en route. En partant, il avait embrassé Julia et lui avait dit qu'il ne savait pas à quelle heure il serait de retour.

— Avant la·tombée de la nuit, lui avait-elle dit.

Pendant tout le trajet, il siffla gaiement.

Höhenmoos était un petit village dans la région des préalpes, une trentaine de maisons autour d'une petite église baroque avec un clocher peint en rouge.

Ralph roulait maintenant doucement en regardant autour de lui. Il traversa le village sans découvrir le jardin de l'horticulteur. M. Bernauer ne lui avait pas précisé où il se trouvait et Ralph ne voulait pas se renseigner. Il se laissa guider par son instinct.

Puis il le vit : une petite plantation avec des parterres tirés au cordeau, une longue serre, dont les parois vitrées brillaient au soleil ; le toit était ouvert. Dans le coin le plus éloigné du jardin se dressait la maison, une petite maison en bois, plutôt une cabane, mais très soignée, avec des géraniums aux fenêtres. Il n'y avait pas de garage pour la camionnette que Ralph connaissait si bien, seulement un abri.

Non loin de la porte était garée une VW. M. Bernauer aurait-il une visite ? Ralph se demanda s'il allait faire demi-tour. Puis il se dit que ce serait idiot. M. Bernauer l'attendait, il l'avait invité. D'ailleurs, il était fort possible que la VW soit à lui. Pourquoi posséderait-il seulement une camionnette ?

Il y avait beaucoup de traces de pneus dans la terre molle devant la cabane. Ralph en fut déconcerté. Mais il ne sut pas ce qu'il devait en penser. Il posa sa bicyclette, prit le panier pique-nique et frappa à la porte.

— Entrez !

Il entra et resta un moment sur le seuil, clignant des yeux : les fenêtres étaient petites et, par contraste avec le soleil éblouissant de l'extérieur, il faisait plutôt sombre à l'intérieur.

Puis il découvrit deux hommes — dont aucun n'était M. Bernauer — en train de fouiller la cabane.

— Que faites-vous ? demanda-t-il, étonné, puis, avec indignation : Qu'est-ce qui vous prend ?

L'un des hommes, celui qui était en train de retourner le contenu des tiroirs de la commode sur la table de bois, se redressa et le regarda :

— T'énerve pas, petit. Nous avons un ordre de perquisition.

— Alors vous êtes... de la police !

— T'as vu juste. Je suis l'inspecteur Ellwanger.

L'homme était grand, blond, environ trente-cinq ans et très sympathique.

— Et toi, qui es-tu ?

— Ralph Severin. J'ai mes papiers. — Ralph tira sa carte d'identité de la poche de son pantalon. — Je les ai toujours sur moi. Pour le cas où il m'arriverait quelque chose.

— Très raisonnable. — Ellwanger prit la carte d'identité. — Tu as beaucoup changé, constata-t-il.

— Ben oui, on vieillit. — Ralph essaya de sourire. — Dites, où est M. Bernauer ? Il ne lui est rien arrivé, j'espère ?

— Ça te ferait de la peine, non ?

— Naturellement.

— C'est ton ami ?

— On ne peut pas dire ça.

— Mais tu viens chez lui.

— Aujourd'hui pour la première fois.

— Qu'as-tu dans ton panier ?

— Un pique-nique.

Ellwanger souleva le couvercle et regarda à l'intérieur du panier.

— Tu joues au Chaperon Rouge, à ce que je vois.

— C'est ma mère qui me l'a donné.

— Pour M. Bernauer ?

— Non. Elle ne sait pas que je suis ici.

— Elle croit que tu es où ?

— Avec des copains. A faire une randonnée en bicyclette.

— Tu lui as donc menti.

— Où est M. Bernauer ? Que lui est-il arrivé ?

Il ne reçut pas de réponse à sa question.

— Pourquoi as-tu menti ?

— Je ne sais pas.

— Réfléchis.

— Parce que je suis allé chez le fleuriste.

— Ça ne lui aurait pas plu ?

— Je ne sais pas.

— Si, tu le sais très bien. Sinon tu ne lui aurais pas menti. Et pourquoi le fais-tu ?

— Quoi ?

— Venir le voir.

— Il m'a invité.

L'autre policier qui était en train de fouiller le lit, regarda par-dessus son épaule et dit :

— Ça ne sert à rien. Emmène-le au commissariat.

— Tu as raison, dit Ellwanger. Alors viens !

Il posa la main sur la nuque de Ralph et le poussa doucement hors de la pièce.

— Et mon panier ?

— Tu l'emportes. Tu auras peut-être faim, plus tard.

Il ouvrit la portière de la VW.

— Et ma bicyclette ?

— Mon collègue la ramènera.

Ralph essaya d'être courageux, mais il fut pris de panique ; il serra les dents pour les empêcher de claquer.

— T'en fais pas, petit, dit Ellwanger. Tu es mineur, alors tu ne risques rien.

— Mais j'ai rien fait !

— C'est ce qu'on va voir.

Ce fut pour Ralph un cauchemar de refaire dans une voiture de police le trajet qu'il avait fait précédemment si joyeusement.

Au commissariat, on le fit d'abord attendre devant une barrière en bois, derrière laquelle un homme en uniforme était en train d'écrire dans un grand livre.

Puis Ellwanger revint, ouvrit la barrière et fit entrer Ralph dans un petit bureau austère, où le calendrier formait l'unique tache de couleur. Derrière la table vide était assis un gros homme sur un tabouret tournant qui gémissait sous son poids.

— Inspecteur Meyer, présenta Ellwanger, il va t'interroger. Ou bien préfères-tu être interrogé par une femme ? Tu n'as qu'à le dire.

— Je voudrais enfin savoir ce que vous me voulez ! Et où est M. Bernauer ?

— Du calme ! dit Meyer et il fit signe à Ellwanger de s'asseoir sur une chaise derrière Ralph. — D'abord, assieds-toi ! Pose le panier à côté de toi. Veux-tu boire quelque chose ? Peut-être un Coca-Cola ?

Ralph avait soif, mais il pensa que s'il l'avouait on le prendrait pour une faiblesse.

— Non, merci, dit-il.

— Si tu en as envie plus tard, t'as qu'à le dire. Alors d'abord tes papiers. Tu t'appelles... né le... — Lorsqu'il s'avéra que Ralph était le fils du juge Severin, tué dans un accident de voiture, l'amabilité de Meyer se fit un rien plus sincère. — Alors voyons ça...

— Où est M. Bernauer ? demanda Ralph pour la dixième fois, lui sembla-t-il. — Il lui est arrivé quelque chose ?

— Tu l'aimes bien ?

Ralph se redressa.

— Oui.

— Alors pourquoi l'appelles-tu « Monsieur Bernauer » ? Pourquoi ne dis-tu pas simplement Thomas ? Ou Thomas Bernauer ?

— Il s'appelle Thomas ? Je l'ignorais.

— Tu ne connais même pas son prénom ?

— Non, je ne le connais pas bien. Seulement du marché, de son stand.

— Tu n'es jamais allé chez lui ?

— Non. Je vous l'ai déjà dit. Aujourd'hui, c'était la première fois.

— Et que voulait-il de toi ?

— Me montrer ses fleurs !

— Rien d'autre ?

— Non.

Meyer se pencha en avant.

— Allons, soyons donc tout à fait honnêtes, Ralph !

306

Ton père était un homme respectable, et cela me fait croire que tu es un garçon honnête. Il ne t'arrivera rien si tu dis la vérité ! Qu'y avait-il entre toi et Thomas Bernauer ?

— Rien. Il m'a dit quels livres je devais lire... Hermann Hesse, Thomas Mann, Wolfe, Steinbeck...

— Ça ne t'a pas paru curieux ?

— Quoi ?

— Qu'un horticulteur connaisse si bien la littérature ?

— Je pensais...

Ralph hésita, car il craignait de dire quelque chose qu'il ne fallait pas.

— Vas-y, parle !

— Eh bien, j'ai pensé qu'il n'avait pas toujours été jardinier.

— Tu ne le lui as pas demandé ?

— Si. Mais il ne m'a pas répondu.

— Alors quoi d'autre ? Il t'a conseillé des livres... certains étaient-ils pornographiques ?

— Non.

— Sais-tu ce que sont les livres pornographiques ?

— Je peux l'imaginer. Des livres dans lesquels il y a des choses indécentes... peut-être aussi des photos indécentes.

— Petit malin. Alors Bernauer ne t'a jamais montré de tels livres ?

— Il ne m'a jamais rien montré ! J'ai trouvé les livres dans la bibliothèque de ma mère.

— Tu prétends donc que tu es allé le voir, ce fleuriste, à son stand au marché pour parler avec lui de livres et lui demander ce que tu devais lire ? Tu ne trouves pas que c'est peu crédible ?

— Ça ne s'est pas du tout passé comme ça. D'abord, je lui ai acheté des fleurs. Pour ma mere. Alors nous nous sommes parlé. Plus tard, il m'a dit que je pouvais avoir des fleurs gratuitement si je venais au moment de la fermeture. C'est ce que j'ai fait.

— Et il t'a donné des fleurs gratuitement ?

— Oui.

— Ça ne t'a pas paru bizarre ?

— Pourquoi ?

— Un fleuriste a intérêt à vendre ses fleurs et pas à les donner ?

— Mais non, les fleurs du samedi après-midi, il ne pouvait plus les vendre. Aussi, je l'aidais à charger sa camionnette...

— Il n'a jamais été... affectueux avec toi ?

— Non.

— Il n'a pas mis son bras autour de tes épaules ?

— Non.

— Il n'a jamais touché ton...

— Non ! Il n'aurait jamais fait ça !

Ralph ne contrôlait plus sa voix.

— Ce n'est pas tellement sûr. Il a été dénoncé.

— Ça ne veut rien dire ! Il a été calomnié !

Les yeux verts de Ralph lançaient des flammes.

— Tiens, tiens ! Le voilà qui montre du tempérament ! Le fait est, pourtant, que Bernauer a déjà été condamné... pour détournement de mineurs !

— Non ? !

Ralph se tassa sur sa chaise.

— Et maintenant il semble bien qu'il soit de nouveau passible d'une peine. Le père d'un garçon a porté plainte... d'un gamin de douze ans ! Veux-tu le voir ? — Meyer ouvrit le tiroir de son bureau et prit une photo dans un dossier. — Là ! Il la tendit à Ralph. La photo était celle d'un garçon blond délicat au sourire indécis.

— Nous avons cette photo, dit Meyer, parce qu'il est en fuite. Il est souvent venu au jardin de Bernauer et il est rentré un jour très troublé. Son père lui a fait des remontrances, a essayé de le questionner. Dans la nuit, il a disparu. Connais-tu ce garçon ?

Ralph était devenu très pâle ; les lèvres serrées, il secoua la tête.

— Je crois que ça suffit, dit Meyer par-dessus la tête de Ralph.

Ralph se retourna et remarqua seulement alors que Ellwanger avait écrit tout le temps ; le fonctionnaire se leva et quitta la petite pièce.

— Je regrette de t'avoir choqué ! dit Meyer. Mais j'espère que ça te servira de leçon à l'avenir. Pas de visites chez des hommes seuls, promis ? Ton expérience de la vie ne semble pas très étendue.

— Oui, dit Ralph d'une voix sourde.

— C'est-à-dire ?

— Je promets. Je ferai plus attention à l'avenir.

— Et tu ne fais plus rien derrière le dos de ta mère, compris ?

— Elle va l'apprendre ?

— Ce ne sera pas nécessaire. — Meyer fit un geste de la main. — Tu peux attendre dehors.

— Attendre quoi ?

— Il faut que tu signes le procès-verbal.

— Et après ?

— Tu es libre.

Ralph prit congé avec sa politesse habituelle, alors que la révolte grondait dans son cœur. Il saisit son panier et sortit.

Plus tard, lorsqu'il récupéra sa bicyclette dans la cour du commissariat, il ouvrit le panier et vida son contenu — salade de pommes de terre, boulettes de viande, limonade et tarte — dans une poubelle.

Il avait déjà eu mal au cœur pendant l'interrogatoire. A présent, il ne put se retenir davantage. Il vomit sans pouvoir s'arrêter, il vomissait encore alors qu'il n'y avait plus que de la bile verte.

Naturellement, l'histoire fit le tour de Eysing-les-Bains ; dans une ville aussi petite rien ne pouvait rester secret.

Thomas Bernauer fut libéré et voulut continuer à vendre ses fleurs. Mais il ne trouva plus d'acheteurs. Le soupçon de détournement de mineur suffit à l'isoler complètement. Même les femmes qui doutaient de cette accusation et ne l'en croyaient pas capable, ne lui achetaient plus rien, car elles ne savaient pas quelle attitude prendre à son égard.

Ralph n'alla plus jamais au marché. Il se sentait trahi par l'homme en qui il avait tellement confiance.

Thomas Bernauer s'empoisonna avec des barbituriques. Il n'y eut qu'un bref communiqué dans le journal local. Ralph y fut indifférent.

Julia n'apprit qu'alors ce qui s'était passé, car on avait voulu l'épargner et on en avait seulement chuchoté dans son dos. Elle ne voulut pas en parler à Ralph : trop de temps s'était écoulé.

Sa tentative aurait échoué de toute façon, car maintenant il s'était fermé comme une huître.

Lorsque Ralph termina ses études secondaires, Roberta passa son examen d'entrée avec succès. Ses résultats étaient loin d'être aussi bons que ceux de son frère, mais Julia savait que cela lui avait coûté bien plus d'efforts et elle les complimenta pareillement.

Il y eut un repas de fête, accompagné d'une bouteille de vin blanc léger.

Pendant le repas, Julia et Roberta bavardèrent gaiement, cependant que Ralph s'enveloppait de silence. Mais cela n'avait rien d'extraordinaire : elles y étaient habituées.

Puis, lorsqu'ils eurent fini de manger, Roberta se leva pour desservir et Ralph dit brusquement :

— Je ne retournerai pas à l'école.

Roberta resta figée, le plateau dans les mains, et le regarda sans comprendre. — Qu'est-ce que tu dis ?

— Vous m'avez très bien compris.

Julia était tellement abasourdie qu'elle ne réagit pas immédiatement.

— Tu ne parles pas sérieusement !

— Mais si, Julia, j'y ai longuement réfléchi...

— Tu ne veux pas continuer tes études ?

— Non, Julia, ça n'apporte rien. Tout le monde veut étudier, et qu'est-ce que ça donne ?

— Si tu t'arrêtes maintenant, c'est comme si tu n'avais rien fait !

— Je vais faire un apprentissage qui remplacera mes études. Au ABR de Munich. Le Syndicat d'Initiative bavarois. Tu n'as qu'à signer mon contrat. J'entre dans le tourisme. Tu ne peux nier que c'est un domaine d'avenir.

— Je n'ai rien contre le tourisme, Ralph, mais je trouve que tu devrais poursuivre tes études.

— Dans cette profession la connaissance des langues étrangères est plus importante que les mathématiques, l'histoire ou la chimie... Et je peux apprendre les langues tout en travaillant.

— Ralph, je t'en supplie, réfléchis ! Tu ne peux pas faire le trajet aller et retour tous les jours !

— J'y ai pensé, Julia. J'ai déjà réservé une chambre au foyer des stagiaires.

Elle vit le pli de la résolution autour de sa bouche, elle vit le vert de ses yeux devenir plus sombre, comme toujours quand il était excité, et elle sut qu'elle ne pourrait le retenir. Néanmoins, elle ne voulait pas l'admettre et n'était pas prête à céder.

— Et tout ça en cachette ! dit-elle avec amertume.

— Je ne pouvais faire autrement. Qu'aurais-tu dit si je t'avais présenté de vagues idées ? Non, pour te convaincre, il fallait te mettre devant le fait accompli.

— Tu ne m'as absolument pas convaincue.

— Qu'exiges-tu encore ?

— Je ne puis accepter que tu quittes la maison comme ça, tout de go, et que tu ailles vivre dans la capitale. Tu n'es pas encore majeur, et tout cela est bien trop dangereux.

— Mais je vais partir, dit-il très doucement, et je ne vois pas ce qui pourrait m'en empêcher. Je ne peux plus vivre ici, comprends-tu ? Tout cela est devenu trop étroit pour moi.

— Et si je refuse de signer ?

— Alors je partirai quand même. Alors plus d'apprentissage, je travaillerai comme manœuvre dans un supermarché, ou bien je ferai la plonge dans un bistrot. Je sais, la police me retrouvera et me ramènera. Mais tu ne peux pas m'enfermer ici, je m'échapperai toujours.

Le désespoir coupa le souffle à Julia.

— Ralph, mon grand chéri, pourquoi me fais-tu ça ?

— Il faut que je m'en aille d'ici, Julia, comprends-le. Tout cela n'est pas un drame, si tu n'en fais pas un. Je peux venir tous les week-ends. Munich n'est pas au bout du monde ! réfléchis !

Il quitta la pièce très droit, la tête haute.

Roberta avait desservi et fait la vaisselle, mais elle avait laissé toutes les portes ouvertes pour ne pas perdre une syllabe. Elle revint et posa une tasse de café sur la table devant Julia.

— Merci, dit Julia avec un profond soupir.

Roberta lui entoura les épaules de son bras.

— Ce n'est pas si grave !

Les yeux de Julia étaient aveuglés par les larmes. Elle alluma une cigarette, mais n'y trouva aucun goût ; la fumée lui irrita la gorge.

— Peux-tu comprendre ça, Robsy ? Qu'il veuille nous quitter ?

— Oui. Je crois.

— Que sais-tu ?

— Ce que tout le monde sait. Il est pédé.

Julia reçut cette nouvelle comme un coup. Il fallut plusieurs secondes avant qu'elle ne l'assimile. Puis ses larmes tarirent et elle dit avec violence :

— Ce n'est pas vrai ! Ne le répète jamais !

— Mais puisque tout le monde le dit...

— Tout le monde, tout le monde ! Ils ne le connaissent pas. Tu sais combien il est réservé et comme il se lie difficilement. Nous seules le connaissons vraiment, Robsy ! Toi et moi. Et nous savons que c'est le garçon le plus propre qui soit ! Ou bien nous ne le savons peut-être pas ?

— Si, Julia.

Julia remuait pensivement la cuiller dans sa tasse.

— Malgré tout, je suis contente que tu me l'aies dit. Au moins, je puis maintenant comprendre. C'est à cause de ce stupide bavardage...

Roberta s'était assise en face de sa mère.

— Et... que vas-tu faire maintenant ?

— Le laisser partir. Je n'ai pas le choix !

L'automne était venu.

Julia et Dieter Sommer traversaient le parc thermal nocturne. Les feuilles mortes bruissaient sous leurs pas, et le clair de lune passait entre les branches des arbres.

— Tu te souviens ? dit-il. C'était exactement ainsi lors de notre première promenade.

— Non, répondit-elle. Il n'y avait pas de lune.

Il glissa la main sous son bras.

— Alors tu te souviens ?

— Je n'ai rien oublié. Pendant toutes ces années, tu es resté un ami fidèle.

Ils marchèrent un moment en silence.

Puis il demanda :

— Des nouvelles de Ralph ?

— Oui. Il téléphone. Tout semble bien aller.

— C'est un garçon capable. Cela n'a pas dû être facile pour lui de briser la cloche de verre que tu as dressée au-dessus de tes enfants.

— J'ai seulement essayé de les protéger.

— Mais maintenant il devient adulte et avec Robsy cela ne durera plus longtemps. — Dieter s'arrêta. — Julia, pense un peu à toi ! Tu ne crois pas qu'il est temps de modifier ta vie ? Bientôt, ils n'auront plus besoin de toi... mais moi, j'ai terriblement besoin de toi !

Elle le regarda en souriant.

— Mais tu m'as.

— Comme ami ! Ça ne me suffit pas.

— Ça peut changer. Ma vie a déjà changé depuis le départ de Ralph et mes sentiments aussi.

— Tu parles sérieusement ?

— Les sentiments ont cette particularité. L'amour peut se transformer en haine, et l'amitié...

— En amour ?

— Oui !

— Julia !

Il l'attira tendrement.

— Laisse-moi seulement un peu de temps, un tout petit peu de temps !

— Chère Julia ! Si ce n'est que ça... Je t'attendrai, parce que je t'aime !

Achevé d'imprimer en mars 1984
sur les presses de l'Imprimerie Bussière
à Saint-Amand (Cher)

— N° d'édit. 2066. — N° d'imp. 2601. —
Dépôt légal : mars 1984
Imprimé en France

PRESSES POCKET, 8, rue Garancière - 75006
PARIS - 634.12.80.

M. L. FISCHER

LE LENDEMAIN DE L'AMOUR

Femme de médecin et mère de deux adolescents, Elis, pour la première fois, part en vacances sans son mari. Lorsque, au retour, elle découvre que le timide flirt ébauché en Italie a pris à son insu la première place dans son cœur, elle se rend compte que son mariage, au fil des années, est devenu un simulacre d'amour, une façade. Son mari qu'elle croyait aimer est désormais un étranger pour elle. Ils n'ont plus rien à se dire, plus rien à se donner, ils ne se comprennent plus. Mais se sont-ils jamais compris, se sont-ils jamais aimés ? Insensiblement, la situation se dégrade. Elis ne peut pas, ne veut pas faire semblant. Elle sait maintenant ce qu'est la passion, l'amour partagé, la douce complicité de deux êtres qui étaient faits pour se rencontrer. Elle s'échappe le week-end pour quelques instants de bonheur et la crise éclate. Son mari ne parvient pas à lui pardonner. Bientôt le mot divorce est prononcé. La rupture est douloureuse. Elis aurait voulu sauver son foyer, sauver ce mariage qu'elle croyait possible même sans amour. Cet autre homme qui la comprend, l'aime et la respecte lui donnera la force de rompre avec son passé et de commencer une nouvelle vie.

Avec beaucoup de chaleur humaine et un grand sens psychologique, Marie Louise Fischer montre que si l'amour éternel est souvent un mythe impossible à concrétiser, une nouvelle forme d'entente peut naître à l'issue d'un conflit. Il reste l'espoir de pouvoir se séparer sans se déchirer et peut-être alors de se retrouver.

Un grand roman d'amour — conjugal — extra-conjugal — en même temps qu'un tableau de société.

Un des meilleurs Fischer, c'est tout dire.

M. L. FISCHER

Presses Pocket

L'AMOUR EST
AU RENDEZ-VOUS

Dans la grande salle du secrétariat central, soixante machines à écrire crépitent à toute allure. Il y a la tâche quotidienne à accomplir. Mais rien ne peut empêcher les esprits et les cœurs de ce petit peuple féminin de vibrer à un tout autre rythme. En arrière-plan, les destins se jouent et se nouent.

Sibylle, la jolie dactylo, a décidé de faire carrière... tous les moyens lui sont bons.

Carola croit avoir rencontré l'homme de sa vie et, abandonnée, en plein désarroi, croise l'amour authentique.

Helga a tout donné d'elle-même à son mari, un play-boy fainéant qui l'exploite, mais il y a des limites à ne pas franchir, et elle les découvre à temps.

Alma atteint la cinquantaine. La vie n'a pas été généreuse avec elle jusque-là, mais il semble que la chance veuille lui tendre la main.

Wally Hagen, digne chef de service, tient son petit monde bien en main. Et elle a la surprise de constater qu'elle est moins forte qu'elle ne le croyait.

Les messieurs... ils vivent surtout dans l'esprit de ces dames. Un microcosme, un tourbillon, des rires et des pleurs. Et de la vie surtout !

M. L. FISCHER

ERIKA

Paisible petite ville allemande, Leuchentenberg est le fief incontesté de la famille Holzboer, dont l'usine fournit du travail à la plupart des habitants. Plus précisément le fief de Wilhelm Holzboer, tyran au petit pied, dont l'existence se partage entre deux passions : la puissance et l'argent.

Non content d'imposer son règne sans partage aux habitants du lieu, Holzboer soumet sa propre famille à sa poigne de fer, exigeant que chacun se plie à sa volonté. Cette cupidité, cet autoritarisme feront rapidement une première victime : sa femme, qui mourra d'épuisement, usée prématurément.

Demeurent trois enfants : Juliane, Christiane et Wilhelm, sur le destin de qui pèseront tragiquement le cynisme et la dureté du chef de famille.

Amours contrariées, ambitions déçues, vocations brisées : la haine et la mort seront la rançon de la richesse et de l'ambition. Dans ce tableau tragique, une lueur d'espoir toutefois : le sourire d'un enfant, promesse d'avenir.

M. L. FISCHER

JEUNES FEMMES

Deux jeunes ménages vivent une crise. Sans fard, sans drame, sans éclat. Une crise comme en traversent tous les couples. Chacun essaie de voir clair en soi, de saisir la vérité profonde de ses réactions, mais, prisonnier de sa nature, l'être humain est rarement capable de sortir lui-même des limites de son carcan. Où se trouve la limite de la vérité et quand commence-t-on à mentir ?

La douce Léona, à force de douceur, exaspère Markus. La pétulante Jo, à force de pétulance, fatigue Armin.

Armin et Markus croient découvrir la femme idéale, l'antithèse de la leur. Ont-ils découvert du même coup le secret du bonheur ?

M. L. FISCHER

Presses Pocket

COMMENT ÉPOUSER
SON PATRON

Comment faire une longue carrière ? Comment réussir dans la vie ? Comment faire marcher les hommes ? Voilà qui est parfaitement simple. Il suffit pour cela de posséder quelques toutes petites qualités telle que l'intelligence, la beauté, la diplomatie, l'intuition... Pour que le résultat soit parfait, on doit toutefois y ajouter un manque absolu de scrupules, une absence totale de franchise et un rien de cynisme. C'est en tout cas l'image que nous donne d'elle-même Hilde, nouvelle héroïne de Marie Louise Fischer, en nous faisant le récit des aventures et des mésaventures de sa vie de secrétaire. C'est un roman vivant et plein de gaieté, mais... attention, mesdemoiselles, à la morale de l'histoire.